JN151673

改訂第２版

岐阜大学医学部附属病院 ここがすごい。

編著●岐阜大学医学部附属病院

へるす出版

ご挨拶

岐阜大学医学部附属病院長
岐阜大学大学院医学系研究科 外科学講座
消化器外科・小児外科学分野教授
吉田和弘

このたび、『岐阜大学医学部附属病院 ここがすごい。』改訂第2版を出版するにあたり、一言ご挨拶申し上げます。

高齢者社会を迎えるわが国で継続的に医療の提供が必要と考えられる疾患として、厚生労働省は5疾病6事業という考え方を定めています。5疾病とは、がん、脳卒中、急性心筋梗塞、糖尿病および精神疾患です。6事業とは、救急医療、災害時における医療、へき地の医療、周産期医療、小児医療（小児救急医療含む）、それにコロナ感染などの感染症です。岐阜大学医学部附属病院は、これらの疾患に対する高度の医療の提供、高度医療技術開発および高度の医療に関する研修を実施する能力を備えた、「特定機能病院」として厚生労働大臣から承認されています。それゆえに、「臨床研修指定病院」、「都道府県がん診療連携拠点病院」、「岐阜県難病医療拠点病院」、「エイズ治療の中核拠点病院」、「肝疾患診療連携拠点病院」、「高度救命救急センター」、「基幹災害医療センター」、「岐阜県救急外傷センター」、「原子力災害拠点病院」など多くの拠点病院の指定を受けており、あらゆる領域での専門家である教授を先頭に、岐阜県の「医療の最後の砦」として役割を担っています。

また、地域の中核病院として、「あなたとの対話が創る信頼と安心の病院」という理念のもと、患者さんやそのご家族には、「大学病院で治療してもらって良かった」と言っていただけるよう職員一同、最高のチーム医療を提供しています。

岐阜大学医学部附属病院は**「社会と医療のニーズに応える病院」**になることができますよう、①地域医療機関との連携中核病院、②先端医療と臨床研究を推進し、新たな標準治療を創成する病院、③ Global and local leadership を担う人材育成のできる病院、④働き方改革を推進する病院をめざします。当院でのこの４年間の実績を下図に示しますので、ご参照ください。本誌の構成として、最初に病院長、副病院長、病院長補佐による、座談会を行い、将来ビジョンや当院の特徴をわかりやすくお話ししてあります。また、各診療科においては、強みと、各疾患についての解説を加えました。医師、メディカルスタッフ、事務職員一同一丸となって、医療を通じた社会貢献に向けて誠心誠意努力してまいります。本誌が少しでも患者さんやご家族さまのお役に立てますと幸いです。

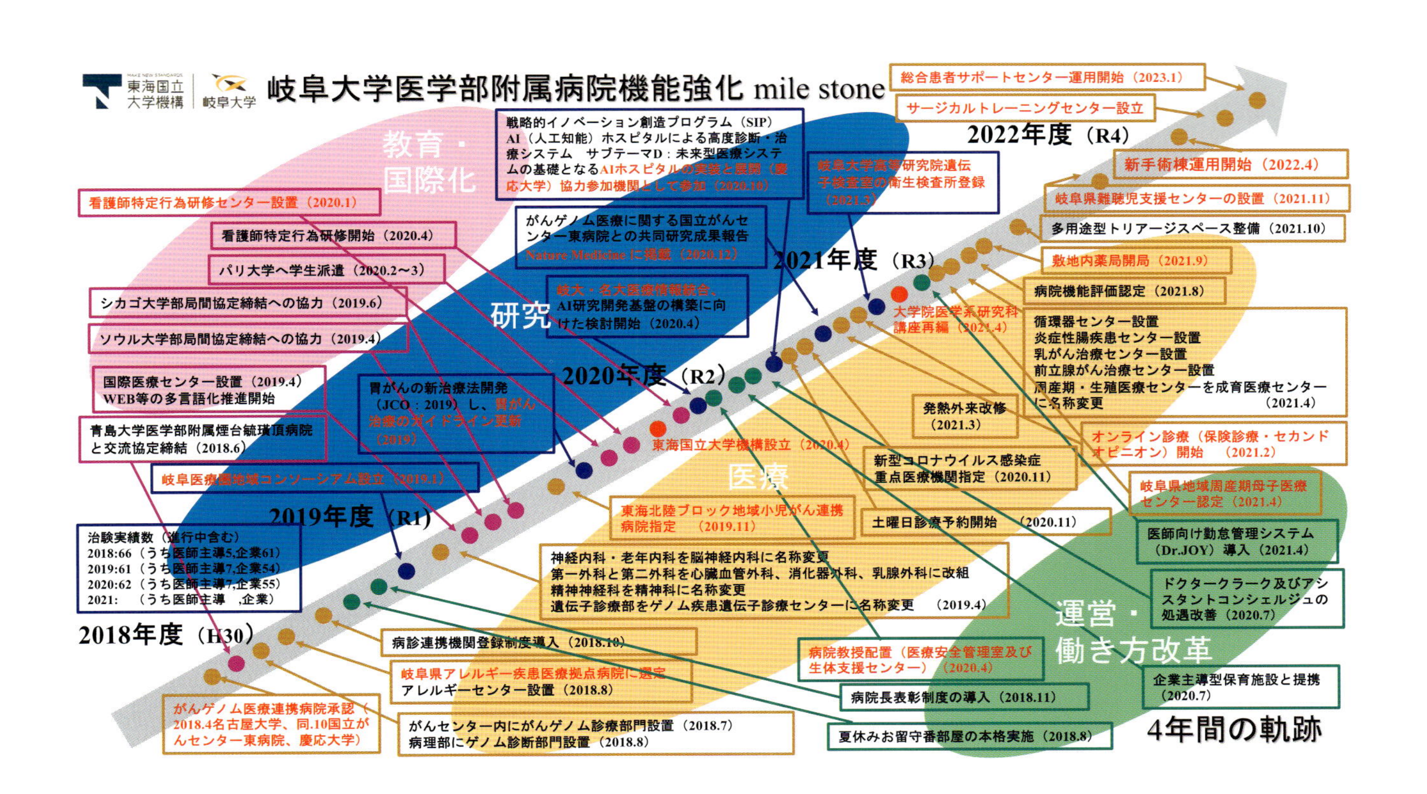

改訂第２版によせて

『岐阜大学医学部附属病院 ここがすごい。』改訂第２版のご出版おめでとうございます。関係の皆様に心からお祝い申し上げます。

この本の初版は平成28（2016）年に出版されましたが、そもそもどういう目的で岐阜大学病院がこの本をつくり上げたかという点を少しだけ申し上げます。私の病院長当時、「岐阜大学医学部附属病院は、敷居が高い」という言葉をよく聞きました。混んでいてなかなか入れないらしいとか、研究に向いている患者しか治療してないのではないかなど、いろいろな都市伝説がありました。

そこで平成26（2014）年に病院に広報室を設け、岐阜大学医学部附属病院がどのような病院なのかをメディアを通じて市民の皆様にお伝えすることにしました。

そのなかで、この病院で行われている医療の内容を市民の皆様にわかっていただく広報の一環として、岐阜大学医学部附属病院で行っている医療は他の病院とどこが一味違うのかということを記したこの本をつくるということになりました。

1. 最高のサービスを患者に届ける最高の病院の確立
2. 高度医療拠点としての機能強化と地域医療への貢献

といった基本戦略に則った医療が展開されていることもその本のなかで展開されていました。その基本方針は、現在も継続されております。

さて早いもので、第１版が刊行されてから、もう６年の月日が経ちました。その間には医師の入れ替わり、医療技術の進歩、コロナ禍など大きな変化が生じております。

このたびの第２版の刊行は、真に時宜を得た企画だと吉田現病院長に拍手を送るとともに、当院のスタッフがますます内容を充実させていただけると信じております。

ぜひ手に取ってお読みいただけますよう伏してお願い申し上げます。

令和４年３月吉日

小倉真治

前 岐阜大学医学部附属病院長

医学系研究科救急・災害医学分野教授

病院概要

（令和4年1月1日現在）

現況

（1）名称　岐阜大学医学部附属病院
（2）所在地　〒501-1194　岐阜市柳戸1番1
TEL　058（230）6000
FAX　058（230）6080
ホームページ　https://hosp.gifu-u.ac.jp/
（3）病院施設　敷地面積　124,336 m^2（医学部・附属病院共有）
建築延面積　72,822 m^2
（4）開院日　平成16年6月1日
（5）許可病床数　614床（一般577床・精神37床）

組織図 ①

運営

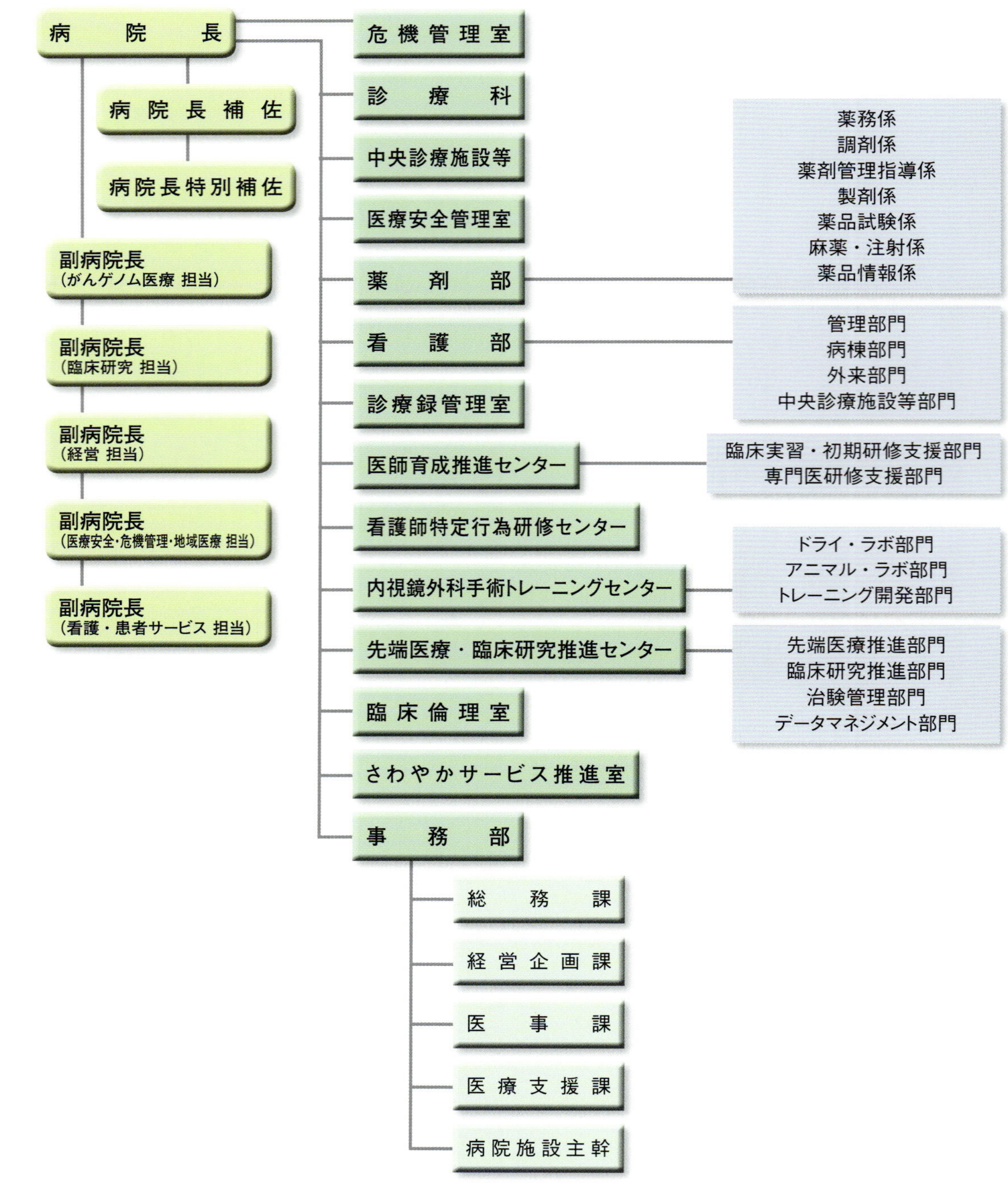

組織図 ② 診療科

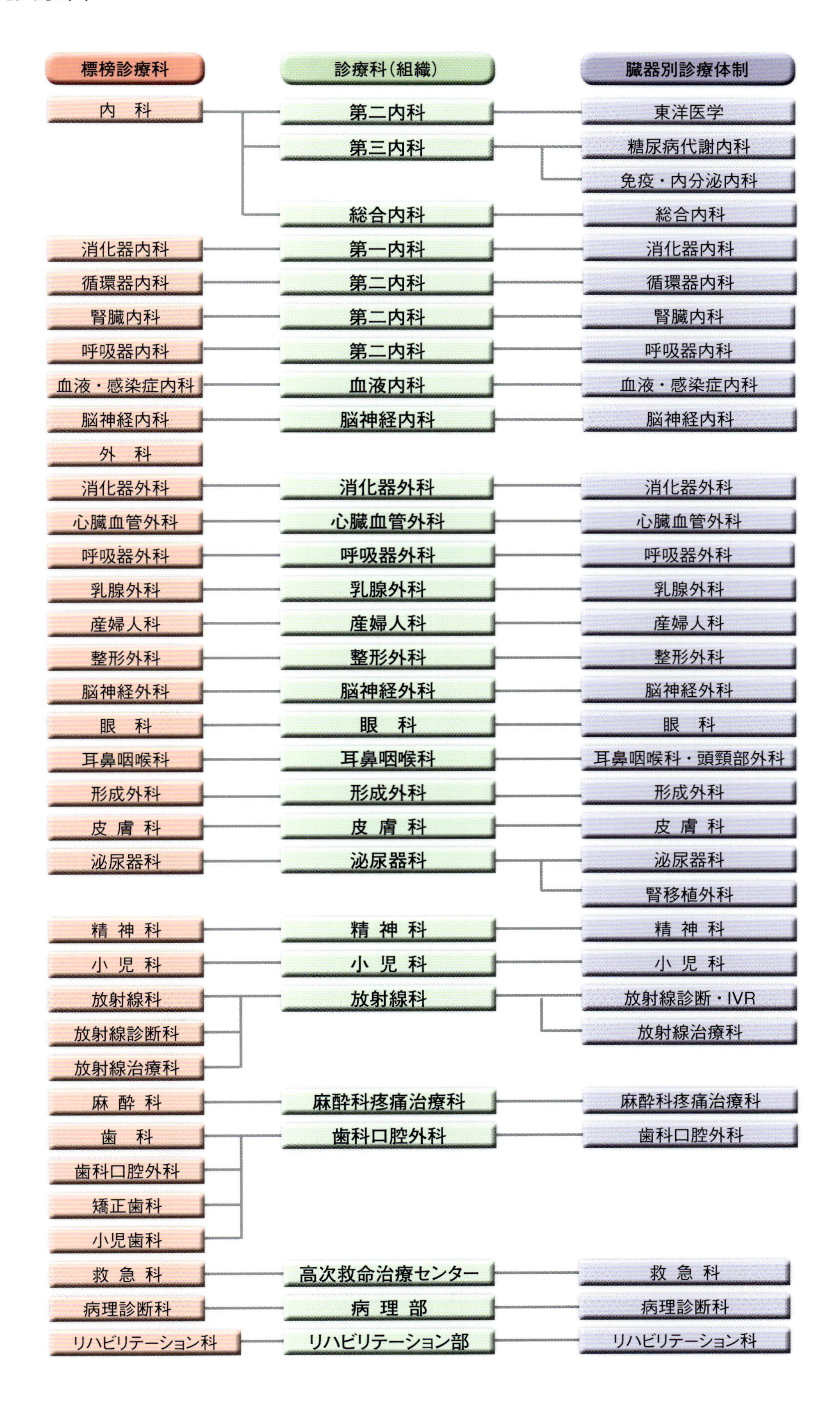
標榜診療科
診療科（組織）
臓器別診療体制
内　科
第二内科
東洋医学
第三内科
糖尿病代謝内科
免疫・内分泌内科
総合内科
総合内科
消化器内科
第一内科
消化器内科
循環器内科
第二内科
循環器内科
腎臓内科
第二内科
腎臓内科
呼吸器内科
第二内科
呼吸器内科
血液・感染症内科
血液内科
血液・感染症内科
脳神経内科
脳神経内科
脳神経内科
外　科
消化器外科
消化器外科
消化器外科
心臓血管外科
心臓血管外科
心臓血管外科
呼吸器外科
呼吸器外科
呼吸器外科
乳腺外科
乳腺外科
乳腺外科
産婦人科
産婦人科
産婦人科
整形外科
整形外科
整形外科
脳神経外科
脳神経外科
脳神経外科
眼　科
眼　科
眼　科
耳鼻咽喉科
耳鼻咽喉科
耳鼻咽喉科・頭頸部外科
形成外科
形成外科
形成外科
皮　膚　科
皮　膚　科
皮　膚　科
泌尿器科
泌尿器科
泌尿器科
腎移植外科
精　神　科
精　神　科
精　神　科
小　児　科
小　児　科
小　児　科
放射線科
放射線診断科
放射線治療科
放射線科
放射線診断・IVR
放射線治療科
麻　酔　科
麻酔科疼痛治療科
麻酔科疼痛治療科
歯　科
歯科口腔外科
矯正歯科
小児歯科
歯科口腔外科
歯科口腔外科
救　急　科
高次救命治療センター
救　急　科
病理診断科
病　理　部
病理診断科
リハビリテーション科
リハビリテーション部
リハビリテーション科

組織図 ③
中央診療施設等
中央診療施設等
検査部
手術部
放射線部
材料部
輸血部
病理部
総合診療部
医療情報部
光学医療診療部
高次救命治療センター
医療連携センター
生体支援センター
がんセンター
エイズ対策推進センター
肝疾患診療支援センター
リハビリテーション部
成育医療センター
医療機器センター
高次画像診断センター
新生児集中治療部
オートプシー・イメージングセンター
脳卒中センター
ゲノム疾患・遺伝子診療センター
ベッドコントロールセンター
術前管理センター
入院センター
呼吸器センター
アレルギーセンター
国際医療センター
循環器センター
炎症性腸疾患センター
難聴児支援センター
ドクタークラーク部
栄養管理室
生理検査部門
血液検査部門
生化学免疫検査部門
一般検査部門
微生物検査部門
難病検査部門
採血室
一般エックス線撮影部門
透視検査・手術室撮影部門
CT 検査部門
MRI 検査部門
血管造影・IVR 部門
放射線治療部門
核医学診療部門
安全管理部門
画像情報管理部門
被ばく線量管理部門
ゲノム診断部門
救急部門（高度救命救急センター）
集中治療部門
血液浄化治療部門
ドクターヘリ・ドクターカー部門
救急外傷部門
教育・研究部門
感染制御部門
予防接種部門
栄養サポート部門
栄養マネジメント部門
褥瘡対策部門
呼吸療法支援部門
放射線治療部門
化学療法部門
レジメン審査部門
緩和ケア部門
教育研修部門
情報管理部門
病診連携部門
がんゲノム診療部門
小児・AYA 世代部門
乳がん治療センター
前立腺がん治療センター
画像診断部門
診療放射線技術部門

理念

あなたとの対話が創る信頼と安心の病院

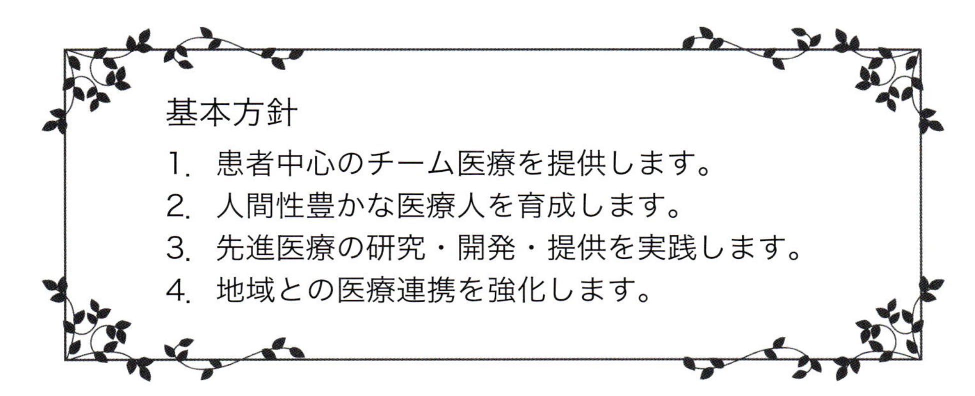

基本方針

1. 患者中心のチーム医療を提供します。
2. 人間性豊かな医療人を育成します。
3. 先進医療の研究・開発・提供を実践します。
4. 地域との医療連携を強化します。

宣言

岐阜大学病院「患者の権利」宣言

私たち岐阜大学医学部附属病院職員は、患者が自らの意思と選択のもとに、最善の医療を受ける以下の権利を有することを宣言します。

1. 個人の人種、信条、性別、社会的地位などに差別されることなく、常にその最善の利益に即して、医学的原則に沿った安全で良質な治療を公平に受けることができます。
2. 医療機関等を選択・変更する権利、ご自身の病気の診断や治療について、他の医療機関の医師の意見（セカンドオピニオン）を求めることができます。
3. 病気や診療内容について、十分な説明を受け納得したうえで、自らの意思で治療方法を同意、選択、あるいは拒否することができます。
4. 十分な情報提供を受けた上で臨床研究に自らの意思で参加・不参加・中止することができます。
5. 何らかの理由で意思を表明できない場合には、ご家族の方や代理人を指定して判断を依頼することができます。なお、依頼した人の判断を拒否することもできます。
6. 所定の手続きをとることにより、ご自身の診療記録を閲覧することができます。
7. ご自身の病気の診断・検査や治療の効果と危険性、他の治療の有無、看護の内容および病状経過などの情報について、わかりやすい言葉で十分な説明を受けることができます。
8. ご自身の医療にかかわるあらゆる情報、ならびにその他個人のすべての情報は、患者の死後も秘密が守られます。正当な理由なく第三者に開示されることはありません。
9. いかなる状態においても尊厳が守られます。

「子どもの権利」宣言

1. 子どもたちは、いつでもひとりの人間として大切にされ、一番よいと考えられる医療を受けることができます。
2. 子どもたちは、年齢や理解度に応じた方法で説明を受けることができます。
3. 子どもたちは、身体的・精神的・社会的苦痛を和らげることを求めることができます。
4. 子どもたちは、自分が受ける検査や病気を治す方法について十分説明を受けて治療に参加する権利を有し、不必要な医療的処置や検査から守られます。
5. 子どもたちは、自分で自分の健康についての意思決定ができないとき、代わってご家族に決めてもらうことができます。
6. 子どもたちは、年齢や症状・体調に適した遊び、レクリエーション、教育が提供されます。子どもたちのニーズを満たすためのスタッフおよび療養環境が配慮されます。
7. 子どもたちは、療養場所に関わらず、ケアの継続性が保障されます。
8. 子どもたちのプライバシーは、いつでも守られます。
9. 子どもたちは、自分の病気の診断や治療について、他の病院の医師の意見（セカンドオピニオン）を求めることができます。

所在地

病院までの交通案内

鉄道をご利用の方

①JRご利用の方は、JR岐阜駅で下車後、JR岐阜駅（北口）バスロータリー9番のりばで岐大病院行きのバスをご利用ください。

②名鉄電車ご利用の方は、名鉄岐阜駅下車後、名鉄岐阜駅4番または5番のりばで岐大病院行きのバスをご利用ください。

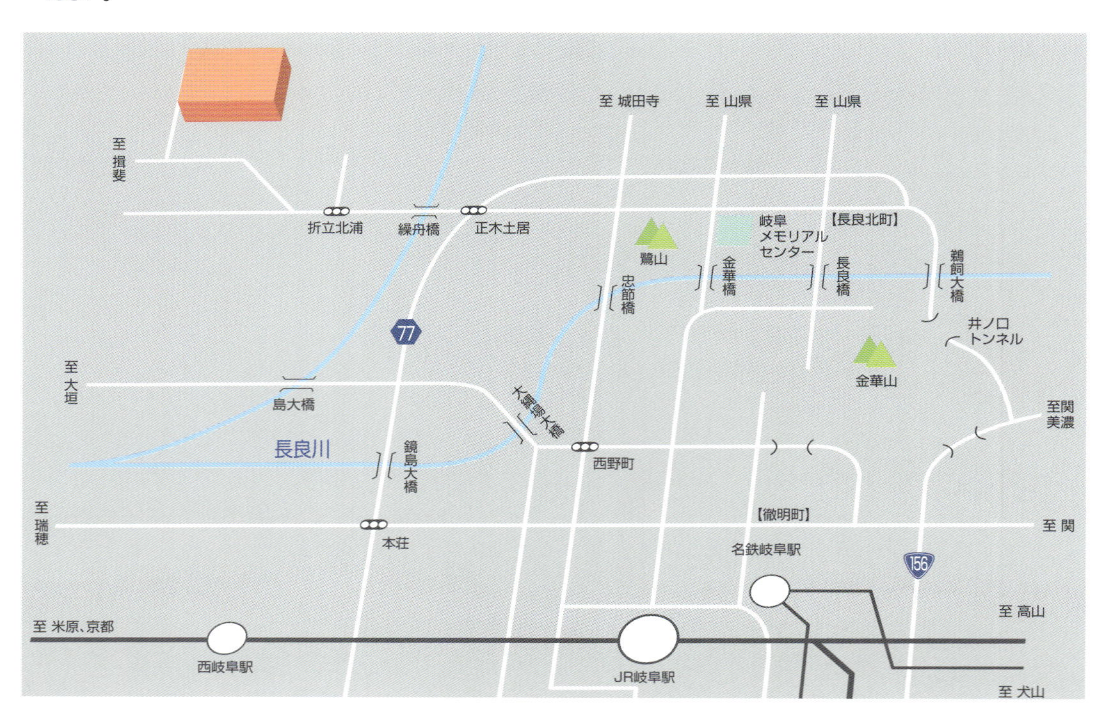

バスをご利用の方

バスのりば	行先	降車するバス停	所要時間
JR岐阜駅　9番	岐阜大学病院（長良橋経由）	岐阜大学病院（終点）	約40分
	岐阜大学病院（忠節橋経由）		
名鉄岐阜駅　4番	岐阜大学病院（長良橋経由）		
名鉄岐阜駅　5番	岐阜大学病院（忠節橋経由）		

岐阜大学医学部附属病院 ここがすごい。

目次

岐阜大学医学部附属病院 ここがすごい。

病院長×副病院長・病院長補佐

新時代に向けた座談会
―現代社会のニーズに応える岐阜大病院の将来ビジョン―

吉田 和弘
病院長

森重 健一郎
副病院長

秋山 治彦
副病院長

土井 潔
副病院長

清水 雅仁
副病院長

廣瀬 泰子
副病院長

下畑 享良
病院長補佐

古家 琢也
病院長補佐

矢部 大介
病院長補佐

岐阜大学医学部附属病院（以下、岐阜大学病院）は、高度な医療を提供する特定機能病院です。「あなたとの対話が創る信頼と安心の病院」という理念を掲げ、最高の患者サービスを届けることに努めてきました。今回は、吉田和弘病院長と８人の副病院長・病院長補佐が、コロナ新時代に向けた「社会と医療のニーズに応えるこれからの病院づくり」について語り合いました。

スマートホスピタル構想

吉田病院長

吉田　岐阜大学病院では、安心・安全な医療の提供という特定機能病院の大きな使命を果たすため、大きく4つの目標を立てて運営を行ってきました。1つ目は地域医療機関との連携中核病院であること、2つ目は先端医療と診療研究を推進し、新たな標準治療を創成する病院であること、3つ目がGlobal and local leadershipを担う人材育成のできる病院であること、そして4つ目が働き方改革を推進する病院であることです。私は2018（平成30）年の病院長就任以来、この4つを目標に掲げ、さまざまなプロジェクトを推進してきました。これらの改革

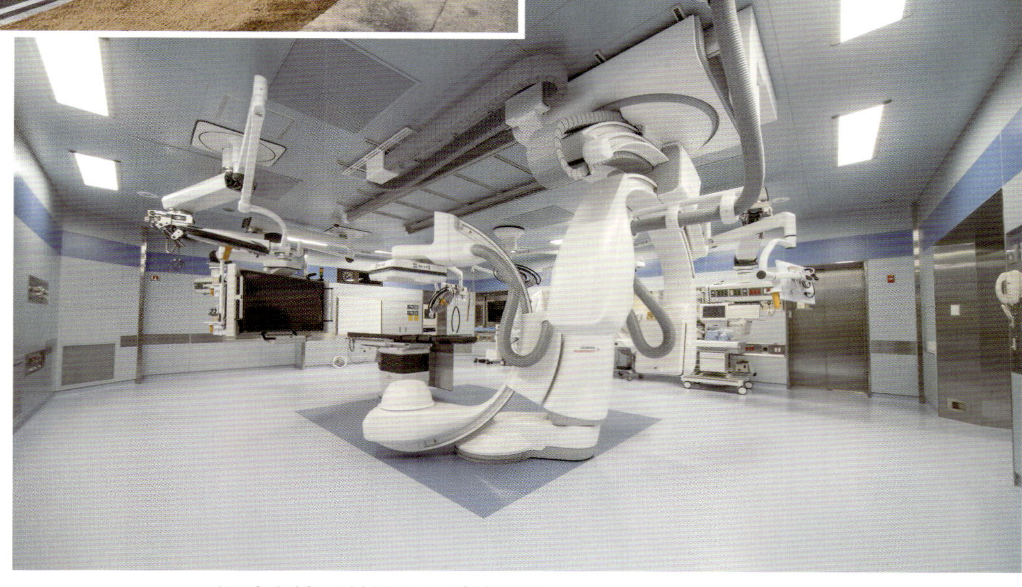

新手術棟／外観および手術室

にはデジタル化、いわゆるDX（デジタル・トランスフォーメーション）が不可欠であり、以前から「スマートホスピタル構想」を進めてきましたが、コロナ禍によりこの動きが加速し、従来できなかったカンファレンスのオンライン化を実現するなど、「コロナ新時代」に対応した新たな岐阜大学病院へと生まれ変わろうとしています。そのような新時代の幕開けを象徴するものの1つが、2022（令和4）年4月からいよいよ稼働する新手術棟です。

土井　新たな手術棟の基本構想は4年前に策定され、2年前から具体的に計画が動き始めました。現在は着々と建設が進められており、2022年4月から運用が開始されます。5つの手術室が新設されることになりますが、いずれも現状の1.5倍以上の広さを確保しており、手術台に血管造影装置（けっかんぞうえいそうち）を組み合わせたハイブリッド型手術室を2部屋完備しています。

これにより、高画質の透視(とうし)・３Ｄ(スリーディー)撮影を活用した最先端の医療を提供することが可能です。同時にさまざまな通信設備が整備され、手術の模様をライブ配信できるようになりますし、将来的には遠隔によるロボット治療を提供することも視野に入れています。

吉田　ハイブリッド手術室は１方向から透視して検査しながら手術を行うものが一般的ですが、当院の新手術棟ではこれを２方向から行える点が画期的です。さまざまな議論がありましたが、せっかくつくるのであれば最先端の医療が提供できる環境を整えよ

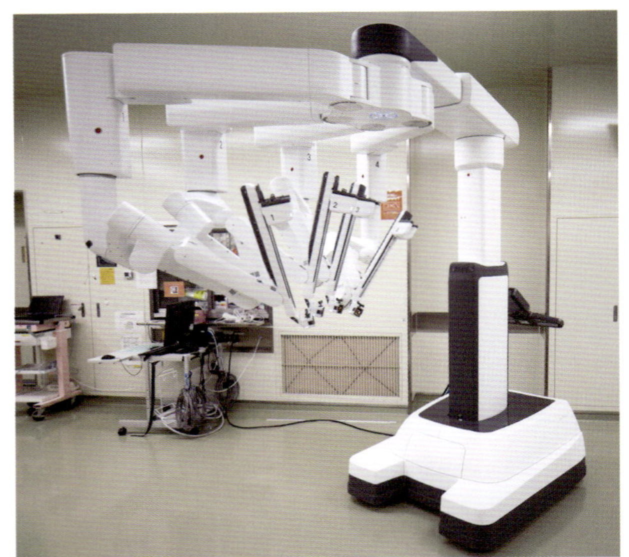

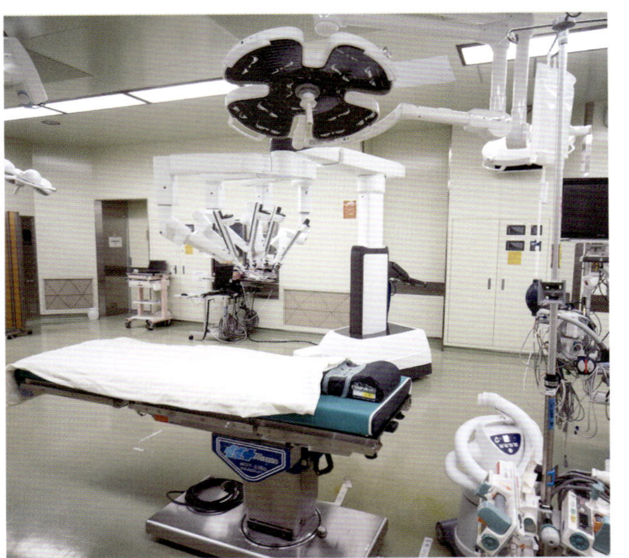

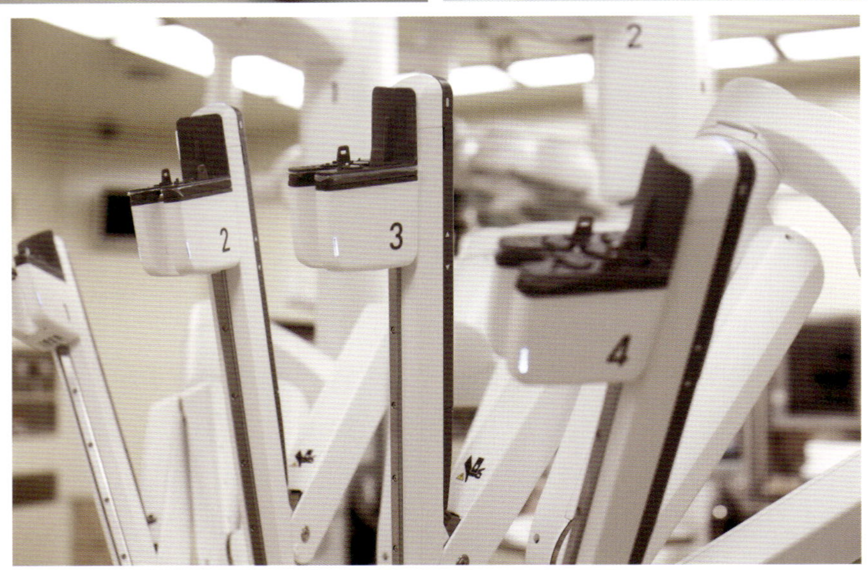

ダヴィンチ

うと導入を決めました。そして、新手術棟においてもう1つの大きな特徴となるが、ダヴィンチ（da Vinci）によるロボット支援手術です。

古家　当院では、すでに最新鋭の手術支援ロボット「ダヴィンチ Xi」を2台導入しています。これは当院の大きな強みであり、土井先生、森重先生のリーダーシップのもと、非常にうまく活用できていると感じています。また、各科においても保険適用が広がってきていることから、今後はさらにロボット支援手術が増えることが予想され、おそらく10年後には手術室ごとに1台あるのが当たり前になるような世界がくるだろうと思います。今後は遠隔でのロボット支援手術にも積極的に取り組んでいきたいです。ただ、あくまでロボットを操作するのは人です。操作する側をいかに育成していくのかが大きなテーマであり、ロボットをうまくあつかえる人材を育て、世界に通用するレベルにまで引き上げることが私たちの使命だと感じています。

森重　婦人科がん領域でも、腹腔鏡（ふくくうきょう）手術だけでなくロボット支援手術が急速に進みつつあります。現時点で完全に保険適用されているのは子宮体がんのロボット支援手術のみですが、今後は子宮頸がんなども認められると推測されます。婦人科がんの場合、妊孕性（にんようせい）を温存するというのが非常に重要なテーマです。がんの治療をするのと同時に、患者さんが将来的に赤ちゃんを産める能力を維持するという点からも、手術支援ロボットによる三次元の手術はとても有効だと期待しています。

吉田　ロボット支援手術が行われる以前から、当院では患者さんの負担が少ない腹腔鏡手術、胸腔鏡手術などを積極的に行ってきたわけですが、大学病院である当院には、これらの手術を極めたトップレベルの医師たちが集まっており、その蓄積の延長線上にあるのがロボット支援手術だと考えています。その一方で、古家先生がおっしゃる通り、こうしたハイレベルな医師をいかに輩出していくのかはとても大きな課題であり、それには質の高いトレーニングが不可欠です。そこで当院では、ご遺体を使わせていただき、若手のトレーニングを行うためのカダバートレーニングセンターの整備を進めています。今後は腹腔鏡手術、胸腔鏡手術などに加え、ロボット支援手術のトレーニングなどにも活用していていく考えです。

先端医療と臨床研究を推進し、新たな標準治療を創成する病院

吉田　岐阜大学病院は岐阜県の「がん診療連携拠点病院」に指定されています。森重先生はがんセンター長として、岐阜県のがん医療に幅広くご尽力されていますが、今後の展開についてはいかがですか。

森重　吉田病院長が主導して、2018（平成30）年には「岐阜医療圏地域コンソーシアム」が立ち上がりました。当院を中心に、岐阜県総合医療センター、岐阜市民病院、松波総合病院の4つの医療機関で構成されており、すでに消化器領域を中心に臨床試験などが行われていますが、今後はこのコンソーシアムをさらに活用しながら岐阜圏域全体で臨床試験に取り組み、新たなエビデンスをつくることが求められると思います。また、がんのゲノム医療が急速に進んでおり、当院でも非常に積極的に検査を行っています。これらについてコンソーシアムを

森重副病院長

活用して岐阜圏域へと広げ、いわゆる精密医療の実現、遺伝子の異常に基づいた個別化医療を提供していくことも考えています。

吉田　当院では、特にこのゲノム医療に関して、国立がん研究センターが進めている血液検査などで超早期のがんを発見する国家プロジェクトの一端を担っています。こうした最先端の医療の研究にかかわっている点も、当院の大きな強みであると思います。森重先生は妊孕性の温存に関する取り組みにもご尽力されていますが、成育医療に関する今後のビジョンについてはいかがですか。

森重　若いがん患者さんが治療後に、社会の一員として家族を形成し、個人的な幸せを求めることができることはとても重要です。妊孕性喪失の問題はさまざまながんの治療に伴います。そこで、成育医療センターにおいて、妊孕性の温存のために精子や卵子・受精卵を凍結保存し、センターで一括管理できる体制づくりを進めているところです。岐阜県において少子化は非常に大きな社会問題であり、岐阜県とも連携をはかりながら、安心・安全に子どもを産める環境づくりに力を入れていきます。

吉田　がん患者さんの妊孕性の問題は、大きなテーマの１つだと感じます。国もAYA（アヤ）(adolescent and young adult、思春期・若年成人期）世代をキーワードに掲げていますし、2022年度からは不妊治療が保険収載されます。少子化対策という観点からも、成育医療が今後の柱の1つになると思われますが、岐阜県全体では医療の集約化を進めていく必要がありそうですね。

森重　ええ。特に岐阜県は北部地域の人口密度が低いという特徴があります。どの病院でも安心して産むことができるのが理想ですが、現実的にはむずかしい。そこで、できるだけ利便性を損なわないかたちで、安心・安全な医療体制を整えた病院へと集約する仕組みづくりを進めています。これはがん医療についても同じです。地域のなかで集約化を進め、質の高い医療を維持していくためにも、大学病院である当院が旗振り役を担う必要があると感じています。

吉田　集約化という点では、心臓血管外科では早くから取り組みを進めていると思いますが、この領域ではどのような点に当院の特徴があると感じますか。

土井　心臓血管外科の領域では、他の診療科よりも内視鏡手術などが遅れていたのですが、現在では当院でもかなり力を入れて行っていますし、将来的には岐阜県下ではまだ行われていないロボット支

土井副病院長

援手術にも取り組んでいきたいと考えています。従来の心臓の手術では胸骨を切離して行うため、かなり長い期間安静にしていなければなりません。そこで当院では、傷が小さく患者さんへの負担が少ないMICS（ミックス）（minimally invasive cardiac surgery、低侵襲（ていしんしゅう）心臓手術）を積極的に取り入れています。従来の開胸手術に比べて圧倒的に早く社会復帰できるのが特徴です。

吉田　大きな傷ではなく小さな傷で心臓外科手術ができるというのは確かに患者さんにとっても大きな利点です。消化器の領域においても低侵襲で手術ができるようになり、大腸や胃の手術などに幅広くダヴィンチが活用されています。肛門を温存する手術などは国内屈指の実績を誇り、食道がんの縫合不全の少なさにおいても世界一の優秀なデータを収めています。また、当院にはそれぞれの領域のスペシャリストが結集しているため、併存症を抱えたがん患者さんなどにも、総合病院としてきめ細かな対応ができるのも大きな強みです。

古家　前立腺がんにおいては、2012（平成24）年からロボット支援手術が保険収載されており、現在では、薬物療法を含めた手術療法を組み合わせ、根治をめざした試みを続けています。他の医療機関では治療がむずかしいと判断された患者さんたちを受け入れていますし、ロボットを活用した低侵襲手術が行えるようになったことで、80歳以上の膀胱がんの手術なども積極的に行っています。新しく膀胱をつくる方法に関しては、ロボット支援手術で対応できる医療機関は少なく、世界的にみてもまだ17%ぐらいしか実施されていませんが、当院では約半分の症例で行っており、これもほかにはない強みになっていると思います。

吉田　大学病院である当院の役割は、各領域での医療技術の提供のみならず、臨床研究を行いながら新しい治療を確立し、標準治療を更新していくことだと考えています。新しい手術棟が稼働することにより、こうした部分でも広く社会に役に立つことができればと思います。

古家病院長補佐

秋山　今回の手術棟の施設に関しては、当院の整形外科領域が大きくステップアップするチャンスだと考えています。ダヴィンチを活用したロボット支援手術については、すでに各診療科で導入が進んでおりますが、整形外科領域については東海地方で初の試みとなります。膝の人工関節手術にロボットを活用し、ナビゲーション技術を用いながら、AI（エーアイ）（artificial intelligence、人工知能）のもとで1ミリ・1度の精度で正確な手術ができるようになります。そもそも当院は、東海地方で初めて手術支援ロボットを導入した医療機関であり、2021（令和3）年12月にはバージョンアップを行っています。今後もこの地域のロボット支援手術を牽引する先進的な病院として機能していくはずです。

吉田　今後はこうした先進的な医療を、いかに周辺の関連病院へと浸透させるかがテーマになりそうです。もちろん人材を直接送るという方法もありますが、医療リソースの集約化も必要になる現状においては、ロボット支援手術の手技をリアルタイムで配信

秋山副病院長

する仕組みや、遠隔手術支援なども考えていく必要があると思います。

秋山　AIの導入などについては、いまだ未成熟な面があるものの、ディープラーニングを行ったデータをもとにAIを活用するシステムなどは、試験的にかなり導入されてきています。CTやMRIのデータから三次元データを構築し、AR・VR（augmented reality、拡張現実・virtual reality、仮想現実）を活用して手術前のプランニングに役立てる技術は、正確性や精度面での課題はあるものの、すでにさまざまな医療機関でみられるようになっています。その一方で、AIについてはたくさんのデータを収集して機械学習させる必要があるため、さまざまな施設や企業が競争的にデータ収集を行っている段階にあります。当院においても来年度以降、AR・VRの技術などを積極的に取り入れていこうと動き始めているところです。

吉田　AIについては優れた手術をディープラーニングすることで、危険なときには自動的にオートストップがかかるといった技術への応用が期待されているわけですが、消化器内科領域への応用についてはいかがですか。

清水　CTと超音波画像を融合し、そこから構築された画像を活用して安心・安全に肝がんの治療を行うことはすでに行われています。また、内視鏡の分野で申し上げますと、内視鏡のシステムにAIが組み込まれ、大腸ポリープの診断をAIがサポートするといった技術も登場し始めています。見落としの可能性が減り、術者の心理的な負担も軽減される点がメリットであり、当院でもすでに利用しています。こうした最先端の医療機器の開発にもかかわっていけるのが大学病院の強みです。岐阜大学工学部との共同研究を行い、AIに関する研究成果も論文化しています。

吉田　先端医療を研究し、そこから新たな標準治療を創成することが私たちの目標であるわけですが、臨床研究推進センター長の秋山先生はどのような構想を抱いていらっしゃいますか。

秋山　標準治療の確立は、大学病院である当院の使命の1つだと思っています。以前であれば、当院のなかで臨床の試験を行うことが多かったわけですが、現在はできるだけたくさんの施設と連携し、より多くの患者データをもとにして臨床試験を行うことで、新しい医療技術を開発するのが当たり前になってきており、これにより非常に効率的に開発を進めていくことが可能です。当院では現在、岐阜医療圏の4施設のデータを連係して収集しようと動いていますが、将来的には県全体、さらには国立大学機構の名古屋大学との連携をはかり、東海地区全域のデータを集めて臨床試験を開始し、新しい治療や医療技術の開発につなげていけるのではないかと考えています。特に、AIの開発はデータ量が勝負です。その点では岐阜医療圏のコンソーシアムや、名古屋大学との連携により、たくさんのデータが収集できることは非常に大きなメリットです。

吉田　標準治療をつくるためには、いわゆる治験や臨床研究が必須となるわけですが、その出口戦略

清水副病院長

の場となるのが、岐阜大学を中心とした関連病院との地域一体型の臨床試験体制の確立です。応用生物学部、工学部、さらには岐阜薬科大学とも連携しながら、新たな治療法や創薬のシーズを研究し、動物実験で安全性が確認されたものを人に初めて投与するといった一連のプロセスを、すべて手がけていける体制をめざしていきたいです。

矢部　名古屋大学と岐阜大学が電子カルテのデータを互いに共有し、研究に活かしていく取り組みも進んでいます。まったく違う電子カルテを統合するという試みは前例がなく、2大学が力を合わせ、2年の歳月をかけてようやく自由にデータを取得し、研究に活用できる段階まできました。また今後、地域の関連病院ともデータ共有をはかる予定です。膨大な量のデータをどのように研究に活かしていくのか、頭の使いどころです。ぜひ若い先生たちに参画してもらい、日常臨床から生じた疑問に対してさまざまな角度からデータを解析してもらいたいと考えています。そのため、データサイエンス研究を支援する人材育成にも取り組んでいきます。当院は、電子カルテの分野で常に日本の先頭を走ってきました。名古屋大学とのデータ統合を機に、関連病院とも連携して、日本一のデータサイエンス拠点をめざせるように頑張っていければと思います。

吉田　中央だけでなく地域においても治験ができる体制を整備し、関連病院と一体となって症例を登録できるシステムを構築しているのが当院の強みです。当院単体では614床ですが、4つの病院を合わせれば約2,000床あり、その症例がすべてスクリーニングできます。現在はがんに限られているものの、将来的には整形外科など、他の症例についても、もれなくスクリーニングできる体制を整えていきたいです。

地域の医療機関との連携中核病院

吉田　私たちが提供する医療の主体はあくまで患者さんであり、患者さんに喜んでもらえるような体制を整えることが重要です。そこで、岐阜大学病院では、清水先生をセンター長として総合患者サポートセンターの準備を進めています。

清水　総合患者サポートセンターには、専従の事務職員だけでなく、看護師、薬剤師、管理栄養士などが常駐します。入院前から患者さんの悩みを伺い、どのような問題点があるのか、何に困っていらっしゃるのかなどを把握して準備していくこと、また、治療後には1日も早く、自宅あるいは自宅に近い地域に戻っていただけるように、入院時点から退院時をイメージし、自宅に帰ることを想定した医療を提供していくことを取り組みとしていきます。また、はじめから自宅に帰るのが困難な場合には、岐阜県各地域のアライアンス病院と連携し、安心して退院していただける体制を整えています。総合患者サポートセンターの開設に向けた改築工事はすでに始まっており、完成までには1年ほどを要することになりますが、患者さんにはピカピカのきれいな施設をぜひご利用いただければと思っています。

吉田　現在の入退院センターに比べると倍以上の広さになりますし、相談支援も併せてできることは患者さんにとっても心強いはずです。

清水　医療事故や安全にかかわる問題もこのセンターで一元管理するなど、トラブルの発生を未然に防ぐ体制づくりにも力を入れてますので、安心して当院にお越しいただきたいですね。

患者総合サポートセンター（イメージ図）

吉田　最近では手術前日に入院するといったケースも多くなり、医師と手術前に十分会話ができず、不安を感じる患者さんもいらっしゃるはずです。そこで、手術や病気についてのビデオツールを作成し、外来の入退院センターでこれを見ることで、少しでも不安を払拭していただこうという試みを始めています。ちなみに、総合患者サポートセンターの運営には、看護師の力が必要不可欠だと思いますが、この点についてはいかがですか。

廣瀬　総合患者サポートセンターの開設以降は、看護師以外にも、理学療法士や栄養管理士など、さまざまな職種のスタッフがセンターの運営に幅広くかかわっていく予定です。患者さんに対しても、社会的なリスクを含めて丁寧にアセスメントしていくことができる体制になります。

吉田　今後は家庭の事情で来院できない人や、そもそも寝たきりで移動するのがむずかしい人などをフォローアップする仕組みづくりも今まで以上に必要になってきそうですが、遠隔診療についてはいかがですか。

矢部　当院は全国の国立大学医学部附属病院のなかでもかなり先進的にオンライン診療を取り入れています。コロナ禍により「通院して対面診療を受けたいが、コロナウイルス感染の不安があるため控えたい」といった患者さんに対し、「オンライン診療によって病院とつながることで安心を届けたい」という想いから急ピッチで整備を進めました。現時点におけるオンライン診療は、患者さんと医師、看護師、管理栄養士などが、画面を使って言葉でやり取りをするといった活用法が中心ですが、毎日の食事内容の写真をみながら、血糖や血圧、体重の変化を確認したり、抗がん剤治療を受けられている方に副作用が出ていないかをモニタリングできる仕組みも導入予定です。将来的には、患者さんが採血やCTなど自分の検査データをスマホなどで持ち歩き、かかりつけ医の先生の診療を受けることができるような体制づくりも進めていきます。かかりつけ医の先生方と連携し、患者さんがどこでも適切な医療を受けられるような仕組みをつくり上げていきたいです。

吉田　やはりかかりつけ医の先生方との連携を深めていくことは重要です。かかりつけ医の存在は、いわば当院にとっての外来のようなものです。オンライン診療もうまく取り入れながら、良好な関係をつくり上げていきたいと思います。

清水　当院では、開業医の先生方との連携をとても大切にしています。200を超える連携機関を認定し、定期的に顔が見える関係を構築しており、たとえば患者さんが土曜日の午前中に開業医にかかっても、すぐに当院に診療予約の電話やFAXをすることができ、次の週には安心して当院に受診いただけるようにしています。また、「ミナモねっと」や「ぎふ清流ネット」といったネットラインを構築し、開業医の先生方が当院に入院した後も患者さんの状態を把握できる仕組みを整備しています。このように常に地域と連携しながら高難度・新規医療を提供していく。それが岐阜県唯一の大学病院である当院の強みであり、責任であると考えています。

矢部　2023年に導入予定の電子カルテシステムでは、かかりつけ医との連携強化に加えて、患者さんが安心して高難度新規医療を受けられる機能も強化していきます。たとえば、AIを駆使して医師の見落としを防止するシステムも搭載予定です。こうした仕組みを導入することで患者さんがより安心して医療を受けていただけると期待しています。また、医師と患者さんが話している言葉をAIで自動的に文字起こしする技術により、医師が患者さんとの会話により集中でき、患者さんに寄り添った医療ができると期待しています。

Global and local leadershipを担う人材育成のできる病院

吉田　新しい時代をつくるために欠かせないのが人材の育成です。医師あるいはメディカルスタッフの育成という点では、どのようなところに岐阜大学病院の特長があるとお感じですか。

下畑　当院では2013（平成25）年に医師育成推進センターが創設されました。北診療棟に広々としたフロアを確保しており、研修医の先生方が勉強しやすい快適な環境を整えています。当院での研修の大きな特徴の1つに、研修期間における自由選択の時間が非常に長くとられており、自由かつ柔軟なプログラムをつくることができる点があります。たとえば、長期研修において自分の好きな分野を十分に学ぶことができますし、専門研修へとスムーズに移行することができるのも特徴です。また、協力型の研修病院で1年間研修し、大学病院で1年間行うというたすきがけの研修カリキュラムも非常に好評です。

吉田　大学病院でありながらプライマリ・ケアに力を入れているのも当院の強みの1つです。

下畑　そうです。当院では総合内科の外来や、救急外来においてプライマリ・ケアを経験する機会がとても多いと感じています。市中病院とは違い、当院であれば専門の医師たちが常に後ろで見守っていますし、プライマリ・ケアからむずかしい救急まで、さまざまな経験を安心して積むことができます。

吉田　山本五十六（やまもといそろく）の「やってみせ、言って聞かせて、させてみせ、ほめてやらねば、人は動かじ」の言葉ではありませんが、当院には研修医にさせるだけでなく、それをきちんとバックアップできる体制があります。しかも、各分野の専門家たちがそろっているところが大きなポイントです。ちなみに今後に向けては、教育のDX化なども進んでいきそうですが、そのあたりの取り組みについてはいかがですか。

下畑　以前から研修医向けのセミナーを数多く実施していますが、これらをすべて動画に残してライブラリー化しています。過去にさかのぼって勉強をすることができますし、今後はスマートホスピタル構想の一環として、AIやVRの技術を使った教育の整備を進めています。現在、名古屋大学との共同研究による「＋DX」というプロジェクトが進行中です。近いうちにARやVRを使ったシミュレーション教育が新たなプログラムとして立ち上がる予定です。

吉田　教育という観点でいえば、医師だけでなく看護師やメディカルスタッフ、薬剤師などの人材育成も重要ですが、看護師の育成についてはいかがでしょうか。

廣瀬　岐阜県下には全国的にみても非常に多くの4年制の看護大学が設立されており、こうした大学

下畑病院長補佐

青島大学との連携

で学んだ学生のなかでも、高度な医療を提供する特定機能病院でキャリアアップしたいという志の高い方たちが当院に集まってくれています。このような方たちをきちんと育成するため、クリニカルラダーを時代に合わせて見直しながら、段階的に教育を行うシステムを整えています。また、さまざまなキャリアパスが描けるように、ジェネラリスト、エキスパート、さらには看護師教育の分野で活躍できる人材への道筋なども提示しています。

吉田　2020（令和2）年度からは特定行為看護師を養成するコースも新たに設置されました。

廣瀬　はい。院内のみならず院外の看護師向けにも提供しているカリキュラムで、看護師の役割が拡大することで、看護師自身のキャリアアップにつながるだけでなく、タスクシフティングを通じた働き方改革にも寄与するものになっています。

吉田　廣瀬看護部長がご説明された特定行為看護師のほかにも、ナース・プラクティショナー、専門薬剤師、認定薬剤師、認定看護師、専門看護師などの育成に力を入れている点も当院の特色です。薬剤師や理学療法士、検査技師などにもタスクシフティングの取り組みが浸透していけば、仕事の裁量が広がり、キャリアアップにもつながっていくはずです。また、人材育成という観点からは国際化も極めて重要です。当院では以前からシカゴ大学、パリ大学、ソウル大学、マギル大学、青島大学煙台病院などと人材交流を行っています。実際にマギル大学に派遣された経験のある矢部先生は、ご自身の経験からその意義をどのようにお感じですか。

下畑　マギル大学では、脳神経内科の医学教育

矢部病院長補佐

を間近で、みさせていただくことができ、本当にすばらしい財産になったと感じています。若い先生たちが、海外でどのように医学が行われているのか、教育が展開されているのかを知る機会を与えてもらえるというのは、非常に魅力的なことだと思います。

吉田　コロナ禍が収束したら、これまでの反動で海外の観光客も増えることが予想されます。国際医療センターでは、人材育成の面のみならず、外国籍の患者さんの対応という点でも重要な役割を果たしそうです。

矢部　国際医療センターでは、世界で活躍しうる医療人の育成や国際共同治験・研究の推進に加えて、海外の患者さんが安心して最先端の医療を受けていただける環境整備を進めています。たとえば、同時通訳システム導入を含め院内の多言語化に取り組んでいます。また、言葉だけではなくて、文化的な背景にも対応していく必要があることから、入院時にヒアリングシートを作成し、イスラム教、ヒンズー教の患者さんなどに対応した食事を提供できるシステムも構築しています。

働き方改革

吉田　最先端の医療に取り組み、患者さんに奉仕をするための前提となるのが働き方改革です。私たち医療従事者が心のゆとりをもつことができれば、周囲の人にも優しく接することができますし、それによって患者さんも安心感を得られ、信頼へとつながるという好循環が生まれます。そこで岐阜大学病院では、医師のタスクシフティングを積極的に進めているところです。

矢部　働き方改革はなかなかむずかしい課題ですが、患者さんが安心して医療を受けられるためには、医師やメディカルスタッフが、心を平静に保ち、しっかり業務に従事できることが前提となります。何日も寝てないような外科医の先生に執刀してほしいと思う人はいませんよね。そこで力を入れているのがタスクシフティングです。これは、国の法改正を受けて、今まで医師しかできなかった医療行為をメディカルスタッフができるようにするものです。医師が多様な業務を無理して行うよりも、他職種と役割分担して適切に行うほうが、安心・安全な医療を提供できる場面は多いと感じています。

吉田　医師だけでなくメディカルスタッフ同士のタスクシフティングも進めているようですね。

矢部　はい。たとえば、看護師と検査技師が、採血業務などを分担するなどして、それぞれのスタッフがやりがいをもって活躍できる体制づくりを進めているところです。また、病院内での勤務状況を自動的かつ効率的に把握する「Dr. JOY」というシステムも導入し、より適切な勤務体制構築に活用することで、全職員がワークライフバランスを保ち、よりよい医療を提供できるよう環境整備を進めています。

吉田 書類作成に時間を割かれている医師は多いと思いますが、この点に関してはいかがですか。

矢部 当院では医師の事務を補助する「ドクタークラーク」を活用して医師の負担軽減をはかっています。診断書や紹介状、各種保険の証明書などを代行して作成し、医師が確認作業を行うだけでよいように、ドクタークラークをしっかり養成する専門部署を近く立ち上げる予定です。クラークは「病院の顔」という意味でも重要です。患者さんと一番に、最初に顔を合わせるのがクラークであることも多いため、接遇も含めてしっかりと教育を行っていきたいと考えています。

吉田 ドクタークラークの数はどの病院でも拡充を進めている状況にあるなか、当院ではすでに15対1を達成しており、今度はクオリティコントロールの部分にも手を伸ばしていきたいと思っています。看護師のタスクシフティングについてはどうですか。

廣瀬 先ほどもお話した特定行為看護師というのは、まさに医師のタスクシフティングに貢献する職種です。特定の医療行為を行うことができるようになる制度であり、この教育を受けた看護師を毎年増やしていき、将来的には各病棟に数名ずつ、日勤帯にも、夜勤帯にもいるという状況をつくることができれば、ものすごく医師の手助けになるのでないかと思います。また、こうした業務を自ら行うようになることが看護師自身のやりがいにもつながり、自立して臨床判断ができるという強みにもなるはずです。現時点では未知の部分が多く、不安も大きいとは思いますが、それでもこの教育を希望する看護師は年々増えており、非常に頼もしく感じています。看護師のオーバーワークを心配する声もありますが、看護部では部署間でうまく連携しながら協力する体制ができています。ある部署が非常に忙しい場合には、他の病棟から応援にいくといった柔軟な対応を以前から行っており、少人数であっても協力しながら頑張れる風土が自然とでき上がっています。

廣瀬副病院長

吉田 看護師の皆さんは、医療という大きな枠のなかで、部署の垣根を越えて連携をはかることが役割として求められる場合も多いのではないでしょうか。そのあたりの協力体制はすばらしいと思いますし、オーバーワークを防ぐために看護助手を活用するといったタスクシフティングも充実しています。

廣瀬 そうですね。看護助手の活用も非常に重要で、そういった制度も充実しているのが当院の特長です。現在は、昼間だけではなく、深夜23時までの手厚い配置を行うことで、本当に看護師しかできない業務に専念できる環境を整えています。

吉田 今後はすべての職種において働き方改革を進めていく必要性を痛感しています。AIを使った物理的な作業軽減なども進めていますし、オンラインを活用しながら会議自体もどんどんと縮小してきます。患者さんを質の高い医療を提供するためにも、まずは私たち医療従事者自身が働き方をみつめ直し、豊かな人生を築けるような病院でありたいと願っています。

膵がんの診療について教えてください

すごい!!
膵がんを早期に発見するために、当院では、リスクに応じて血液検査、MRI検査、超音波内視鏡検査などを行っています

わたしたちがお答えします。

消化器内科
教授
清水 雅仁

消化器内科
講師
岩下 拓司

Q 膵臓とはどういう臓器なの？「膵がん」はどんな「がん」なのですか？

A 膵臓とは、上腹部の深い位置（後腹膜）にあり、幅が3〜5cmで長さが15cm程度の細長い臓器です（図1）。膵臓のなかには、膵臓の細胞でつくられた膵液（消化酵素）を十二指腸に流す管（膵管）が網目のように存在しています。膵臓には大きく2つの仕事があります。膵液を十二指腸内に分泌することで食物の消化を行う「外分泌機能」と、インスリンなどのホルモンを生成し生体内のさまざまな機能を調節する「内分泌機能」です。

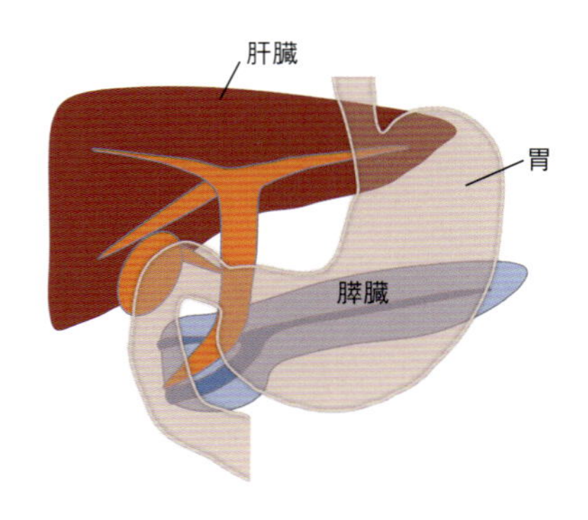

図1　肝臓の位置

一般的に「膵がん」とは、この膵管から発生するがん（悪性腫瘍）のことをいいますが、膵がんの死亡数は年々増加傾向を示しており、現在膵がんによる年間死亡数は、肺がん、大腸がん、胃がんに次いで第4位となっています。また、膵がんを発症した人数（罹患数）と膵がんで死亡した人数（死亡数）がほぼ同じであり、非常に「難治のがん」とされています。

Q 早期に発見することはできるのですか？

A 膵がんを予防する方法（一次予防）は確立されていないため、膵がんをより確実に治療するためにも早期発見が重要となります。しかし、小さな膵がんをCTやMRIなどの検査で診断することは容易ではありません。そのため、血液検査や画像所見などで小さな膵がんと関連する可能性がある所見（間接所見）があれば、積極的に膵がんを疑い、超音波内視鏡などの精密検査を行うことが、膵がんを発見するための有用な方法とされています。

表　膵がん早期発見のポイント

膵がんを疑う検査所見	膵がんの危険因子
・膵酵素上昇（血液検査） ・腫瘍マーカー上昇（血液検査） ・主膵管拡張	家族歴：膵がん、遺伝性膵がん症候群 合併疾患：糖尿病、慢性膵炎、膵嚢胞（膵管内乳頭状粘液腫）、肥満 嗜　好：喫煙、大量飲酒

膵がんを疑う具体的な所見としては、膵酵素(アミラーゼ、リパーゼ、エラスターゼ1など）の上昇、腫瘍マーカー（CA19-9など）の上昇、主膵管の拡張などが挙げられます。膵がんの危険因子としては、膵がんの家族歴（特に両親、兄弟姉妹、子のような「第一度近親者」に2人以上）、慢性膵炎、長い糖尿病罹患歴、膵嚢胞の存在（特に膵管内乳頭状粘液腫）などがあります（表）。これらの危険因子がある場合には、定期的な血液検査や画像検査を行うことが、膵がんを早期に発見するうえで重要と考えられています。

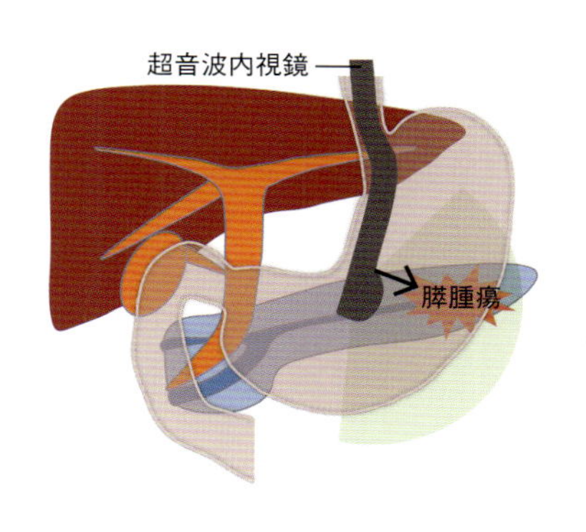

図2　超音波内視鏡下吸引針生検

岐阜大学病院での検査方法や診断方法は？

A 当院における膵がんを疑う症例の検査方法についてご説明しましょう。

膵がんが疑われるような検査所見やその危険因子がある場合、当院では積極的に超音波内視鏡検査を行っています。超音波内視鏡検査とは、超音波（エコー）装置を伴った特殊な内視鏡を、通常の胃カメラ検査と同じように口から挿入し、消化管のなかから周囲組織・臓器を非常に精細な画像で観察し診断を行う検査です。超音波内視鏡を使用することで、CTなどそのほかの画像診断でははっきりしなかった膵腫瘍の存在や膵がんを疑う微細な膵管の変化などを、より詳細に観察することができます。腫瘍が観察可能であれば、さらに超音波内視鏡下に針生検（超音波内視鏡下吸引針生検）を行い、正確な診断を行うようにしています（図2）。超音波内視鏡下吸引針生検は、内視鏡を介して超音波ガイド下に膵腫瘍を針で穿刺し、針のなかに腫瘍の一部を採取することで病理学的診断を行う検査です。正確な診断が得られることにより、その診断に基づいた適切な治療を行うことが可能となります。また、超音波内視鏡でもはっきりしないような微小な膵がんを疑う所見があれば、膵管のなかに細い管を挿入して膵液を採取し、膵液のなかにがん細胞があるかを調べる検査も行っています。

当院では、これらの検査によって膵がんをできるだけ早期に、そして正確に診断できるよう取り組んでいます。もし、膵がんを疑う検査所見や危険因子があるようであれば、ぜひ一度ご相談ください。

白血病の治療には、どんなものがあるの？

すごい!! 当院は、CAR-T療法施行可能な施設に認定されました（東海３県では２施設目）。悪性リンパ腫に対して最先端の免疫療法が行えます!

わたしがお答えします。

血液・感染症内科
准教授
兼村 信宏

白血病とは？

A 白血病は「急性白血病」と「慢性白血病」に分けられます。両者とも血液の細胞が「がん化」して無制限に増殖する病気です。急性白血病と慢性白血病は、がん化する細胞の種類や増殖の速さが異なるため、症状も異なります。急性白血病の症状は、主に未熟な白血病細胞の増殖に関連するため、早期から貧血、血小板減少による出血、白血球異常による感染症などを認めます。慢性白血病では一見正常にみえる分化した白血球が増加するため、初期にはまったく無症状の場合が多いです。急性白血病が慢性化したものが慢性白血病というのではなく、まったく異なる病気といえます。

では、どうやって治療するの？

A 急性白血病は、診断後ただちに入院して、点滴による化学療法（抗がん剤治療）を行います。白血病の化学療法は、他の領域での化学療法よりはるかに強力ですが、完治の確率も他のがんよりも高いです。化学療法といえば副作用が心配されますが、最近では吐き気止め、抗生剤、正常白血球を増やす薬などが格段に進歩しているので、安全に治療ができます。

慢性白血病についても安全な治療が可能となっています。特に、慢性骨髄性白血病の治療は、あらゆる悪性腫瘍・がんのなかでも最も進歩しています。2000年以前までは造血幹細胞移植が唯一の根治療法でしたが、現在では飲み薬（チロシンキナーゼ阻害薬）の服用だけで良好にコントロールできるようになり、一部では治療を中止（完治が期待）できるようになりました。

骨髄移植を受ける必要は？ドナーはみつかるの？

A 急性白血病のなかには通常の化学療法では治りにくいタイプが存在し、そのような場合には造血幹細胞移植を行います。造血幹細胞とは、すべての血液細胞を産生するもととなる細胞です（図）。造血幹細胞移植には白血球の血液型〔ヒト白血球抗原（HLA）〕の一致が重要であり、HLAの適合やその他の条件を判断して骨髄移植や末梢血幹細胞移植（兄弟、非血縁）、臍帯血移植（非血縁）が行われます。非血縁というのは、骨髄バンクや臍帯血バンクを利用する移植であり、ドナーの選択肢が拡大しました。また最近では、免疫抑制薬などを工夫することで、HLAが半分だけ一致している親子間での移植も可能になっています。移植の方法も進歩しており、以前は比較的若い患者さん（おおむね55歳以下）しか、移植を受けることができなかったのですが、近年は「ミニ移植」と呼ばれる、

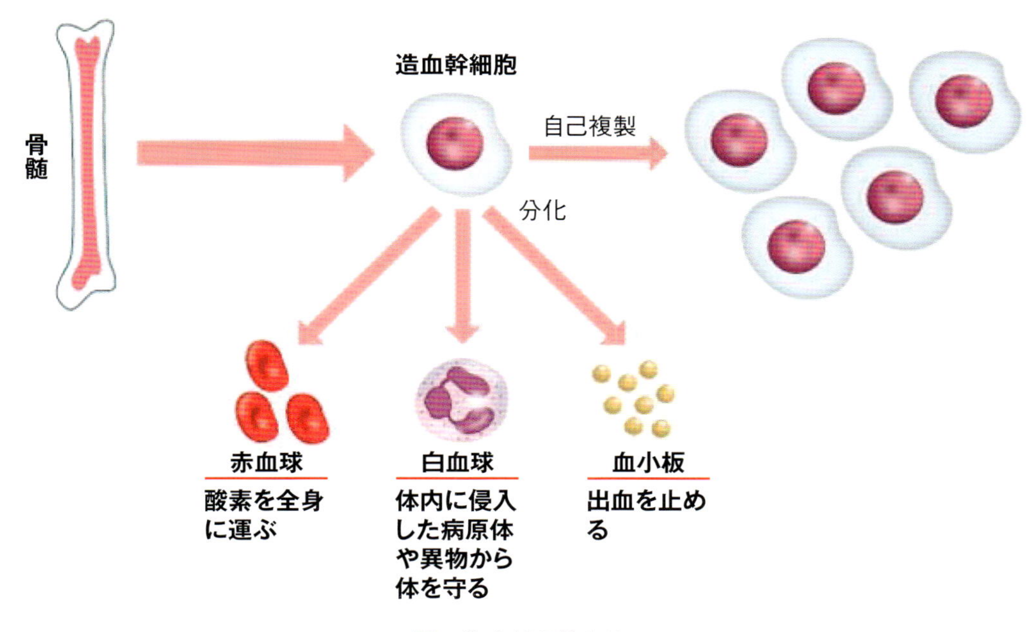

図　造血幹細胞とは

〔国立がん研究センターホームページより引用〕

毒性を軽減した移植方法を用いることによって、70歳前後の患者さんまで移植治療を行うことが可能になっています。

Q 化学療法以外に治療はあるの?

A 近年は「免疫療法（めんえきりょうほう）」と呼ばれる治療法が進んでいます。患者さん自身のT（ティー）細胞を使い、その免疫反応によって白血病細胞を死滅させる、従来の化学療法とは異なるタイプの治療法です。白血病細胞の表面にある特定のタンパクをターゲットとして、そのタンパクに結合する抗体をもった注射薬を点滴したり、ターゲットを攻撃する遺伝子を導入したT細胞（これを「CAR-T（カーティー）細胞」といいます）を作成して、患者さんの身体に輸注（ゆちゅう）（静脈から投与すること）する治療が行われています。CAR-T細胞を用いた治療は移植後に再発してしまった急性白血病の患者さんにも一定の効果が期待できます。また、CAR-T細胞を用いた治療は、悪性リンパ腫や多発性骨髄腫（たはっせいこつずいしゅ）など、さまざまな造血器腫瘍にも今後適応が拡大される予定で、治療成績のさらなる向上が期待されています。

ほかにも、白血病の増殖シグナルを抑制して、白血病細胞を減少させる内服薬も登場しています。このような治療薬を分子標的薬といいます。代表的な分子標的薬が、慢性骨髄性白血病に対するチロシンキナーゼ阻害薬ですが、急性骨髄性白血病においても特定の遺伝子異常に対して特異的に効果を発揮する分子標的薬が複数開発されており、日常臨床に使用されています。CAR-T療法に代表される免疫療法と分子標的療法は今後もさらに発展することが予想され、化学療法以外にも白血病を治す手段はどんどん増えています。特に、急性リンパ性白血病の患者さんの一部は、従来の抗がん剤を使用しなくても免疫療法と分子標的療法の組み合わせで治癒が期待できる状況になってきています。

循環器内科であつかっている診療を教えてください

すごい!! 当院循環器内科では岐阜県で唯一、虚血性心疾患に対する非侵襲的診断（FFR-CT）と心アミロイドーシスの内服治療が可能です

わたしたちがお答えします。

循環器内科
教授
大倉 宏之（おおくら ひろゆき）

循環器内科
准教授
金森 寛充（かなもり ひろみつ）

循環器内科 講師
病棟医長
山田 好久（やまだ よしひさ）

循環器内科 講師
外来医長
高杉 信寛（たかすぎ のぶひろ）

Q 階段や坂道を上っていると胸が締め付けられるように感じるのですが……

A 心臓は筋肉でできた全身に血液を送るポンプですが全身に絶え間なく血液を送るため心臓自身も酸素や栄養を得るために血液が必要です。その心臓に血液を供給する血管が冠動脈（かんどうみゃく）です。この血管が狭窄（きょうさく）を起こした状態が「狭心症（きょうしんしょう）」、完全に閉塞した状態が「心筋梗塞（しんきんこうそく）」でこれらを合わせて「虚血性心疾患（きょけつせいしんしっかん）」といいます。高血圧や糖尿病、脂質異常、喫煙があると動脈硬化（どうみゃくこうか）が進み、虚血性心疾患になりやすいことが知られています。

狭心症の主な症状は労作時の前胸部絞扼感（こうやくかん）、圧迫感です。これは心筋への相対的な血流不足ですので安静にしていると数分で症状が改善します。一方、心筋梗塞では、急にみぞおちから前胸部にかけての激しい絞扼感が出現します。時には左肩や顎、奥歯まで痛みが放散するため肩こりや虫歯と誤認する場合もあります。こうした症状が長く（30分以上）続く場合は急性心筋梗塞を疑います。心筋梗塞は完全な血流の遮断なので心筋が壊死（えし）を起こし、死に至ることがありますからとても危険です。ですから心筋梗塞を疑う場合は一刻も早い診断と治療が必要です。そのため当院では24時間体制で循環器内科医が常駐し、いつでも対応できる体制を整えています。

ご相談の症状は狭心症が疑われます。狭心症は発作時でなければ血液検査や心電図検査、心エコー検査を行っても異常はみつかりません。そこで運動の前後で心電図を比較する「運動負荷心電図（うんどうふかしんでんず）」や放射性同位元素（ほうしゃせいどういげんそ）（アイソトープ）を用いて心筋への取り込みを調べる「負荷心筋シンチ」という検査を行います。異常がみつかると「心臓カテーテル検査（冠動脈造影（かんどうみゃくぞうえい））」で診断を確定します。心臓カテーテル検査とは、直径2～3mm程度のカテーテルという細い管を手首や鼠径部（そけいぶ）（足の付け根）の動脈へ挿入し冠状動脈の入り口へ到達させ、その先端から造影剤を注入して血管の狭窄を判定する方法です。しかし、この検査には少なからず侵襲（しんしゅう）があり、検査後の安静も必要です。最近ではカテーテル検査を行う前に外来でCT（シーティー）検査（冠動脈3D（スリーディー）-CTアンギオ）による診断が行われるようになりました。

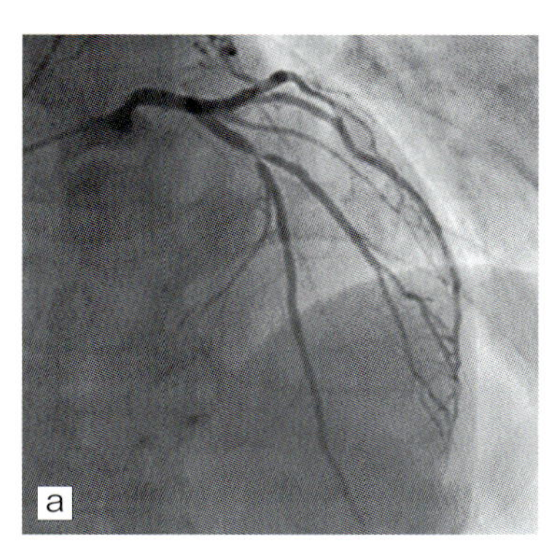

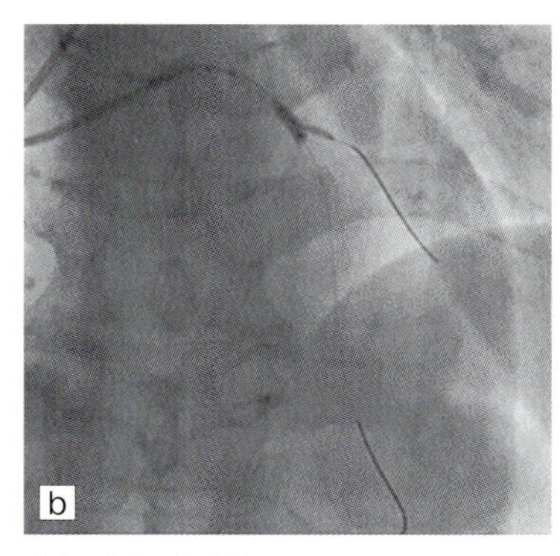

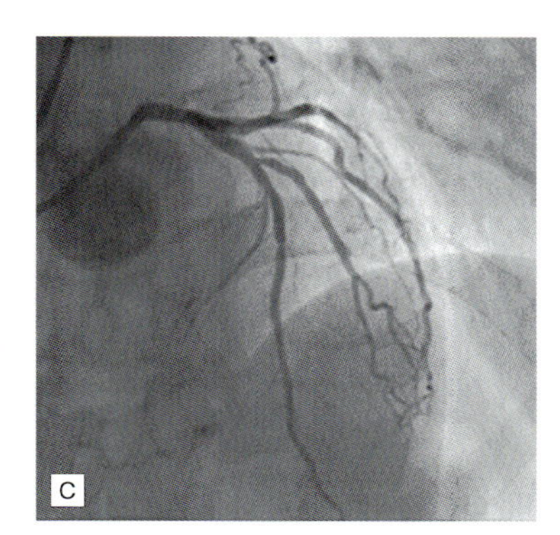

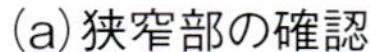
(a)狭窄部の確認　(b)バルーン拡張　(c)最終確認造影

図1　PCI（カテーテル治療）

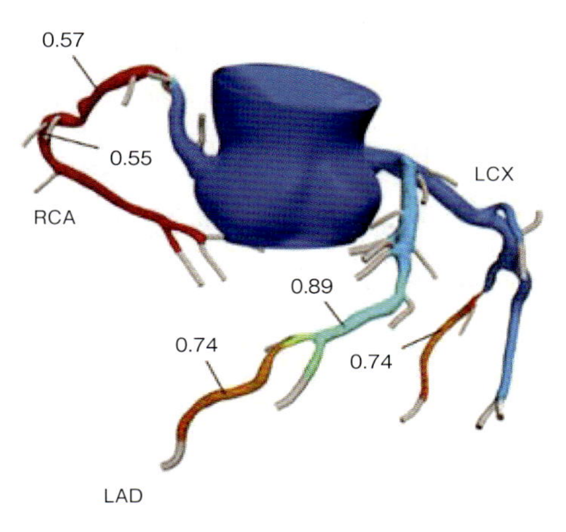

図2　FFR-CT

狭心症の治療には、薬物治療と血行再建術〔カテーテル治療（PCI）、外科治療（冠動脈バイパス手術）〕があります。PCIはガイドワイヤーを通しバルーン（風船）を狭窄した冠動脈まで誘導しそこで拡張し、ステントという金属の型枠（網）を留置する治療法です（図1）。動脈硬化が進行し、石灰化が強く、狭窄が高度でバルーン拡張がむずかしい場合は、ローターブレーターというドリルを用いて病変を掘削するなど、工夫して治療しています。これらは物理的な発想で血流を改善する治療法ですが、覚醒・局所麻酔下で行い、出血は少なく侵襲も低い手術であり、当科では数日間の入院で行っています。PCIは高度な知識と技術を要しますが、教育施設でもある当院ではカテーテル治療専門医の手厚い指導のもとに安全に行っています。

この治療で重要なのは治療適応の適正な判定です。かつては冠動脈造影で75％以上の狭窄があれば血行再建術が行われていた時代もありますが、最近の研究では見た目の狭窄度が強くても必ずしも狭心症の原因にはならないことがわかってきました。そこでFFR（Fractional Flow Reserve：冠血流予備量比）と呼ばれる狭窄度を数値化する方法が開発されました。これはカテーテル検査の際に圧ワイヤーを用いて狭窄部位の前後で血管のなかの圧を比較することで判定します。当科では、可能な限りこの指標をもとに適正な治療を心がけています。

また、従来FFRはカテーテル検査でしか行えず侵襲的なことが難点でしたが、近年では冠動脈CTを撮影する際に得られる情報からAIを応用したコンピュータ解析を行うことで非侵襲的に診断することが可能となりました。当院では2021年よりFFR-CTを導入しています（図2）。これにより、従来の冠動脈CTや負荷心筋シンチ単独では困難であった血管形態と機能的な狭窄度の評価を1つの検査で行えますので、治療が必要な患者さんを正確かつ安全に識別できます。魅力的な検査ですが施設認定基準が厳しく現時点では岐阜県下では岐阜大学病院のみでしか行うことができません。低侵襲で正確な狭心症の診断を行うことができますので興味のある方はぜひご相談ください。

Q 心アミロイドーシスについて教えてください

A 心筋症は心筋そのものの異常により収縮・拡張作用が低下し、心臓のポンプとしての働きが低下した状態を示します。原因がはっきりしないものを「特発性心筋症」、何か原因となる疾患が明らかなものを「2次性心筋症」といいます。心アミロイドーシスとは、アミロイドという異常タンパクが心臓に蓄積することで生じる2次性心筋症です。その代表的な病型には、血液疾患（モノクローナルな異常免疫グロブリン軽鎖）が関係した「ALアミロイドーシス」、トランスサイレチンが関与した「ATTRアミロイドーシス」、炎症が関連した「AAアミロイドーシス」とありますが、ALとATTRが多くを占めます。アミロイドーシスは全身の臓器にアミロイドタンパクが沈着することで多彩な臓器障害を呈し、主な症状には心不全や不整脈、腎不全、くり返す下痢と便秘、起立性低血圧、手足のしびれなどがあります。特に、心病変の合併が予後を大きく作用するために早期の診断・治療が望まれます。古くから“不治の病”として知られていましたが、診断がむずかしくこれまであまりよい治療法もありませんでした。しかし近年では、病型に応じた治療法が開発され当院でも積極的に診断・治療を行っています。病歴や血液検査、心電図、心エコー検査から疑わしければ心臓MRI、ピロリン酸心筋シンチ、心筋生検まで行い、病型を診断し適切な治療につなげています（図3）。従来は対症療法しかなかったのですが、今では個々の病型に対し原因療法が可能です。特に、TTRアミロイドーシスに対する治療薬であるタファミジスは、認定施設限定での治療導入が可能になりました。当院は県下唯一の認定施設ですので、たくさんの患者さんが来院されています。遺伝性TTRアミロイドーシスに対してはタファミジスに加え、パチシラン（siRNA・核酸医薬）での治療も可能です。また、ALアミロイドーシスは自己末梢血幹細胞移植や化学療法を行います。この疾患は他科との連携がとても重要で、当院では総合病院としての強みを生かし循環器内科と神経内科、血液内科、消化器科、眼科、皮膚科、検査部病理の専門医が連携して行っています。

Q 急性心不全で使われる急性補助循環装置って何ですか？

A 心臓が急にポンプ失調に陥る場合がありこれを「急性心不全」といいます。不安定狭心症や急性心筋梗塞、心筋炎、急性心筋炎、弁膜症などの適切な薬物治療にもかかわらず、急性心不全が改善しない場合に機械的補

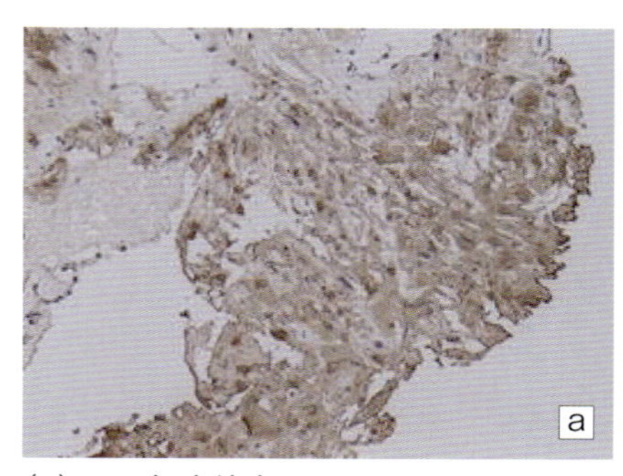
(a)TTR免疫染色

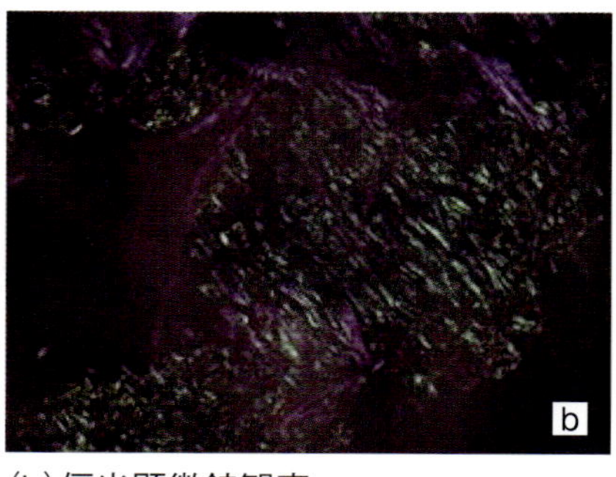
(b)偏光顕微鏡観察

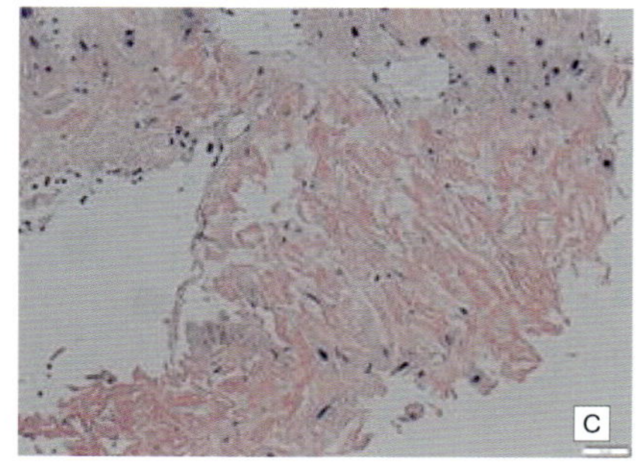
(c)コンゴレッド染色

図3　アミロイドーシスの心筋生検

助循環（じょじゅんかん）を使用します。当院ではIABP（アイエービーピー）（大動脈内バルーンパンピング）、PCPS（ピーシーピーエス）（経皮的心肺補助）、Impella®（インペラ）（補助循環ポンプカテーテル）の使用が可能です。IABPは大動脈内にヘリウムガスを入れた細長いバルーン（直径1.5cm、長さ20cm程度）を留置し、心拍に同期して、収縮・拡張をくり返すことで心臓への負担を軽減します。PCPSは別名「V-A ECMO（エクモ）」とも呼ばれ、右心房から静脈血を脱血し人工肺で酸素化した血液を大動脈に送血することで酸素化と血流を維持します。Impellaは皮膚から血管を通して心臓に装着する人工心臓で自己の心臓のポンプ機能を強力に補助する機械です（図4）。小型モーターで左室内に留置したカテーテルの先端から血液を吸い上げ、カテーテルを通して大動脈内に送り出すものです。この装置の特徴は、短時間で装着可能であり患者さんへの侵襲が小さいこと、自己の心臓の機能が回復すれば取り外しが容易なことです。Impellaの使用には特別なトレーニングと施設認定が必要であり限られた施設での使用が可能ですが、当院では2020年より施設認定されています。これらの補助循環を駆使して重症な急性心不全の患者さんの救命に役立てています。

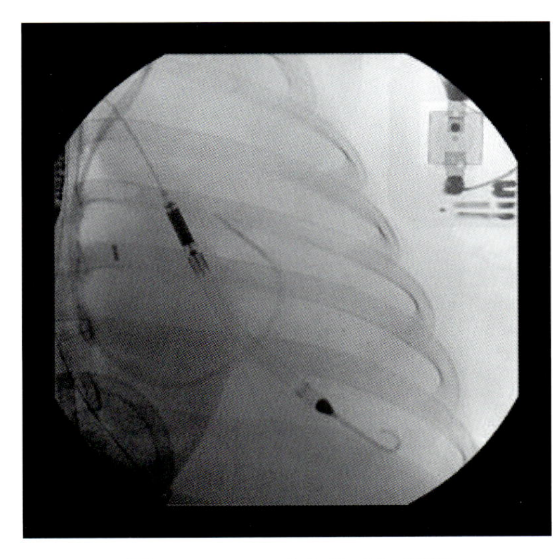

図4　Impellaを心腔内に留置

こうした補助循環装置が必要な患者さんはとても重症ですので一般病床での治療は困難です。当院では循環器内科と心臓血管外科、高次救命治療センターと協力し専門のチームをつくり、ACCC（集中治療室）で24時間体制の治療に当たっています。

Q 弁膜症はカテーテルで治療できるのですか？

A 心臓には4つの弁（べん）がありますが、この弁に不具合がある状態が弁膜症です。弁が変性することで開きにくくなる（狭くなる）ことを「狭窄症」、閉じにくくなる（逆流する）ことを「閉鎖（へいさ）不全症（ふぜんしょう）」と呼んでいます。近年、高齢者の大動脈弁狭窄症や僧帽弁逆流症弁（そうぼうべんぎゃくりゅうしょうべん）が増加しています。重症な場合は手術が必要ですが、年齢や他臓器の疾患があり外科手術に耐えられないことがあります。そうした患者さんに対して、開胸や人工心肺を必要としない、より低侵襲な治療としてカテーテル治療が開発されました。大動脈弁狭窄症に対し小さく折りたたんだ人工弁をカテーテルを通して留置するのが「経カテーテル大動脈弁留置術（TAVI）」です。僧帽弁閉鎖不全症に対しては弁の先端をクリップで固定することで逆流を軽減するクリップ法（MitraClip®）があります。いずれもすべての患者さんに対して施行可能というわけではありませんが、これまで侵襲を理由に手術をあきらめてこられた患者さんのなかで恩恵を受けられる場合があり、期待されます。しかし、これらの治療を行うためには術者の高度な知識とトレーニングに加え外科症例数やハイブリッド手術室が必要です。高齢化に伴い弁膜症のカテーテル治療のニーズは高く、当院ではこの期待に応えるため2022年4月の稼働開始をめざして、現在「ハイブリッド手術室」を建設中です。弁膜症でお悩みの場合はぜひご相談ください。

呼吸器内科ではどういった診察、治療をしているの？

すごい!! 肺炎や喘息、COPDなどの一般的な疾患から、肺がんや間質性肺炎など、高い専門性を要す疾患まで、安心して最新の医療を受けられます

わたしたちがお答えします。

呼吸器内科
助教
遠渡 純輝

呼吸器内科
特任助教
乾 俊哉

呼吸器内科
臨床講師
柳瀬 恒明

Q 呼吸器内科ではどういった病気をあつかっているの？

A 当院の呼吸器内科では、肺がん、喘息、間質性肺疾患、慢性閉塞性肺疾患（COPD）、感染症、職業性肺疾患、気胸をはじめとする肺疾患、胸膜疾患などの診療や睡眠時無呼吸症候群などの睡眠時の呼吸障害、急性および慢性の呼吸不全管理など、さまざまな診療を行っています。特に肺がんの早期診断や集学的治療に力を入れています。肺がんの診断のために、高分解能CTによる検査やがんがどこにあるのか診断するためのPET検査、患者さんの苦痛を極力減らす工夫をした気管支鏡検査、増加している胸膜中皮腫の診断のために全身麻酔の必要ない内科的な胸腔鏡検査を行っています。また、難病として指定されている特発性間質性肺炎に対しても、積極的に新規薬剤による治療を行っています。

当院の呼吸器疾患に関連する学会の認定は、日本内科学会:認定教育施設、日本呼吸器学会:認定医施設、日本呼吸器内視鏡学会:認定施設、日本臨床腫瘍学会：認定研修施設、日本アレルギー学会：教育施設、日本感染症学会：研修施設があります。

Q 肺がんの診断にはどういうことをしているの？

A 呼吸器疾患の診断において根幹となる気管支鏡検査に力を入れています。仮想気管支鏡（virtual bronchoscopy）（図1）や超音波気管支鏡（EBUS）などの最新機器と設備をそろえ、気管支腔内超音波断層ガイドシース法（EBUS-GS）や超音波気管支鏡ガイド下縦隔リ

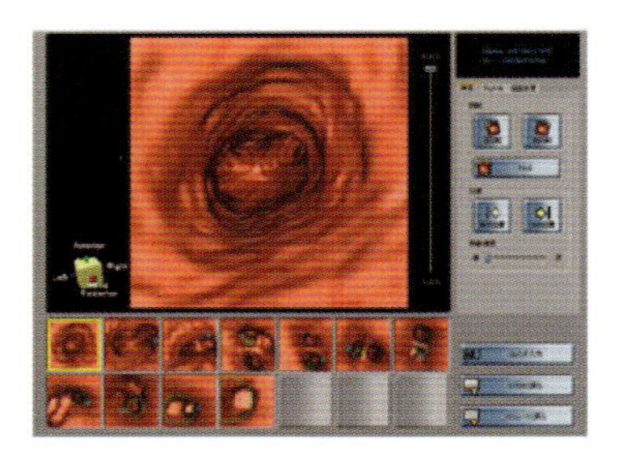

図1　仮想気管支鏡画像

気管支鏡挿入手技の事前シミュレーションが可能な仮想気管支鏡「Bf-NAVI」（オリンパスメディカルシステムズ）による画像例。

〔オリンパスメディカルシステムズ株式会社ホームページより〕

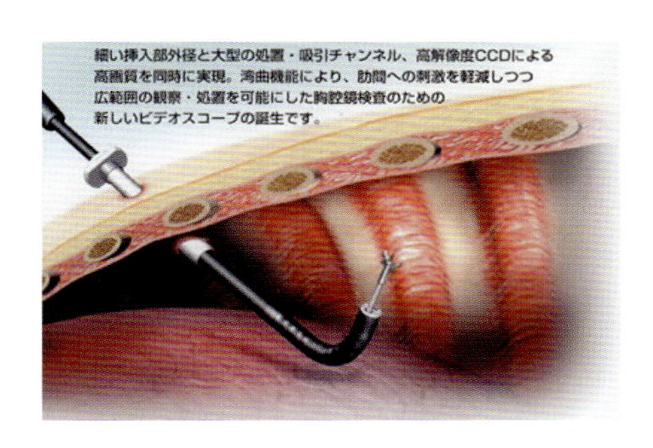

図2　局所麻酔下胸腔鏡

〔オリンパスメディカルシステムズ株式会社ホームページより〕

ンパ節針生検（EBUS-TBNA）などの新しい診断手技の導入を積極的に行っています。

当科での内視鏡検査の総件数は年間300を超え、今挙げた以外にも、超音波ガイド下気管支鏡針生検、超音波ガイド下経皮的生検、局所麻酔下胸腔鏡（図2）検査など、これにCT・MRI・PET・呼吸機能検査などの画像診断を加え、各種呼吸器疾患の早期診断と迅速かつ正確な治療をするように心がけています。また、肺がんにおける遺伝子診断は治療がんの医療では遺伝子情報に基づく個別化治療が始まっています。遺伝子変異などのがんの特徴に合わせて、一人ひとりに適した治療を行うことができるようになってきました。このような医療を「個別化治療」と呼びます（図3）。さらに、最近ではがん組織から300を超える遺伝子を調べ、治験等、新しい治療法の開発も全国規模で行っています。

Q 肺がんと診断されたらどういう治療をするの？

A 当科では、肺がんの進行度に応じて、最新のエビデンスに基づいた多剤併用抗がん剤治療や外科手術、放射線療法、化学療法などを組み合わせた集学的治療を行っています。また、がんに伴う症状の緩和や体力の回復のため、東洋医学スタッフとともに漢方治療や鍼治療を併用し、さらに進行期の肺がんに対しては、有効性の高い分子標的治療や免疫チェックポイント阻害薬も用いた最新の治療を取り入れています。抗がん剤や放射線による食道炎などの副作用の軽減を目的として、当院で研究した薬剤の組み合わせによる治療も行っています。肺がんの手術後に抗がん剤治療が必要な患者さんに対しても、当院で考案したできるだけ副作用の少ない方法で抗がん剤治療を行っています。

当院は岐阜県のがん拠点中核病院として、多くの肺がん患者さんの診療を行っています。情報発信としては、岐阜県がん情報センターを設置し、岐阜県民の皆さんや医療従事者の方々が最新のがんの情報が得られるよう、岐阜県がん患者支援情報提供サイト「ぎふがんねっと」（写真1）（http://gifugan.net/）を開設し、がんに関する多くの情報の発信を行っています。

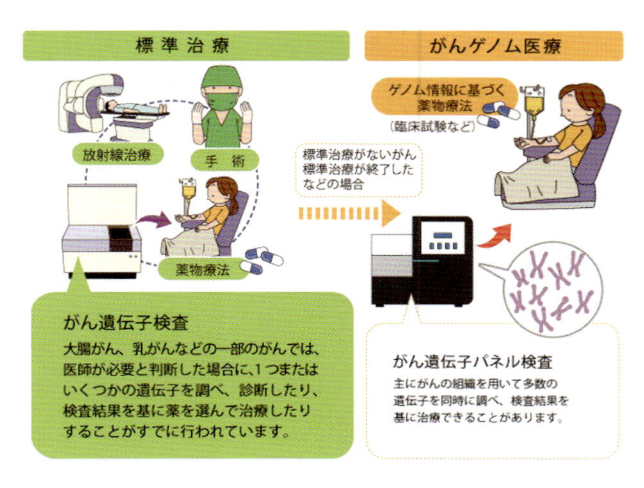

図3　がんゲノム医療

〔国立研究開発法人国立がん研究センターがん対策情報センターホームページより〕

写真1　ぎふがんねっと

Q COPDってどんな病気？

A COPDは、近年世界中で急速に増加している呼吸器疾患です。最大の原因は喫煙であり、喫煙者の15～20%がCOPDを発症します。タバコの煙を吸入することで肺のなかの気管支に炎症が起こって、咳や痰が出たり、気管支が細くなることによって空気の流れが低下したりします。また、気管支が枝分かれした奥にあるぶどうの房状の小さな袋である肺胞が破壊されて、肺気腫という状態になると、酸素の取り込みや二酸化炭素を排出する機能が低下します。

診断には呼吸機能検査や胸部X線検査、CT検査を用います。呼吸機能では、1秒間に吐ける息の量が肺活量の70%未満だとCOPDの診断になります。歩行時や階段昇降など、身体を動かしたときに息切れを感じる労作時呼吸困難や慢性の咳や痰が特徴的な症状です。一部の患者さんでは、喘鳴や発作性呼吸困難など喘息のような症状を合併する場合もあります。当院では早期診断、早期治療に取り組んでいます（写真2）。

写真2　胸部画像所見

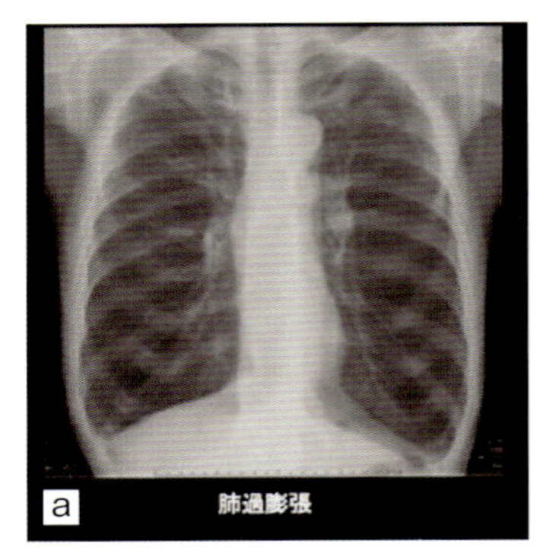

(a)胸部X線写真

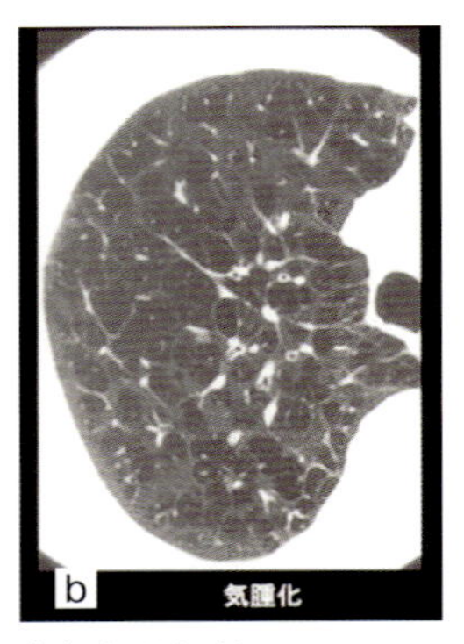

(b)高分解能CT

Q COPDの治療は？

A COPDの治療は吸入薬による気管支拡張が中心となります。COPDに対する管理の目標は、①症状および生活の質の改善、②運動能と身体活動性の向上および維持、③増悪の予防、④疾患の進行抑制、⑤全身併存症および肺合併症の予防と治療、⑥生命予後の改善にあります。気流閉塞の重症度だけでなく、症状の程度や増悪の頻度を加味した重症度を総合的に判断したうえで治療法を段階的に増強していきます（図4）。また、喫煙を続けると呼吸機能の悪化が加速してしまいますので、禁煙が治療の基本となります。増悪をさけるためには、インフルエンザワクチンや肺炎球菌ワクチンの接種がすすめられます。

薬物療法の中心は気管支拡張薬（抗コリン薬・β_2刺激薬・テオフィリン薬）です。効果や副作用の面から吸入薬が推奨されており、主に長時間気管支を拡張する吸入抗コリン薬や吸入β_2刺激薬が使用されています。気流閉塞が重症で増悪をくり返す場合は、吸入ステロイド薬を使用し

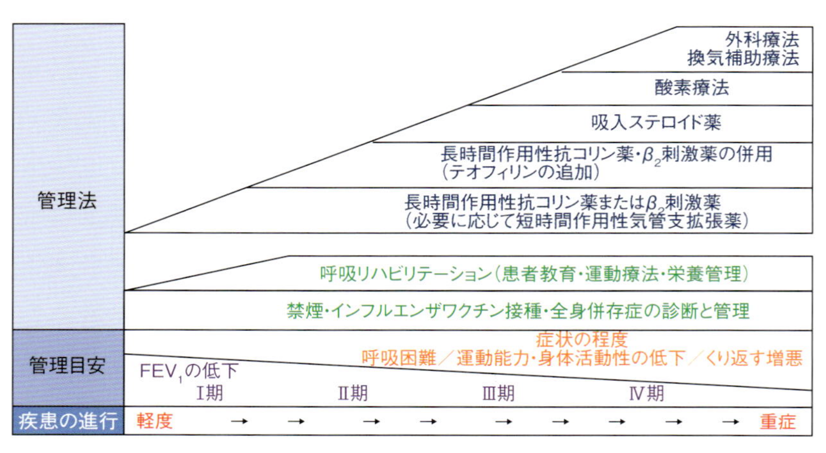

図4　安定期の管理

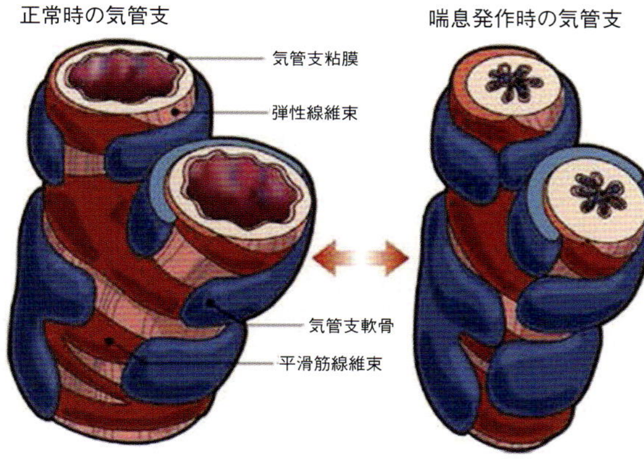

正常時の気管支
喘息発作時の気管支
気管支粘膜
弾性線維束
気管支軟骨
平滑筋線維束

図5　気管支喘息の機序
〔日本呼吸器学会ホームページより〕

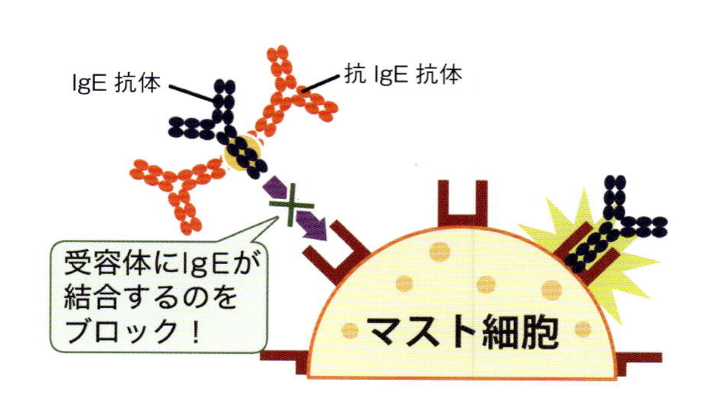

図6　生物学的製剤の作用
〔独立行政法人環境再生保全機構ホームページより〕

ます。長時間作用性β_2刺激薬と吸入用ステロイドの配合薬も有用であることが証明されています。

非薬物療法では呼吸リハビリテーション（口すぼめ呼吸や腹式呼吸などの呼吸訓練・運動療法・栄養療法など）が中心となります。低酸素血症が進行してしまった場合には在宅酸素療法が導入されます。さらに呼吸不全が進行した場合は、小型の人工呼吸器とマスクを用いて呼吸を助ける換気補助療法が行われることもあります。症例によっては過膨張した肺を切除する外科手術（肺容量減少術）が検討されることもあります。

また、全身の炎症、骨格筋の機能障害、栄養障害、骨粗鬆症などの併存症を伴う全身性の疾患です。これら肺以外の症状が重症度にも影響を及ぼすため、併存症も含めた病状の評価や治療が必要です。東洋医学の先生方との鍼治療を併用した治療も患者さんに応じて行っています。また、近隣の開業医の先生方や医師会の先生方とも病診連携パス（COPD岐阜地域医師会連携パス）を用いて共同診療を行っています。

Q 気管支喘息ってどんな病気?

A 気管支喘息（喘息）は空気の通り道（気道）に炎症（ボヤ）が続き、さまざまな刺激に気道が敏感になって発作的に気道が狭くなる（大火事）ことをくり返す病気です。日本では子どもの6〜10%、大人では4〜6%が喘息です。高年齢で発症する方もおられます。原因としてチリ・ダニやハウスダスト、ペットのフケ、カビなどのアレルギーによることが多いのですが、その原因物質が特定できないこともあります。

発作的に咳や痰が出て、ゼーゼー、ヒューヒューという音を伴って息苦しくなります。夜間や早朝に出やすいのが特徴です。このような症状をくり返していれば、喘息の可能性があります。呼吸機能検査で気道の空気の流れが悪くなっていないかどうか調べます。気管支拡張薬を吸ったあとにその流れが改善すれば、喘息の可能性が高いです。また、痰の検査や吐いた息のなかの一酸化窒素濃度（NO）などを測定して気道の炎症がないかどうか、血液検査でアレルギー体質かどうかなども検査します。気道の炎症が日常・社会生活に影響を及ぼします。続くと気道が固く狭くなり、もとに戻らなくなりますので、治療によって症状をおさえることが困難になります（図5）。したがって、治療は炎症をおさえる吸入ステロイド薬を中心に、吸入β刺激薬、吸入抗コリン薬が中心になります。当院では、看護師、薬剤師がきめ細かく吸入指導を行っています。難治性気管支喘息に対しては「生物学的製剤」といわれる、喘息の病態に直接作用し、IgEやサイトカインをブロックする注射薬の治療を積極的に行い（図6）、患者さんの日常生活の改善をはかっています。

腎臓の病気について教えてください

すごい!! 尿検査異常や腎機能低下の原因を早期に究明し、腎臓病に対する適切な治療を提供していきます

わたしたちがお答えします。

腎臓内科
助教
吉田 学郎（よしだ がくろう）

腎臓内科
医員
内藤 順子（ないとう じゅんこ）

腎臓内科
医員
野老山 茂寛（ところやま しげひろ）

腎臓内科
医員
立山 冴（たてやま さえ）

Q 健康診断の尿検査で異常を指摘されました。受診が必要なの？

A 沈黙の臓器といえば肝臓が有名ですが、実は腎臓も末期腎臓疾患や透析（とうせき）直前の状態になるまで目立った症状の出ない臓器なのです。透析直前の状態になってくると血圧が上昇し頭痛が出現したり、身体のなかの毒素が出せずに食欲不振や倦怠感（けんたいかん）など「尿毒症（にょうどくしょう）」といわれる症状が出現したりします。その時点で病院を受診したときには腎臓の機能はほとんど失われています。腎臓は大変複雑で精密機械のような臓器のため、いったん失った機能を治療でもとに戻すことは残念ながらできません。だからこそ、なるべく早期に、まだ腎臓の機能が十分あるうちに治療したほうがよいのです。

では、現在腎臓が病を患っていることはどうしたらわかるのでしょうか?

それを知る重要な検査の1つに尿検査があるのです。健康診断での尿検査では尿に含まれている成分によって色が変化するテステープを判定に使用しているため（−）〜（3+）と表記してあります。風邪をひいているときとか、激しい運動したときなど腎臓が正常でもタンパクや潜血（せんけつ）が（1+）となることがありますが、

①尿タンパク（2+）以上

②尿タンパク（1+）以上、かつ、尿潜血（1+）以上

③尿潜血（3+）が持続する

このような結果が出たときには無症状でも腎炎などの病気を患っている可能性が高いので腎臓内科を受診することをおすすめします。

Q 腎臓内科ではどのような検査をするの？

A まず血液検査や画像検査など腎臓にかかわる精密検査をして、糸球体（しきゅうたい）腎炎にかかっている可能性が高いと診断した場合は腎組織生検（腎生検（じんせいけん））という検査をします。腎生検には入院が必要です。直径1.2mmほどの針を、背中側から局所麻酔（きょくしょますい）をしたあとに超音波画像で腎臓を確認しながら刺していき腎組織を採取してくるという検査です。合併症としては出血、アレルギー、感染症などがあり、検査実施に際しては

写真1　超音波ガイド下腎生検

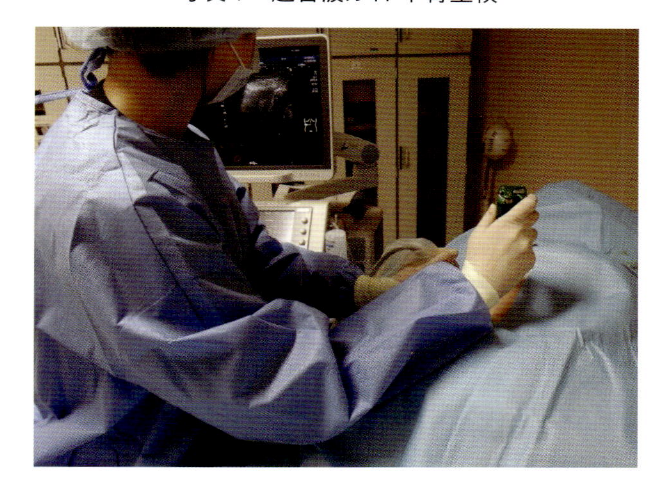

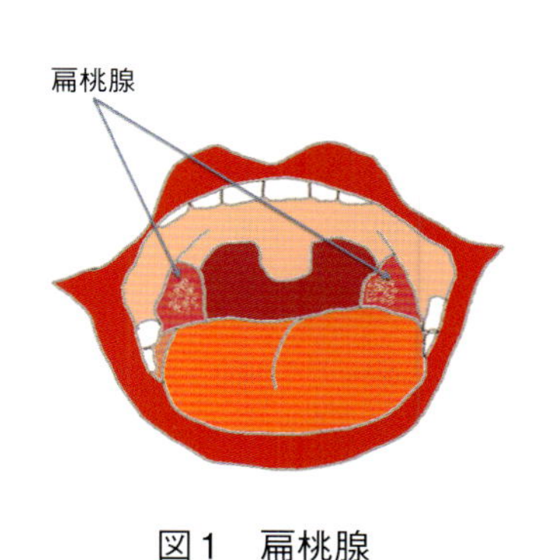

図1　扁桃腺

細心の注意を払って行っています。採取した組織は病理部に提出したのちに顕微鏡で詳しく腎臓の状態を観察、評価してどんな腎疾患が考えられるか検討し診断をしていきます（写真1）。

Q 糸球体腎炎は治るの?

A 糸球体腎炎を放置しておくと将来透析を必要とする状態になる可能性もありますが、早期に発見し治療すれば透析開始までの期間を延長、または終生回避することも可能になります。治療にはステロイドホルモン剤や免疫抑制薬（めんえきよくせいやく）というお薬を使います。

糸球体腎炎の中でも若年者から中高年までの多くの年代で発症し、将来透析が必要となる可能性のある「IgA（アイジーエー）腎症」という糸球体腎炎があります。以前は治癒が不可能と考えられてきましたが、慢性扁桃炎（まんせいへんとうえん）などの病巣感染（びょうそうかんせん）が原因となって起こることがわかってきました。

腎臓の病気なのになぜ扁桃腺が原因となるのか疑問に思う方も多いと思います。IgAはもともと誰しもがもっている免疫グロブリンの一種で、主に粘膜での免疫に関与していますが、扁桃腺を含む咽頭（いんとう）や口腔内、副鼻腔（ふくびくう）などで感染症が起こると人によっては異常なIgAが産生され、それが原因でIgA腎症を発症すると考えられています。

そのため現在は、血液中に存在する異常なIgAをおさえるステロイドの点滴療法と、原因である扁桃腺（図1）の摘出術を組み合わせた「扁摘（へんてき）パルス療法」という治療法が確立され、早期であれば90%程度の高い確率で治癒が可能になりました。

当院でも10年以上前から、この扁摘パルス療法を、対象と考えられる患者さんには積極的に行い、IgA腎症の根治をめざすようにしています。

Q ネフローゼ症候群ってどんな病気?

A ネフローゼ症候群とは、尿にタンパクがたくさん下りてしまうために、血液中のタンパクが失われ、その結果としてむくみや腎臓の機能低下を起こす疾患です。むくみは、血液中のタンパクが減少することにより、血管のなかの水分が、血管の外に漏れて皮膚の下にたまるために起こります。ネフローゼ症候群のうち、糖尿病（とうにょうびょう）や膠原病（こうげんびょう）などの全身性の疾患が原因でネフローゼ症候群をきたすものを「二次性ネフローゼ症候群」といい、明らかな原因がなく発症するものを「一次性ネフローゼ症候群」といいます。

わが国では、毎年2,200～2,700人が一次性ネフローゼ症候群を新たに発症し、約16,000人の患者さんがいると推定されています。小児から高齢者まで幅広い年代でみられますが、ネフローゼ症候群にはいくつかのタイプがあり、小児から40歳くらいまでの年齢では「微小変化型」と呼ばれるタイプのネフローゼ症候群をきたすことが多く、高齢者では「膜性腎症」と呼ばれるタイプのネフローゼ症候群をきたすことが多いです。ネフローゼ症候群はタイプによって異なった原因で起こると考えられていますが、原因が明らかになっていないものもあります。

治療法としては、むくみを改善するために、塩分の制限や尿を増やす薬が使われます。尿へのタンパクの漏れをおさえるため、副腎皮質ステロイドや免疫抑制薬などを使います。タンパク尿が多いときには、ステロイドの点滴療法を行うことがあります。また、腎臓を保護するために、血圧を下げる作用のある薬を使用したり、コレステロールが高くなることが多いので、その際にはコレステロールを下げる薬も使ったりします。静脈内に血栓が生じることもあるため、血液を固まりにくくする薬を使うこともあります。食事療法としては、塩分の制限や、むくみが強いときには水分の制限も必要になります。

ネフローゼ症候群のタイプによって経過も異なります。微小変化型のタイプのネフローゼ症候群の場合は、腎臓の機能が低下することは少ないですが、ステロイドや免疫抑制薬を減量すると再発をくり返すことが多いです。膜性腎症や巣状分節性糸球体硬化症（そうじょうぶんせつせい）の場合は、長期的には腎機能が低下し、透析が必要になる場合もあります。いずれのタイプでも2年以上ステロイド薬や免疫抑制薬を続ける必要があることが少なくありません。

当院では、一次性や膠原病によるネフローゼ症候群が疑われる場合に、積極的に腎臓組織生検を行い診断していきます。そして、その後の治療方針を患者さんと相談、検討していきます。

近年では何度も再発をくり返すような場合には、従来のステロイド薬や免疫抑制薬のみではなく、リンパ球を減らす作用のある新しい薬も使用し治療成績の向上をはかっています。

Q 腎臓の機能をなくしたときはどうするの？

A 透析または腎移植を行うことになります。腎移植は死体腎移植と生体腎移植があり当院の腎移植外科で行われています。一方、先ほどからたびたび述べてきた透析ですが、透析には「血液透析」と「腹膜透析」という2つの方法があります。

血液透析の場合は、透析導入（透析を開始することを「透析導入（とうせきどうにゅう）」といいます）の数カ月前に準備として内シャント造設術を行います。内シャント造設術（**写真2**）とは腕にある動脈と静脈を直接つないだり、人工の血管を埋め込んだりする手術のことで、局所麻酔で2時間ほどかかります。これは透析の器械に血液を効率よく循環させるために必要になるものです。透析導入後は週に3回透析病院に通院となります。1回の治療にはお

写真2　内シャント造設術

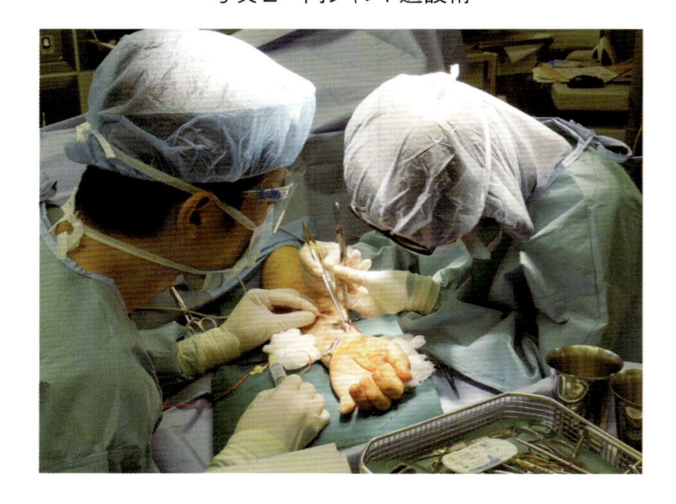

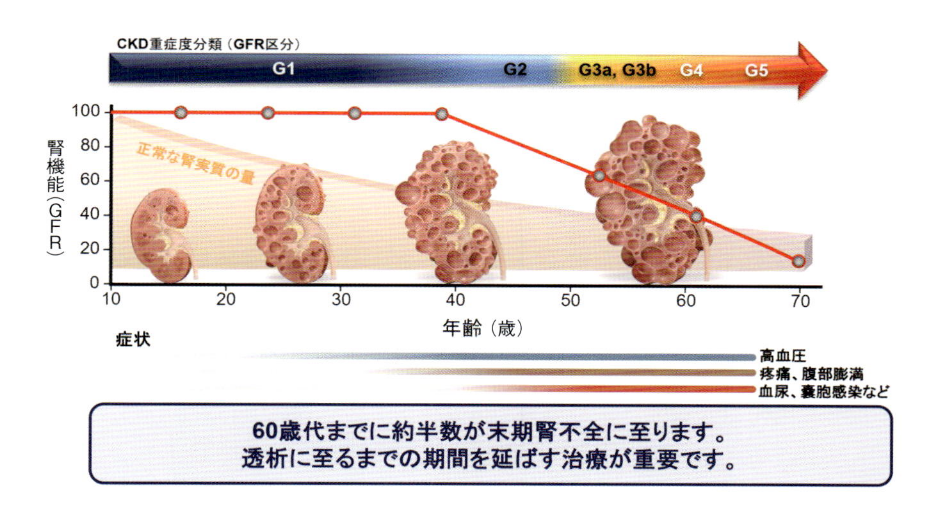

CKD（Chronic Kidney Disease）：慢性腎臓病，GFR（Glomerular Filtration Rate）：糸球体ろ過量

図2　正常腎と多発性嚢胞腎

〔監修：東京女子医科大学第四内科講師 望月俊雄先生〕

よそ4〜5時間かかります。血液透析を選択されても内シャントの造設が困難と判断された場合には、頸部の静脈を利用して長期留置型透析用カテーテルの留置術も行っています。

腹膜透析の場合は、導入時期におなかにカテーテルを留置する手術を当科で施行します。全身麻酔で1時間ほどかかります。導入後は自宅や職場などで、自分で透析液を、カテーテルを用いておなかに出し入れすることにより透析を行っていきます。自分で行う方法のため病院への通院は月に1回ほどで済みますが、治療開始後5年程度で腹膜の劣化のため血液透析に移行する必要が出てきます。

当院では腎不全が進行し近い将来、腎代替療法（血液透析、腹膜透析、腎移植のいずれか）が必要と考えられた場合に、「療法選択外来」を受診することができます。ここでは腎代替療法のそれぞれの特徴を患者さんに知ってもらい、患者さん自身の生活環境やライフスタイルに合わせた治療法を選択することができるように情報提供や意思確認を行っていきます。

Q 多発性嚢胞腎ってどんな病気？

A 遺伝性の腎臓病のなかに常染色体優性多発性嚢胞腎（ADPKD）という疾患があります。これは両方の腎臓に嚢胞（液体がたまった袋）が多発して徐々に大きくなり、やがて腎臓の機能が低下していく最も頻度の高い遺伝性の腎疾患です。これは腎臓にある尿細管という部分の太さを調節する*PKD*遺伝子の異常が原因で起こります。わが国の患者数は約3万人と推定されており、70歳までに約半数が透析治療を必要とします。以前は有効な治療法がありませんでしたが、2014年に利尿薬の一種であるトルバプタンという薬が世界初の治療薬としてわが国で承認されました。これにより嚢胞が大きくなることを抑制して腎臓機能の低下を遅らせることができるようになりました。より早期にトルバプタンの内服を行うことが効果的であるとされており、現在当科でもこの疾患の診断および治療に取り組んでいます（図2）。

最近の糖尿病や肥満症の治療について教えてください

すごい!! 食事・運動・薬、あなたの糖尿病に最適なテーラーメイドかつ最先端のケアを提供し、人生100年時代の活き活きライフ実現をサポート

わたしたちがお答えします。

糖尿病代謝内科
教授
矢部 大介

糖尿病代謝内科
臨床教授
堀川 幸男

糖尿病代謝内科
臨床講師
加藤 丈博

糖尿病代謝内科
臨床助教
酒井 麻有

糖尿病代謝内科
医員
窪田 創大

Q 最近、糖尿病の治療がうまくいっていません。どうしたらよいでしょうか？

A 健康診断で血糖値やHbA1c（ヘモグロビン・エーワンシー、1～2カ月の血糖値を反映する値）の異常を指摘されたけど、自覚症状もないことから軽んじられがちな糖尿病です。しかし、適切な治療を受けず、血糖値やHbA1c、体重などが良好に維持されていない状態が持続すると重症化をきたし、透析の導入や失明、さらには心筋梗塞などの生命にかかわる病気に至ることがあります。

①食事や運動が大切と言われるけど具体的には何をすればいいの……？

こうした悩みをもたれる方は、ぜひとも糖尿病治療の中心である食事、運動について、専門のスタッフとともに見直しましょう。残念ながら、食事や運動について医学的に正しい知識を学べている患者さんやご家族は全国的に多くはありません。当院の糖尿病代謝内科では専門医が管理栄養士や理学療法士と連携して、各患者さんの糖尿病や合併症の状態に応じて、有効かつ長く続けられるテーラーメイドな食事・運動療法の提供に努めています。食事・運動療法を頑張ることで、糖尿病治療薬を減らすことができる場合もあります。当科は、「食べる順番」が血糖値や体重を改善するメカニズムの研究や高齢糖尿病患者さんの健康寿命増進をめざした栄養療法に関する研究で国内外でも高く評価されており、最新の科学的根拠に裏打ちされた食事療法を提供します。

②糖尿病の薬が2剤、3剤と増えているけど、効果は今ひとつで……。今のんでいる糖尿病の薬はあっているのかな?

現在、わが国ではさまざまな糖尿病治療薬が使用できますが、各患者さんに適したもの、そうでないものがあります。当科では、専門医が患者さんごとに糖尿病悪化の原因を調べ、食事や運動療法に加え、テーラーメイドな薬物療法をご提案します。なかには、心臓や腎臓を保護する糖尿病治療薬も登場しており、専門医が科学的根拠を説明しながら一緒に治療方針を決定していきます。また、糖尿病悪化の原因には、血糖上昇をきたす「がん」などの他の病気が隠れている場合や、他の病気を治療するためにステロイドなど血糖値を上げてしまう薬剤が用いられている場合もあ

糖尿病教育プログラム　月間予定表（例）

	月曜日	火曜日	水曜日	木曜日	金曜日
日付					1
10：30~11：00					フットケアVol.1（DVD）
13:00~13:30					
日付	4	5	6	7	8
10：30~11：00	教授回診	運動療法（集団指導）	フットケア（集団指導）	食事療法Vol.4（DVD）	フットケアVol.2（DVD）
13:00~13:30	運動療法Vol.4（DVD）	公開教室（骨粗鬆症）14：00~15：00	カンバセーションマップ 13：30~14：30	栄養指導（集団指導）14：15~15：00	
日付	11	12	13	14	15
10：30~11：00	教授回診	低血糖シックデイ（集団指導）	病態（集団指導）	食事療法Vol.5（DVD）	フットケアVol.1（DVD）
13:00~13:30	運動療法Vol.5（DVD）		カンバセーションマップ 13：30~14：30	栄養指導（集団指導）14：15~15：00	
日付	18	19	20	21	22
10：30~11：00	教授回診		フットケア（集団指導）	食事療法Vol.1（DVD）	フットケアVol.2（DVD）
13:00~13:30	運動療法Vol.6（DVD）	薬物療法（集団指導）15：00~16：00	カンバセーションマップ 13：30~14：30	栄養指導（集団指導）14：15~15：00	公開教室（糖尿病の病態）14：00~15：00
日付	25	26	27	28	
10：30~11：00	教授回診	運動療法（集団指導）	病態（集団指導）	食事療法Vol.2（DVD）	
13:00~13:30	運動療法Vol. 1（DVD）		カンバセーションマップ 13：30~14：30	栄養指導（集団指導）14：15~15：00	

図１　当科の教育入院プログラム

りますので、院内の他の診療科とも連携して適切に治療を行っていきます。このような患者さんに適した食事・運動・薬物療法は、外来でもある程度可能ですが、効果を実感いただくには教育入院をおすすめします。入院では、多職種により構成される糖尿病チームが、それぞれの患者さんの問題点を聴取し、検査結果に基づき、時間をかけて説明をしながら、必要な治療を受けていただくことができます。さらに、教育入院では、専門医や糖尿病の教育・支援に精通した糖尿病療養指導士（りょうようしどうし）などの資格を有する看護師や管理栄養士、薬剤師らによる「ミニレクチャー」や、他の患者さんとの会話を通して糖尿病について学ぶ「糖尿病カンバセーション・マップ™」などを受講いただいており好評です（**図1、写真1**）。なお、厚生労働省が定めるDPC（ディーピーシー）対象病院（「診断群分類別包括評価制度（DPC）」という入院医療費の定額支払制度を導入している病院をいいます）のうち、岐阜県では最も多くの糖尿病患者さんにご入院いただいています。

写真１　「糖尿病カンバセーション・マップ™」を通して患者同士の会話から糖尿病について学ぶ風景

〔患者さんの許可を得て掲載しています〕

また、当科では、「糖尿病地域連携パス」と呼ばれる仕組みを活用して、かかりつけ医と緊密に連携し、糖尿病患者さんの治療を継続支援しています（**図2**）。毎月の診察や処方はかかりつけ医で受けていただき、当院には3~6カ月に一度来院し、栄養指導やフットケア、運動指導のほか、ホスピタルベースの合併症検査を受けていただきます。さらに薬物療法についても適宜見直し、最適な治療を提案することで、糖尿病を良好な状態に維持するお手伝いをいたします。

なお、当科では、糖尿病友の会「つかさ会」

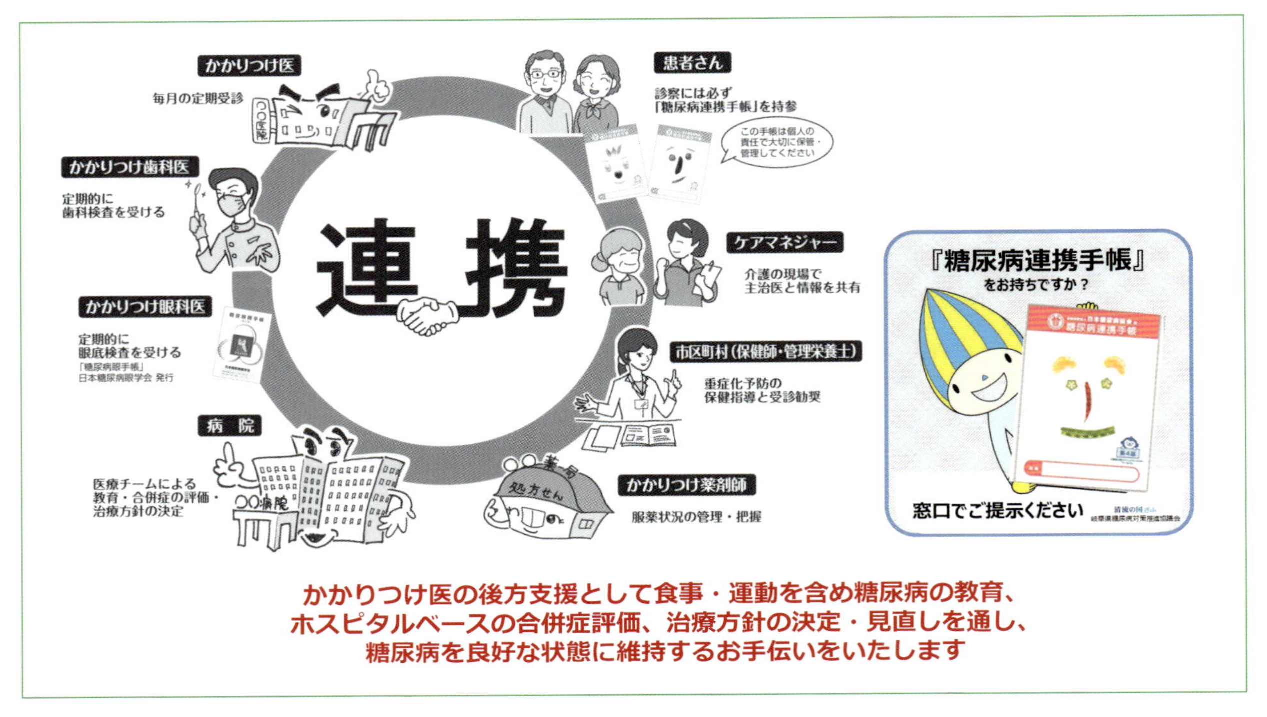

図2　当科が強力に推進する糖尿病地域連携パス

〔公益社団法人日本糖尿病協会および岐阜県より提供〕

（1980年設立、会員数500人超）での講演会やウォークラリーなど、各種イベントを支援することでも糖尿病患者さんの治療を継続支援しています。「つかさ会」に関心のある方は、ホームページ（http://www.med.gifu-u.ac.jp/diabetes/tsukasa/01guide/index.html）をご覧ください。

Q 1型糖尿病には、どんな治療がありますか?

A 1型糖尿病に対する治療はめざましく進歩しています。1型糖尿病のほとんどのケースにおいてインスリン自己注射は欠くことができませんが、技術革新によりさまざまなインスリン製剤が登場し、それぞれの患者さんに、より適した製剤の選択が可能になっています。

①低血糖が怖くて、先生の言うようにインスリンが増やせません。どうしたらよいの?

こうした患者さんにはCGM（シージーエム）（Continuous Glucose Monitoring, 連続血糖測定）やFGM（エフジーエム）（Flash Glucose Monitoring, 間歇スキャン式持続血糖測定）が有効です。CGMやFGMは、身体に装着したセンサー（500円玉ぐらいの大きさ）から時々刻々変化する血糖値を知ることができ、低血糖や高血糖に対して次善の策を講じることが可能になります。また、蓄積された2週間～1カ月程度の血糖値データを専門医が解析することで、各患者さんに適したインスリン製剤の種類や量をご提案できます。

②もっとコントロールをよくしたいです。可能ですか?

こうした患者さんにはCSII（シーエスアイアイ）（Continuous Subcutaneous Insulin Infusion, 持続皮下インスリン注入療法）が有効です。CSIIは、皮下に留置した柔らかい管（くだ）を通してインスリンを皮下に注入します。24時間を通して必要とされるインスリン量は時間帯ごとに変化しますが、CSIIでは注入するインスリン量を事前にプログラムすることができます。また、食事を摂るときには摂取する糖質量に合わせて必要なインスリン量を入力してボタンを押すだ

写真２　１型糖尿病を対象にした
オンライン診療の様子

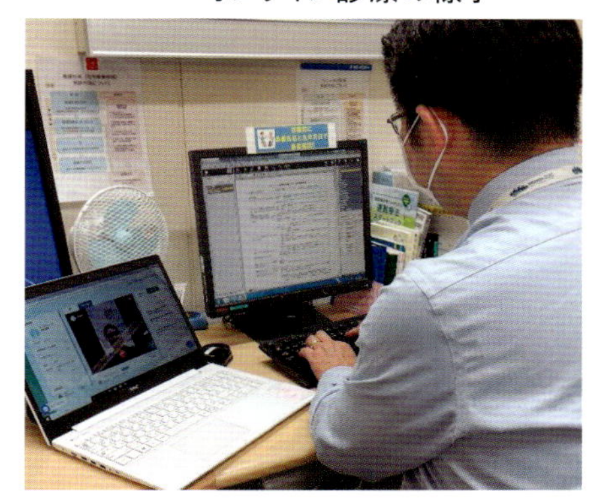

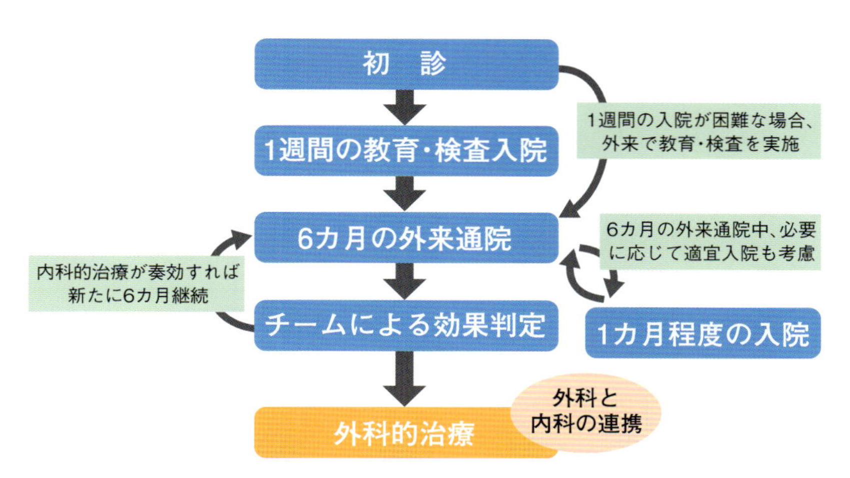

図３　当院「肥満症評価・減量治療クリティカルパス」

けで注入することができます。機種によっては、CGMと連動して高血糖や低血糖が生じないよう自動的にインスリン注入を調整するものや、身体にはり付けられるほど小型化された本体を、スマートフォンのようなコントローラーで自由に操作できるものも登場しています。

当科では、こうした先進機器に加え、一定の基準を満たす１型糖尿病患者さん用のオンライン診療や、血糖や血圧・体重とともに日常の食事や運動状態を把握可能なデジタルヘルスを用いた診療等もいち早く取り入れ（**写真２**）、糖尿病患者さんが、糖尿病でない方と同様に質の高い生活を送れるよう、専門医や糖尿病療養指導士の有資格者による糖尿病チームが一丸となって支援しています。なお、今後、膵島移植（すいとういしょく）やES（イーエス）細胞／iPS（アイピーエス）細胞から作成した膵島細胞移植など、最先端の糖尿病治療が提供できるよう鋭意準備を行っています。

Q 肥満症といわれましたが、どのような治療がありますか？

A 肥満が進むと糖尿病に代表されるさまざまな健康障害の発症リスクが高まります。日本人は、BMI（ビーエムアイ）〔体格指数（たいかくしすう）、体重(kg)÷身長$(m)^2$〕がそれほど大きくなくても生活習慣病を発症するため、BMI 25以上を「肥満」としています。肥満者のうち、糖尿病や脂質異常症（ししついじょうしょう）、高血圧症（こうけつあつしょう）などの生活習慣病、整形外科的疾患、睡眠時無呼吸症候群（すいみんじむこきゅうしょうこうぐん）など、健康障害を合併する場合やその合併が予測される場合、医学的に減量を必要とする場合に「肥満症」と診断され、医学的な減量治療が必要となります。減量治療には、大きく分けて内科的治療と外科的治療があり、内科的治療は、食事・運動・認知行動療法が基本となります。

当科では、日本肥満学会の認定施設として、内科的治療を中心に肥満症評価・減量治療プログラムを提供します（**図３**）。かかりつけ医などからご紹介いただいた患者さんに対して、ホルモンの異常などがないかを評価したうえで、管理栄養士や理学療法士、臨床心理士など多職種による肥満チームが一丸となり、食事療法、運動療法、認知行動療法を提供します。また、治療が安全に進んでいることを専門医が定期的に確認します。なお、今後は消化器外科と連携して外科的治療を提供できるよう鋭意準備を行っています。また、現在、国内外で開発中の肥満症に対する新規薬物療法についても提供できるように準備を進めています。

膠原病や内分泌疾患ってどんな病気ですか?

すごい!! 岐阜県唯一の難病診療連携拠点病院として膠原病、内分泌疾患の迅速かつ正確な診断と最適治療を実践

わたしたちがお答えします。

免疫・内分泌内科
教授
矢部(やべ) 大介(だいすけ)

免疫・内分泌内科
准教授　医局長
諏訪(すわ) 哲也(てつや)

免疫・内分泌内科
講師
廣田(ひろた) 卓男(たくお)

免疫・内分泌内科
講師
水野(みずの) 正巳(まさみ)

免疫・内分泌内科
臨床講師
鷹尾(たかお) 賢(けん)

Q 関節が痛くて、かかりつけ医から関節リウマチを疑われましたが、どうしたらいいですか?

A 関節が痛む場合、さまざまな病気が考えられます。最も多いものは変形性関節症(へんけいせいかんせつしょう)という、主に整形外科で治療される病気ですが、続くものとして「関節リウマチ」があります。

関節リウマチは、100～200人に1人、わが国全体で100万人ほどの患者さんがいると推定されている頻度の高い病気です。最初は朝起きたときに「手指の関節がこわばる」ことで気づかれることが多く、その後に手指や手首など、「比較的小さな関節を中心に腫れて痛く」なっていきます。関節炎(かんせつえん)は進行すると関節破壊(かんせつはかい)につながり、大きな機能障害を起こすばかりか生命予後も低下させる、身近ながらおそろしい病気です。

診断のためには、採血で「リウマチ因子(いんし)」「抗CCP(シーシーピー)抗体」などを測定しますが、X(エックス)線や超音波(ちょうおんぱ)で関節の状態を評価し、症状の経過などを問診しながら総合的に判断します(写真1)。

関節リウマチの治療には内科的治療と整形外科的治療があります。2000年頃を境に内科的治療が飛躍的に進歩したこともあり、現在、関節リウマチ治療は内科的治療が中心になっています。メトトレキサートという薬を基本的な治療薬としつつ、「生物学的製剤」と呼ばれる注射薬を用いることで、約8割の患者さんにおいて関節リウマチの進行をおさえ込むことが可能です。また、最近では生物学的製剤と同等の効果をもつJAK(ジャック)阻害薬(炎症性サイトカインによる刺激が細胞内に伝達されるときに必要なJAKという酵素を阻害する薬)という内服薬も開発され、選択肢が広がっています。なお、生物学的製剤やJAK阻害薬は効果が大きい一方、重大な有害事象の可能性から慎重に導入する必要があります。当科では、リウマチ専門医が、患者さんの状態を踏まえ適切な治療薬をご提案し慎重に導入しています。さらに、患者さんの病態に応じて未承認の治療法が必要な場合も、専門医チームが国内外のエビデンスを検討し、インフォームド・コンセントを得て実施しています。なお、当科のリウマチ専門医の多くが、内分泌代謝専門医としての知識を有しているため、関節リウマチに対してステロイド薬を使用する

写真1　超音波を用いて関節の状態を評価する様子

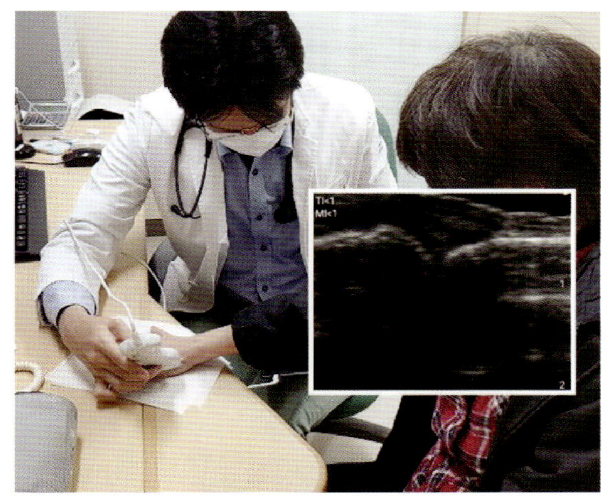

実際の診療では超音波画像をモニターに映し、患者さんと一緒に確認していきます。

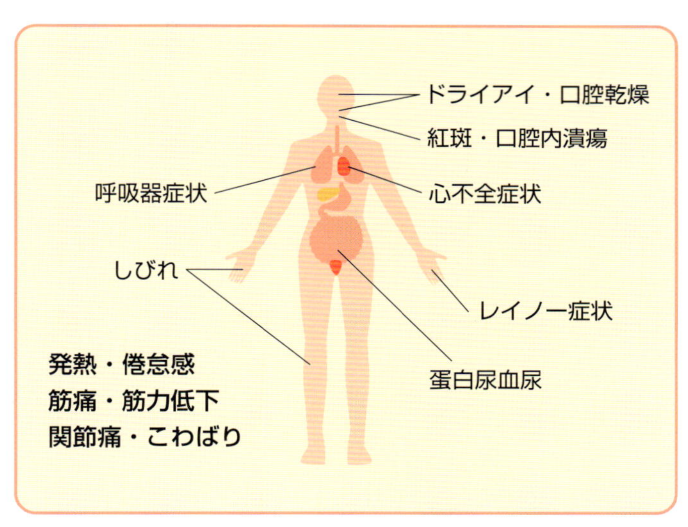

図1　膠原病の代表的な症状

場合にも糖尿病や骨粗鬆症、副腎不全などが重症化しないように適切に対応することができます。生じることもありますが、適切に対応が可能です。

また、生物学的製剤やJAK阻害薬は、高額なため、高額療養費制度などの制度をご紹介しながら、ひとりでも多くの患者さんに新薬の恩恵を受けていただけるようにしています。内科的治療で不十分な場合には、整形外科（Q15参照）と連携して、関節手術やリハビリテーションも積極的に行っています。

Q 膠原病が疑われる、と指摘されたらどうすればいいですか？

A 「膠原病って何だろう?」、膠原病の病名を聞いてそう思う方も少なくないと思います。膠原病とは、本来、細菌やウイルス、がん細胞などを排除するために人体に備わっている「免疫」という仕組みに異常が生じて、自身を攻撃してしまう自己免疫疾患の一種です。自己免疫疾患の多くは、肺や腸といった特定の臓器が障害される場合が多いのですが、膠原病では全身の複数の臓器が同時に障害されるため、さまざまな症状を呈します（図1）。

採血で種々の自己抗体を確認するだけでなく、発熱や関節痛、皮疹など症状の経過や、画像検査や尿検査などの結果を総合的に判断して、膠原病の診断を行います。症状や検査結果から膠原病の可能性を疑う場合、かかりつけ医の先生を通して、当科を受診してください。経験豊富な専門医が迅速に診断を行い、適切な治療をご提案します。

Q 膠原病はステロイド薬を大量に使用するため、副作用も多いと聞きます。ステロイド以外の治療はないのでしょうか？

A ステロイド薬は、炎症を強力におさえることのできる薬として、古くからさまざまな病気の治療に用いられてきました。今日の医療においても、ステロイド薬は、有効な治療薬として欠くことのできない薬です。しかしながら、副作用の観点から適切な予防が必要な薬でもあります。ステ

図2　ステロイド薬の副作用

ロイド薬の副作用には、不眠や多汗、ムーンフェイス（満月様顔貌）や肥満など患者さんが自覚できるものから、糖尿病や骨粗鬆症が無症状のまま進行して透析導入や失明、骨折に至ったり、感染症のようにただちに生命に危機が及んだりするものもあります（図2）。

特に、膠原病の治療では、ステロイド薬を長期間、大量に使用することが一般的でした。ステロイド薬の使用量が増えるほど副作用のリスクが増えるため適切な対策が必要です。

しかし、最近ではステロイド薬以外にも免疫抑制薬や生物学的製剤、免疫調節薬などが、新規治療薬として使用できるようになり、ステロイド薬の使用量を減らしてもしっかりと膠原病を治療することが可能になっています。当科では、膠原病の新規治療薬をいち早く取り入れ、ステロイド薬の使用量を半分以下にまで減らしています。膠原病に対する治療法の開発は日進月歩で、現在もより安全かつ有効な新たな薬剤が開発中です。当科では、こうした新薬の臨床開発治験に参画するとともに、常に最新の知見に基づき、膠原病治療を実践しています。

 血圧が高いだけなのに、なぜ内分泌専門医への受診が必要なのですか?

A　わが国の高血圧症患者は約4,000万人と推定され、そのほとんどは原因のはっきりしない本態性高血圧症と診断され、減塩などの生活指導や降圧薬による治療を受けています。しかし、高血圧のなかには、ホルモンの異常によって血圧が上昇するものが隠れていて、内分泌専門医の診察が重要になります。

腎臓の上にある副腎という臓器で「アルドステロン」と呼ばれるホルモンが過剰につくられると高血圧を生じてしまう「原発性アルドステロン症」は、全高血圧症の5%前後を占めるとされます。アルドステロンの過剰な状態が続くと、心臓や腎臓、血管などが障害されるため、治療が必要です。副腎は左右に1つずつ存在しますが、片方の副腎からアルドステロンが過剰に分泌される場合には、

写真２　原発性アルドステロン症の検査結果を専門医がわかりやすく説明する様子

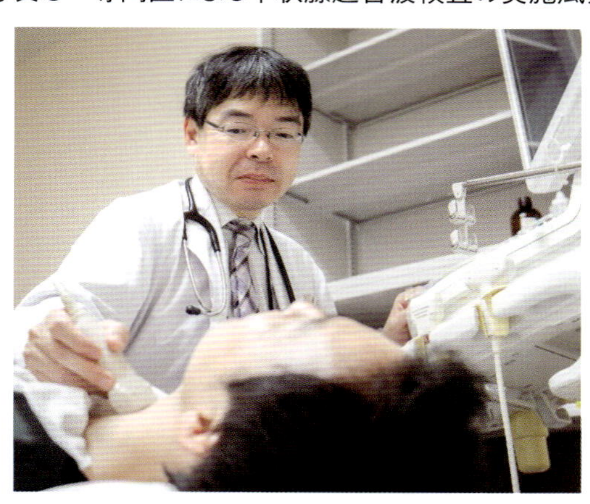
写真３　専門医による甲状腺超音波検査の実施風景

外科的手術で完治可能です。一方、両方の副腎からアルドステロンが過剰に分泌される場合には、アルドステロンの働きをおさえる内服薬で治療する必要があります。当科では、経験豊富な専門医が放射線科や泌尿器科と緊密に連携して、正確かつ迅速な診断から適切な治療の提供を心がけています（写真２）。

原発性アルドステロン症以外にも、副腎や下垂体、甲状腺などがつくる他のホルモンの異常も高血圧をきっかけに発見されることがあります。高血圧はありふれた病気ですが、こういった聞きなれない病気が発しているサインなのかもしれません。内分泌疾患は、種々のホルモンの過不足により多彩な症状を呈します。高血圧を含め、ホルモンの異常を疑わせるような症状が気になる場合には、ぜひ一度ご相談ください。

Q 検診で「甲状腺の腫れ」を指摘されました。どうしたらいいですか？

A 甲状腺は、喉仏の下にある臓器で、全身に作用して代謝をよくする甲状腺ホルモンを蓄え、必要に応じて分泌します。本来なら必要なだけの甲状腺ホルモンを分泌するのですが、病気になると甲状腺ホルモンが出すぎたり、逆に出なくなったりします。こうした甲状腺の異常は、「甲状腺の腫れ」をきっかけに診断されることもよくあります。当科では、血液検査や甲状腺超音波検査により、専門医が迅速に診断し、適切な治療を提供します。

甲状腺超音波検査の結果、腫脹や嚢胞（水たまり）がみつかることも少なくありません。良性腫瘍だけでなく悪性腫瘍も多いのですが、幸いにしてゆっくり進行するものが多く、早期に適切な治療ができれば完治する患者さんも少なくありません。当科では、経験豊富な甲状腺学会専門医が、甲状腺に超音波を当てながら腫瘍細胞を採取する検査を、年間200例近く実施しています（写真３）。ぜひ、怖がらないで精密検査を受けてください。

甲状腺腫瘍に対する治療には、内科的治療、外科的治療、放射線治療があります。当院では、免疫・内分泌内科を入り口として、耳鼻咽喉科・頭頸部外科や放射線科と緊密に連携して、個々の患者さんが適切な治療をスムーズに受けられる院内体制が整っています。また、当院は甲状腺腫瘍に対する高線量内照射が可能な県内唯一の施設として、幅広い患者さんに対応が可能です。

脳神経内科の新しい治療について教えてください

すごい!! 先端の脳神経内科診療として、2つの医師主導治験や嚥下障害に対するチーム医療、パーキンソン病や頭痛に対する新しい治療を行っています

わたしたちがお答えします。

			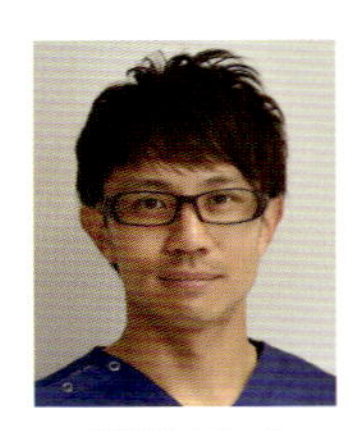		
脳神経内科 教授 下畑 享良	脳神経内科 准教授 木村 暁夫	脳神経内科 臨床講師 吉倉 延亮	脳神経内科 臨床講師 國枝 顕二郎	脳神経内科 臨床講師 東田 和博	脳神経内科 医員 加藤 新英

Q 脳神経内科で取り組んでいる新しい治療開発とは?

当科では、新しい治療法確立のため2つの医師主導治験を行っています。

①進行性核上性麻痺に対する治験

進行性核上性麻痺とは、図1のように、進行性に動作が遅くなる、目の動きが悪くなる、足の出にくさ(すくみ足)が生じる、転倒しやすくなる病気です。現在のところ根本的な治療薬はありません。この臨床試験は、進行性核上性麻痺患者さんの「動きの遅さやすくみ足」に対して、試験薬を内服し、効果と安全性(副作用など)を調べます。試験の対象となるのは、40歳以上で進行性核上性麻痺と診断され、すくみ症状を認める患者さんです。使用する薬剤の一般名は、「トリヘキシフェニジル塩酸塩」といい、すでにパーキンソン病やパーキンソン症候群の治療に用いられている安全な薬剤です。今回は有効性を確認するため、この薬剤ないし偽薬(有効成分を含まない薬剤)を試験薬として、医師、患者双方が、いずれかわからなくした状態で効果を判定いたします。

この臨床試験は、現在、当院を中心に、国立病院機構東名古屋病院、国立研究開発法人国立精神・神経医療研究センター病院、順天堂大学病院、福岡大学病院でも行われています。関心のある方は、研究代表医師(下畑 享良)までご連絡ください。当科ホームページ(http://www.med.gifu-u.ac.jp/neurology/research/psp.html)でもご案内しています。

②脊髄小脳変性症(特発性小脳失調症)に対する治験

2021年1月から、当科では脊髄小脳変性症のうちの特発性小脳失調症(IDCA)に対する臨床試験を開始しています。IDCAとは、小脳がうまく働かなくなることによって、身体のふらつきやしゃべりにくさが出現する疾患であり、原因が明らかでないものを指します(図2)。この疾患は、以前は「皮質性小脳萎縮症」という病名でも呼ばれていました。この病名の患者さんの一部に、小脳の働きを抑制する異常な免疫反応(抗体)が出現していることが、私たちの研究によりわかっ

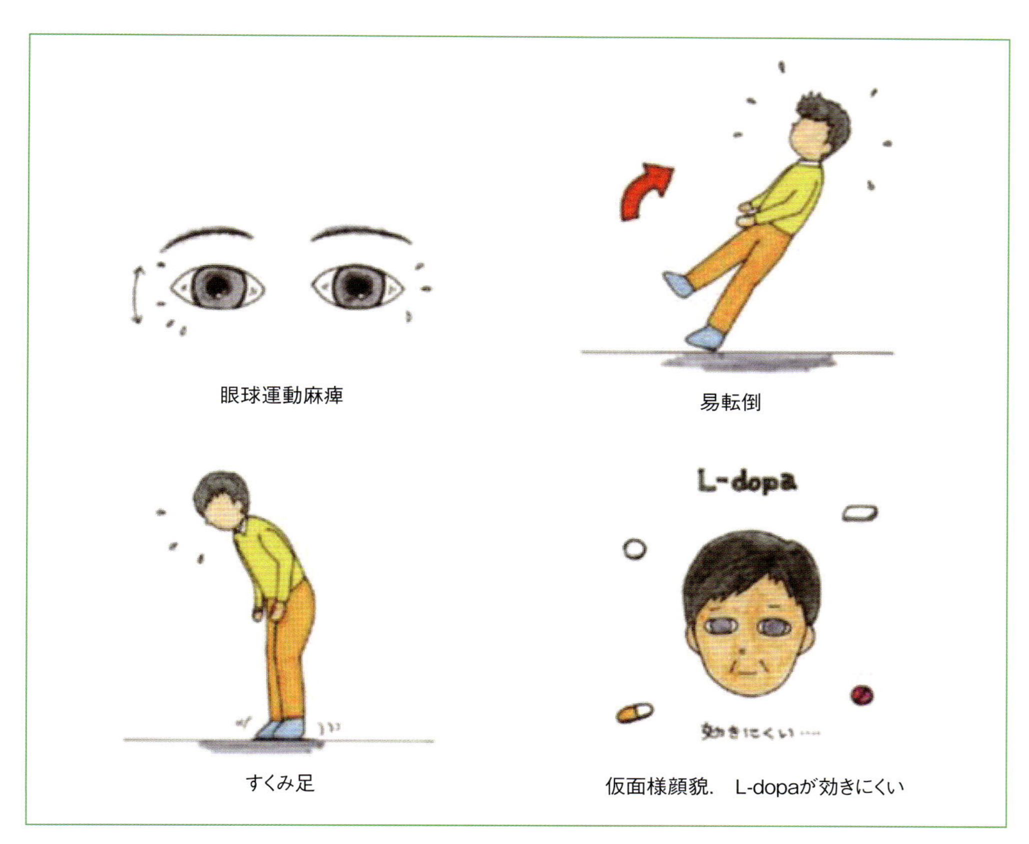

図１　進行性核上性麻痺患者の主な症状

〔PSP 進行性核上性麻痺　診断とケアマニュアル Ver. 4より引用〕

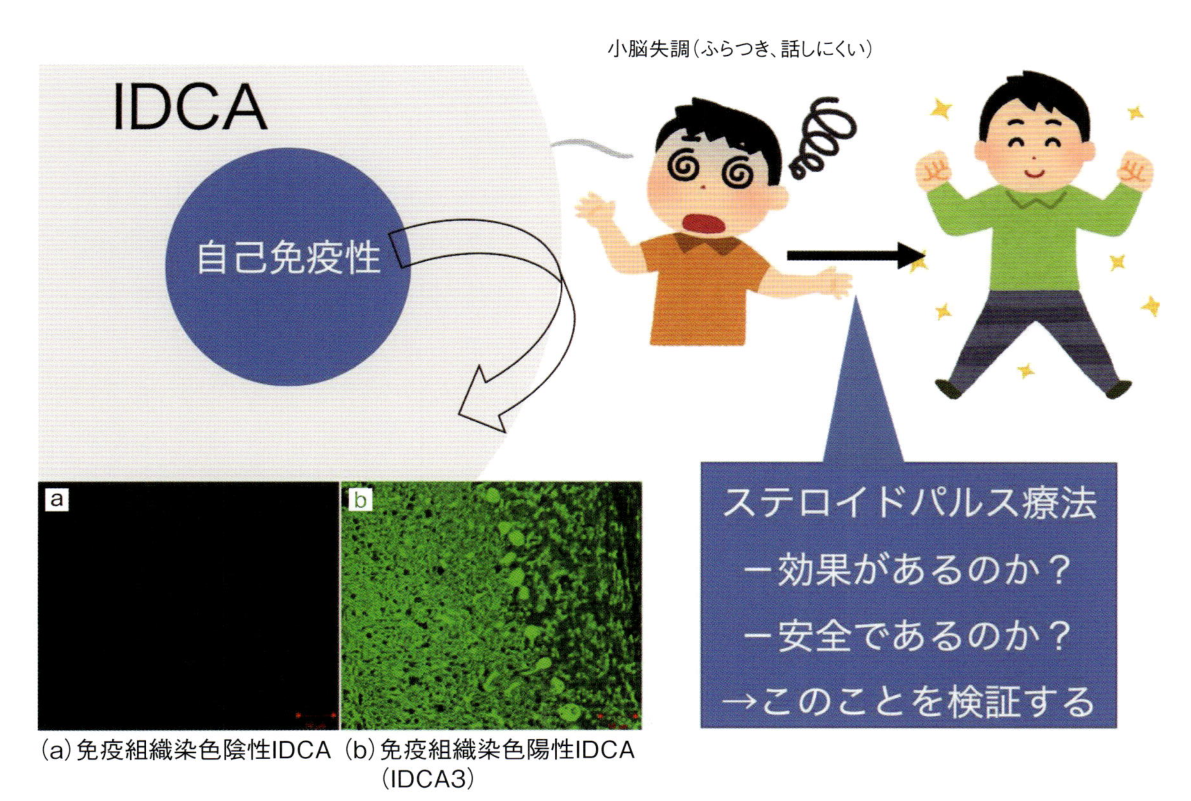

異常な免疫反応を起こしている患者さんがいる（IDCAが上記のbのような場合に、小脳にダメージを与えるような異常な抗体があることがわかる＝本試験の対象となる）

図２　IDCAの症状と病因

写真　嚥下障害への取り組み

嚥下チームのカンファレンス

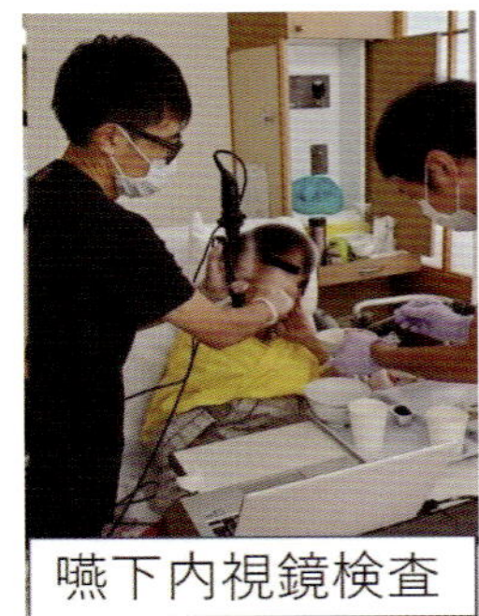
嚥下内視鏡検査

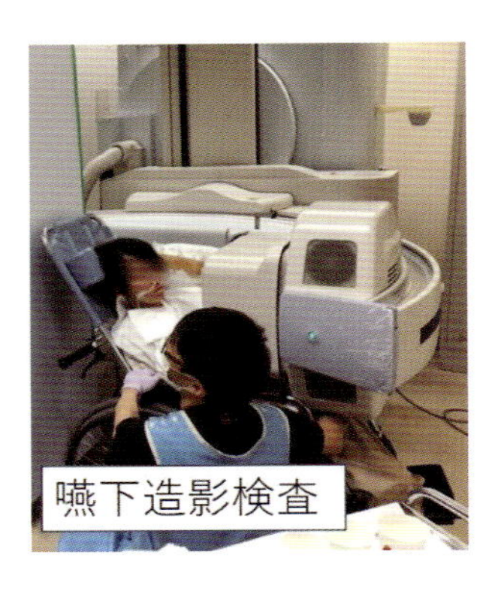
嚥下造影検査

てきました。今回の臨床試験では、「血液中にこの異常な抗体をもつことが確認された特発性小脳失調症患者さん」を対象として、免疫抑制療法（ステロイドパルス療法）を試験期間中に2回行い、有効性と安全性を確認します。このステロイドパルス療法とは、「メチルプレドニゾロンコハク酸エステルナトリウム」という薬剤を、1日に1g点滴し、それを3日間続ける治療法で、免疫性神経疾患では一般的によく行われるものです。

現在、岐阜大学病院を中心として、信州大学病院、名古屋大学病院、国立精神・神経医療研究センターの4カ所でこの臨床試験に参加することができます。関心のある方は、研究代表医師（吉倉　延亮）までご連絡ください。当科ホームページ（http://www.med.gifu-u.ac.jp/neurology/research/idca.html）でもご案内しています。

Q 嚥下障害に対する新しい取り組みについて教えてください

A 「食べる」という行為は、人にとって最も基本的な行為の1つです。ものを飲み込むことを「嚥下（えんげ）」といいますが、多くの神経疾患でこの嚥下の障害が問題になります。誤嚥（ごえん）、すなわち食べたものが気管に入ると、誤嚥性肺炎や窒息の原因になります。さらに、嚥下障害は栄養障害やQOL（キューオーエル）（生活の質）にもかかわる大変大きな問題です。そこで、当科では、嚥下障害の診療体制を充実させました。嚥下の状態を調べる検査として、嚥下造影検査や病棟における嚥下内視鏡検査を開始しました。嚥下障害の診断だけでなく、検査をもとにした安全な食べ方や薬の飲み方、嚥下訓練の指導などを行っています（写真）。

また、耳鼻咽喉科、歯科、言語聴覚士、看護師、管理栄養士、薬剤師などと連携し、チームで患者さんをサポートしています。さらに、嚥下のエキスパートである、日本嚥下医学会認定の「嚥下相談医」が、耳鼻咽喉科と脳神経内科にそれぞれ所属しています。専門分野の異なる嚥下相談医が連携して診療に当たっている病院は全国的にも珍しく、当院の強みです。

加えて、嚥下機能を改善するための頸部電気刺激装置などの先端医療機器も導入しています。嚥下障害の病態の解明、新しい嚥下法の開発や指導など、嚥下に関連する研究にも積極的に取り組んでいます。

患者さんが安全に食べ続けられるために、患者さんの紹介、訪問看護師など地域の医療スタッフとの情報共有など、地域との連携にも力を入れています。

このように当科では患者さんの「食べる楽しみ」に配慮した診療を行いながら、研究や教育、地域連携に尽力しています。

Q パーキンソン病に対する新しい治療を教えてください

A パーキンソン病は、脳内のドパミンを含む神経細胞が障害されることで、動きの遅さ、ふるえ、身体の硬さといった運動の症状が生じる神経疾患です。現在の治療としては、レボドパやドパミン作動薬といった薬物療法が主体になります。病初期には薬物療法がよく効きますが、進行期に入りますとその作用時間が短縮し、いわゆるウェアリングオフ現象などがみられるため、内服を頻回に行ったり、多数の抗パーキンソン病薬を内服したりする必要が生じます。それでも日常生活における支障が大きい場合には、手術による脳深部刺激療法（DBS（ディービーエス））やレボドパ/カルビドパ配合経腸用液療法（LCIG（エルシーアイジー）療法）を検討します。後者は胃ろうを用いて、レボドパが吸収される小腸に直接、持続注入する治療法です（図3）。当科では内服回数が1日5回以上である患者さん、1日でレボドパによるジスキネジアが1時間以上認められる患者さん、動けないオフ時間が2時間以上認められる患者さんに対して、LCIG療法を行っています。中部圏では一番の治療件数を経験しており、患者さんの満足度としても非常に高い評価をいただいています。この新しい治療法を試してみたいという方は、主治医の先生に当科外来宛の紹介状を作成いただき、受診いただければと思います。

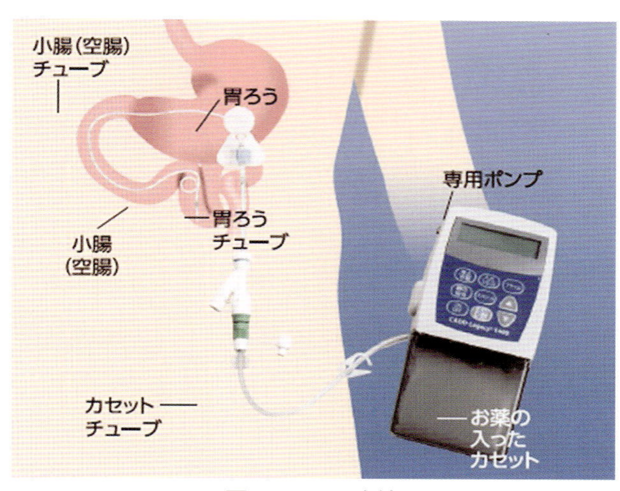

図3　LCIG療法

〔A-CONNCE医療従事者サポートイラスト素材集から許可を得て掲載〕

Q 頭痛に対する新しい治療を教えてください

A 頭痛のなかでも特に日常生活に大きな影響を及ぼすものは片頭痛です。この頭痛は、一般に左右のいずれか一方に、ズキンズキンと拍動するような強い痛みを認めるタイプで、歩行や階段の昇り降りといった動作により悪化します。また、吐き気や、光や音に過敏になるといった特徴を示します。頭痛の出現前に、きらきらした光がみえるような前兆を伴うこともあります。

治療としては、頭痛の発作時には、鎮痛薬（非ステロイド性抗炎症薬）やトリプタン製剤が有効です。また、片頭痛の予防薬も存在していますから、毎日内服することで頭痛発作の回数を減らすことができます。しかし、効果は患者さんによって異なり、実際十分に予防できない場合もありました。

2021年、新しい片頭痛の予防薬が登場します。片頭痛では、カルシトニン遺伝子関連ペプチド（CGRP（シージーアールピー））という物質が、三叉神経という脳の神経から放出され、血管の拡張や炎症をひき起こすことが原因の1つと考えられています。このCGRPという物質を、直接的におさえる新しい種類の薬剤です。従来の予防薬よりも効果が高く、これまでの予防薬で効果が不十分であった患者さんにも有効性が示されています。片頭痛は、日本人の年間有病率は8.4%と、非常に患者数の多い疾患ですが、予防治療については十分に周知されておりません。当科では、片頭痛患者さんのQOLを高めるため、特に予防治療に力を入れています。一人ひとりに合った治療をご提案します。

総合内科と総合診療部って？何を診療しているの?

すごい!! 発熱、痛み、倦怠感、体重減少などの診断・治療を得意とし、特に膠原病診療は、当科リウマチ専門医が最新のエビデンスに基づき行っています

わたしたちがお答えします。

総合内科・総合診療部
教授
森田 浩之

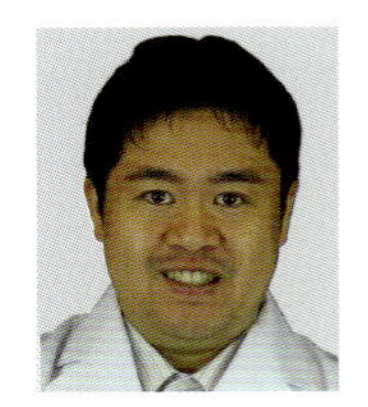

総合内科・総合診療部
准教授
森 一郎

Q 総合内科ってどのような科なの？

A 医療の高度化に伴った臨床医学における細分化には著しいものがあります。特に、当院のような大学病院においてはその傾向が強く、それぞれ臓器別に専門分野をもち、優れた技術や高度な知識を有しています。しかし、実際に病院を訪れる患者さんの多くは複数の疾患を抱えていますから、各分野の専門医師は連携して適切な治療を行わなくてはなりません。そこで、患者さんのさまざまな訴えや身体変化に対応ができ、的確に診断を行う必要があり、それを行っているのが総合内科です。なお、当院では総合内科と総合診療部は同じ医師で構成されています。

総合内科・総合診療部外来では、関節リウマチや全身性エリテマトーデスなどの膠原病のほかに、糖尿病、高血圧症、脂質異常症などの生活習慣病、心不全、脳梗塞などの心血管疾患、逆流性食道炎、胃潰瘍などの消化管疾患、甲状腺疾患、骨粗鬆症などの内分泌代謝疾患、肺炎や気管支喘息などの呼吸器疾患を複雑に合併している患者さんの治療にかかわり、これらの複雑な疾患群の診断・治療を効率的に実践しています。当科の医師の多くが、内科専門医やリウマチ専門医の資格を有しています。また、他の医療機関ではどうしても原因が判明しなかった未診断の患者さんの診療も行っています。具体的な症状としては、持続する発熱、関節、筋肉、頭、頸部、腰などの痛み、倦怠感、体重減少、しびれ、めまい、動悸などです。

さらに、入院診療では、膠原病や感染症を中心として幅広い疾患の診断と治療を行っています（図1）

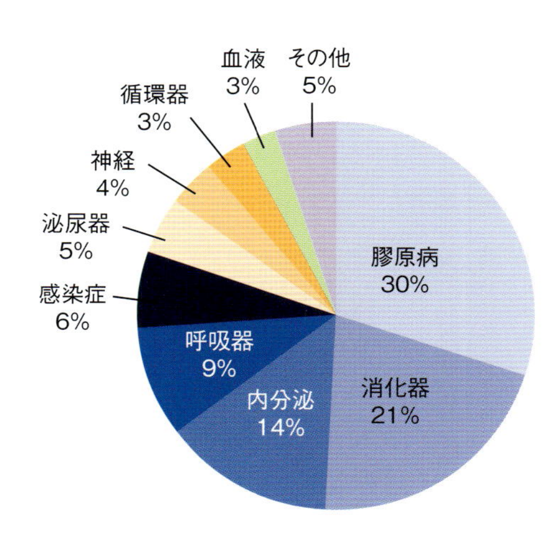

図1 入院患者の疾患内訳
（2004年6月～2021年2月、3,900名）

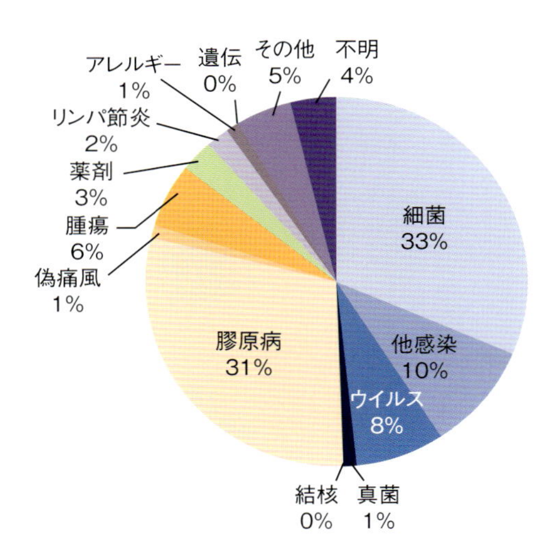

図2　発熱入院の疾患内訳
（2004年6月～2021年2月、1,071名）

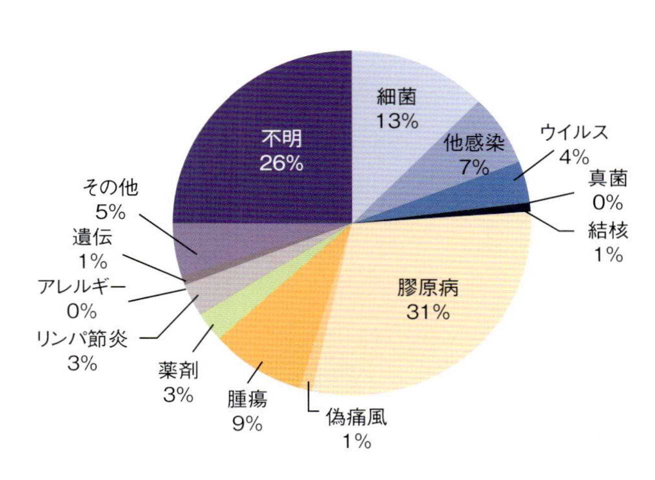

図3　不明熱入院の疾患内訳
（2004年6月～2021年2月、148名）

Q 原因がわからない発熱が続いています。どのようにしたらいいの？

A 発熱はさまざまな疾患で起こりますが、多くはウイルス感染症のように治療をしなくても自然に軽快します。しかし、発熱患者さんのなかには、原因不明の発熱（不明熱といいます）や緊急で治療が必要な疾患の場合もあります。また、高齢者、免疫力低下状態（免疫抑制薬の内服や白血球の減少）、慢性呼吸器疾患、心疾患、腎疾患、肝硬変、糖尿病などの基礎疾患をおもちの患者さんでは、発熱原因疾患が重症化する可能性もあります。

当科では、2004年に新病院へ移転してからの16年間で、1,000名以上の発熱患者の入院診療に積極的に携わってきました。発熱の原因疾患としては、感染性心内膜炎、化膿性脊椎炎、前立腺炎などの感染症、全身性エリテマトーデスや成人スティル病などの膠原病、リンパ腫などの悪性腫瘍、薬剤熱、遺伝性疾患などが挙げられますが、約半数が感染症によるものです（図2）。これまでの診断率は96%で、最後まで原因不明だったのはわずか4%でした。原因不明であっても、その後発熱が自然に改善している方がほとんどです。一方、不明熱とは、①発熱の持続期間が3週間以上である、②38.3℃以上の発熱が経過中に数回以上みられる、③1週間の入院精査でも原因がわからない、この3つを満たすものとして、1961年にピータースドルフ医師らによって定義されました。当科を受診された約150名の入院患者さんがこれに該当していますが、原因疾患別にみると膠原病が最も多く、次いで感染症（図3）で、なかには私たちも初めて経験する珍しい疾患が原因であったこともあります。

Q 膠原病・自己免疫疾患とはどのような病気ですか？

A 膠原病・自己免疫疾患は、自分で守るはずの免疫機能の異常によって、誤って自分を攻撃し、関節、筋肉、皮膚、肺、腎臓、肝臓などの多数の臓器に炎症を起こしてしまう病気の総称です。主な症状は、発熱、咳、息切れ、関節痛、筋肉痛、だるさ、目や口の渇き、口内炎、皮膚の異常、むくみ、しびれなどです。膠原病には、関節リウマチ、全身性エリテマトーデス、皮膚筋炎・多発性筋炎、全身性強皮症、顕微

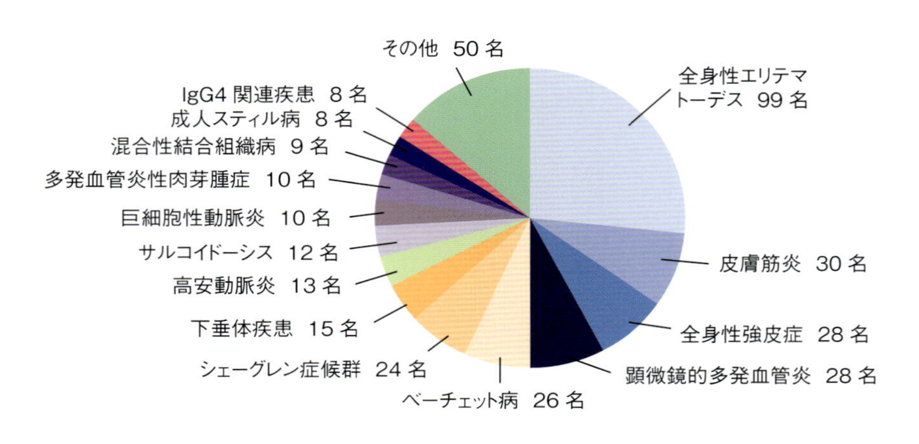

図4　総合内科指定難病申請患者数（370名）

顕微鏡的多発血管炎、ベーチェット病、シェーグレン症候群、高安動脈炎、サルコイドーシス、巨細胞性動脈炎、多発血管炎性肉芽腫症、混合性結合組織病、成人スティル病、IgG4関連疾患、結節性多発動脈炎、好酸球性多発血管炎性肉芽腫症、再発性多発軟骨炎などが含まれ、関節リウマチを除く多くの疾患において、重症度が一定基準以上であれば指定難病として認定され、医療補助が受けられます（図4）。

当科では、発熱、関節、筋肉痛の診療と関連して、関節リウマチなどの膠原病の患者さんを多数診察・治療しています。抗核抗体や補体の異常、抗CCP抗体陽性の患者さんも多数紹介されています。病歴を詳しくお聴きし、全身の詳細な身体診察をすることでどの膠原病なのかを正確に診断します。当科のリウマチ専門医のもとで、最新の科学的根拠に基づいて、副腎皮質ステロイド、種々の免疫抑制薬や生物学的製剤などによる治療を行い、感染症やステロイド糖尿病などの発症に十分に配慮しながら、早期寛解と維持および治療薬の減量をめざしています。

Q 膠原病の治療にはどのようなものがありますか？

A 膠原病の治療の主体は、過剰な免疫反応をおさえる免疫抑制療法になります。病気によって使い分けが必要ですし、薬にはさまざまな副作用があり、免疫抑制が強すぎると細菌やウイルスなどに対する抵抗力が低下するため、感染症にかかってしまうこともあります。免疫抑制療法に精通しているリウマチ専門医のもとで治療を受けることをおすすめします。

①副腎皮質ステロイド（いわゆるステロイド）

副作用が多く、患者さんから使用を躊躇されることも多い薬ですが、ほとんどの膠原病において、寛解導入（病気を落ち着かせる）目的で使用します。プレドニゾロンという内服薬を使うことが一般的ですが、高血圧症や糖尿病などの治療薬と異なり、治療開始時に最も多い量を使います。その後、病気の改善を待って減量して、最終的には中止をめざします。即効性がある、ほとんどの患者さんに効果がある（確実性）、この2つの理由から最初に使う治療薬とされています。どの副作用が治療開始後いつ頃に起こるのかがわかっているため、副作用対策をしながら慎重に使用します。最近

表1　主な免疫抑制薬（免疫調整薬を含む）

	一般名など	主な適応疾患
内服薬	アザチオプリン	全身性エリテマトーデス、全身性血管炎、皮膚筋炎、強皮症など
	シクロホスファミド	
	ミコフェノール酸モフェチル	ループス腎炎
	シクロスポリン	ベーチェット病、関節症性乾癬、ネフローゼ症候群
	ヒドロキシクロロキン	全身性エリテマトーデス
	アプレミラスト	ベーチェット病による口腔潰瘍、関節症性乾癬
注射薬	ベリムマブ	全身性エリテマトーデス
	リツキシマブ	顕微鏡的多発血管炎、肉芽腫性多発血管炎
	メポリズマブ	好酸球性多発血管炎性肉芽腫症
	セクキヌマブ	関節症性乾癬、強直性脊椎炎、体軸性脊椎関節炎
	イキセキズマブ	関節症性乾癬、強直性脊椎炎、体軸性脊椎関節炎
	アニフロルマブ	全身性エリテマトーデス
	免疫グロブリン製剤	皮膚筋炎、好酸球性多発血管炎性肉芽腫症

表2　主な抗リウマチ薬

	一般名	関節リウマチ以外の主な適応症（膠原病関連のみ）
内服薬	サラゾスルファピリジン	
	メトトレキサート	関節症性乾癬
	タクロリムス	ループス腎炎、皮膚筋炎合併間質性肺炎
	ブシラミン	
	ミゾリビン	ネフローゼ症候群、ループス腎炎
	イグラチモド	
	レフルノミド	
	トファシチニブ	
	バリシチニブ	
	ペフィシチニブ	
	ウパダシチニブ	関節症性乾癬
	フィルゴチニブ	
注射薬	インフリキシマブ	ベーチェット病によるぶどう膜炎、関節症性乾癬、強直性脊椎炎、特殊型ベーチェット病
	エタネルセプト	
	アダリムマブ	関節症性乾癬、強直性脊椎炎、腸管型ベーチェット病
	ゴリムマブ	
	セルトリズマブペゴル	関節症性乾癬
	トシリズマブ	成人スティル病、キャッスルマン病、高安動脈炎、巨細胞動脈炎
	サリルマブ	
	アバタセプト	

では後述の免疫抑制薬を併用して比較的早期に減量・中止をするようになってきています。

②免疫抑制薬（抗リウマチ薬を含む）

副腎皮質ステロイドの早期減量に伴い、寛解導入から併用したり寛解維持目的で使用したりします。薬によって適応疾患が決まっています（表1）。特に、関節リウマチに使用される薬剤を総称して抗リウマチ薬（disease modified anti-rheumatic drugs：DMARDs（ディーマーズ））と呼んでいます（表2）。抗リウマチ薬には副腎皮質ステロイドにはない関節破壊抑制効果があります。注射薬は高価のものが、内服薬は安価なものから高価なものまであります。注射薬の一部では、バイオシミラーというジェネリック医薬品に相当する、やや安価なものが発売されています。それぞれの薬剤の特性を生かして、患者さんごとに適切な薬剤を選択します。

消化器のがんについて教えてください

すごい!! 低侵襲な鏡視下手術、ロボット手術を行います。高度な進行がんでも、積極的な抗がん剤治療や最適な手術など、最先端の医療で立ち向かいます

わたしたちがお答えします。

消化器外科
教授
吉田 和弘（よしだ かずひろ）

消化器外科
特任教授
高橋 孝夫（たかはし たかお）

消化器外科
特任教授
村瀬 勝俊（むらせ かつとし）

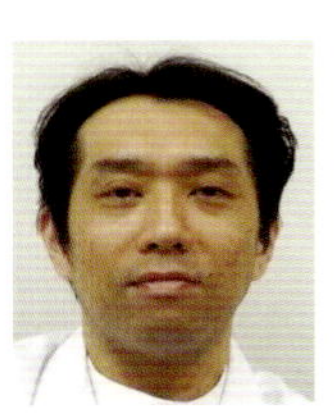

消化器外科
准教授
松橋 延壽（まつはし のぶひさ）

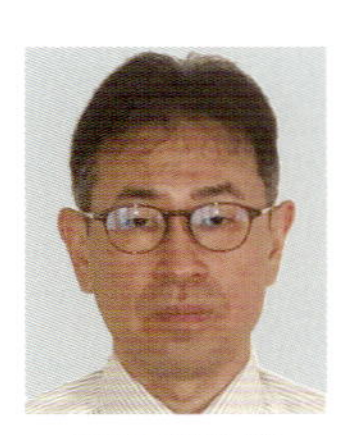

消化器外科
特任准教授
奥村 直樹（おくむら なおき）

消化器外科
臨床准教授
田中 善宏（たなか よしひろ）

Q 食道がんの治療法について教えてください

- 縫合不全等の術後合併症が極めて少なく治療成績は世界レベルです。
- 当院独自の抗がん剤の組み合わせでより優しく、より効果をあげました。
- 栄養管理のスペシャリストがいますので、集学的治療はお任せください。

A 食道は胸部の中心に位置し、心臓や肺に囲まれた臓器のため、治療は簡単ではありません。進行がんは、抗がん剤を投与してから食道を切除する、あるいは抗がん剤と放射線治療を併用することが最善の治療となります。これまで抗がん剤による治療の効果は38%の患者さんにみられました。これを改善するために、私たちは新規の抗がん剤の研究を11年前から行い、世界初となる2種類の抗がん剤治療法を報告してきました。その効果は90.3%と83.3%と、2倍以上の効果をもたらしました。その抗がん剤治療のあとに手術を行うと42%の患者さんでがんが消えかけ、約20%の患者さんでがん細胞が完全に消失することがわかりました。

当科では、深達度の浅い食道がんでは、積極的に胸腔鏡下手術（きょうくうきょうかしゅじゅつ）を導入しています。特に強調したいのは合併症が少ないことです。なかでも縫合不全（ほうごうふぜん）の発症率で、全国平均が10～15%前後なのに対し、当科では、2名の食道外科専門医による亜全胃管再建（あぜんいかんさいけん）および頸部手縫い吻合（ふんごう）を行い、縫合不全発症率は0.5%（2例/386例）を実現しています。この成績は世界のトップレベルであり、誇るべき数値なのです。

さらに、当科では「抗がん剤の有害事象対策としての腸管免疫（ちょうかんめんえき）への挑戦と攻めの栄養管理」をスローガンに取り組みを行っています。周術期の栄養管理では“免疫栄養”の概念を発信し、化学療法中においても患者さんの免疫力向上をめざしてきました。事実、当科の食道がん患者さんの体重減少を術後5年後に約−2.9kgにおさえています（図1）。小腸の絨毛（じゅうもう）は25mプール1面の広さがあります。人間の免疫力の7割はこの絨毛に存在します。抗がん剤はがん細胞を死滅させますが、同様にこの絨毛を痛めつけていることを私たちは発見したのです。この発見は、実は前述した2種類の抗がん剤投与で口内炎が多く発症したことがきっかけとなりました。成分栄養剤

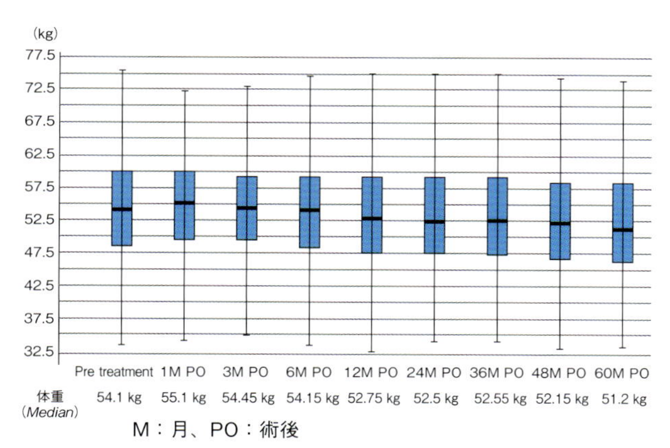

図1　食道がん術後の体重変化

を同時に服用することで、絨毛が復活し口内炎が減り、体重が維持されていきました。国内第Ⅲ相試験での実証を行い、その成分栄養剤併用で、化学療法中の口内炎は抑制され、体重減少を抑制することを国際学会で報告しました。

免疫といえば、ノーベル賞に輝いた「免疫チェックポイント阻害剤」が保険診療で使用可能です。これにより食道がん治療手段がまた1つ増えたことになります。

Q 胃がんの治療法について教えてください

- 胃がん治療ガイドラインの標準治療を更新する新たな治療を開発しました。
- 腹腔鏡手術、ロボット支援手術による低侵襲胃切除術を岐阜県内で最も古くから行っています。
- 遠隔転移を伴うステージⅣ胃がんであっても、抗がん剤治療・コンバージョン治療を積極的に行います。ステージⅣ胃がんの分類を世界で初めて提唱しました。

A 手術療法には、開腹（かいふく）手術や、低侵襲手術である腹腔鏡下（ふくくうきょうか）手術があります。当科では、岐阜県内で最も古くから腹腔鏡下手術を導入し、胃がん専門の技術認定医が3名勤務しています。2018年からはロボット支援下手術が保険収載され、当科でも積極的にロボット手術を行っており、これまで50例を超える症例を経験しています。当院では、現在2台のda Vinci（ダヴィンチ）が稼働しており、今後もロボット手術は増加すると予想されます。

遠隔転移が認められた高度進行胃がん（ステージⅣ（フォー））には化学療法が行われますが、抗がん剤がよく効いた場合は、根治をめざして手術することがあります。これをコンバージョン治療（conversion therapy）といいます。当科ではコンバージョン治療を積極的に行い、R0（アールゼロ）（肉眼的にがんを完全に取り除いた）手術が可能と思われる奏効例では、生存が延長することが認められました。さらにコンバージョン治療の有用性を検討するために、日韓中のがん治療学会が共同して行うアジアがん治療学会において、共同研究を行い、その有用性が発表されました。

抗がん剤治療は、時代とともに変化し、治療成績は向上しています。当科で開発された治療としてS1（エスワン）+ドセタキセル療法（DS（ディーエス）療法）があります。DS療法は、ステージⅣの患者さんに用いる最初の治療として有効性が認められました。また、切除術（せつじょじゅつ）が施行されたステージⅢ胃がん症例には、DS療法が標準治療を上回り、新たな標準治療としてガイドラインに明記されました。

ステージⅣ胃がんはさまざまな病状が混在しており、薬物治療のみで押し切る画一的な方針だけでは、対応できないのが現状です。吉田教授の発案で、腹膜播種（ふくまくはしゅ）、肝転移（かんてんい）、リンパ節転移、他臓器転移の状況によるステージⅣ胃がんのカテゴリー分類を行い、化学療法後の外科的治療介入の可能性の目安とすることを提唱しています。

4つのカテゴリーに分類することで、治療前臨床診断で治療戦略のアルゴリズムを明確化するものであります。

さらに日本臨床腫瘍研究グループ（Japan Clinical Oncology Group：JCOG）活動においても研究責任者をつとめる80歳以上高齢者胃がんの術後補助化学療法の臨床試験が進行中で、超高齢化社会におけるがん治療の新たなエビデンスの構築に貢献しています。

Q 大腸がんの治療法について教えてください

- 大腸がん手術の多くは身体に優しい腹腔鏡手術で行っています。
- 最近では、手術がむずかしいとされる直腸がんに対しロボット手術を行っています。より細かい操作が可能となっています。
- 切除ができないステージⅣ大腸がんなどに対し、最新の抗がん剤治療を用いて、がんを縮小させて、根治手術を行う、コンバージョン手術に力を入れています。これにより、より延命できるようになったり、治癒されたりする患者さんもいます。

A 当院の大腸がんの手術症例数は増加しています。当院では、以前はおなかを大きく開けて手術を行う開腹術でしたが、穴を開けて手術を行う腹腔鏡下手術が近年9割近くを占めています。患者さんの身体への負担の少ない低侵襲手術を行っています。

また、根治手術が不可能なステージⅣの肝転移など、切除不能な遠隔転移巣が存在すると化学療法で延命を狙うしかなかったのですが、近年では、がん特異的に効果を示すとされる分子標的薬を含め化学療法剤が進歩し、それらを使用することにより著明に奏効し、腫瘍が縮小する症例が増加しています。もともと切除不能例に対しては、積極的な化学療法を行い、遠隔転移巣が縮小し、根治手術が可能となった場合にR0手術を積極的に施行しています。当科において生存期間延長や治癒した症例は学会などでも多数報告しています。一般的に切除不能の場合、生存期間は約30カ月と報告されていますが、当院は3年近くまで生存を伸ばしています。根治手術ができると、なんと5年生存率は50%を超えて、がんが治ることもあります。

Q 直腸がんの治療法について教えてください

- 直腸がんは永久人工肛門になってしまう場合が多いですが、当院では肛門温存に力を注ぎ、究極の肛門温存術であるISR（内肛門括約筋切除術）を積極的に行っています。
- 肛門温存術後の肛門機能を改善する工夫をしています。特に肛門機能不良の患者さんに対し、仙骨刺激療法を行っていますが、全国大学病院では岐阜大学のみです。
- 直腸がんに対し、より精緻な手術が可能となるロボット手術を積極的に施行しています。

A 当科が特に力を入れている機能温存術の1つとして、「究極の肛門温存術」といわれているISR（Intersphincteric Resection、内肛門括約筋切除術）があります。当科ではこの高難度手術を腹腔鏡で行い良好な成績を得ています。特に、肛門内圧検査などの客観的指標をもとに行い明確なデータを示したことが評価されており、多くの直腸がん患者さんが肛門温存術希望で受診されるようになりました（図2）。

また、通常の低位前方切除術と比較して、最大随意圧は差がないことがわかりました。最大静止圧においては、ISRのほうが弱いことがわかっていますが、理学療法などを加えることで排便機能はおおむね問題ないところまで改善しています。

2021年4月からは、da Vinci（ダヴィンチ）の2台運用がはじまり、多くの症例でロボット支援手術が実施されています。当科では、直腸がん手術における術者certificationを松橋准教授、高橋特任教授が取得しており、安全に精緻な手術を行っています。下部直腸がんにおいては3Dで術野が視認でき、ロボットアームの柔軟性を生かして、骨盤深部まで剝離授動が容易になり、da Vinciを用いることでより深部までの骨盤剝離が可能となり、さらなる肛門温存にも寄与できるようになりました。

岐阜県内より多くの症例を紹介していただくようになり、2020年は東海地方でもトップレベルの手術症例を行い、安全で質の高い医療を提供をしています。

ISRおよび低位前方切除術を行った症例のなかで排便障害が長期に持続するような患者さんもおられます。理学療法および薬物療法が無効な患者さんにおいては、仙骨刺激療法を、岐阜県で初認可されてから2021年まで、多くの症例で経験してきました。脳深部刺激、脊髄刺激、仙骨刺激と3領域を網羅しているのは全国でも2施設のみであり、全国大学病院では岐阜大学のみとなっています。

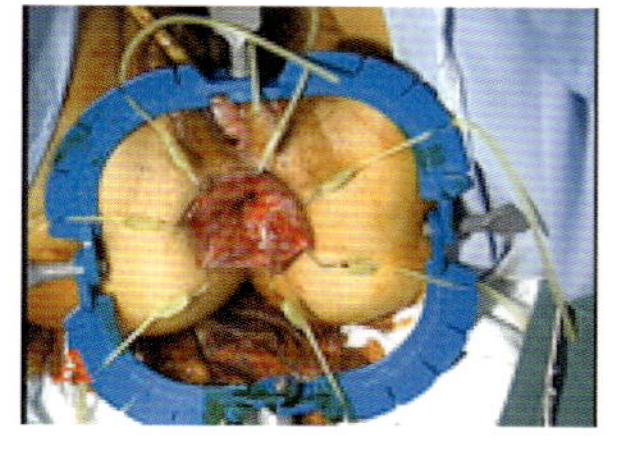
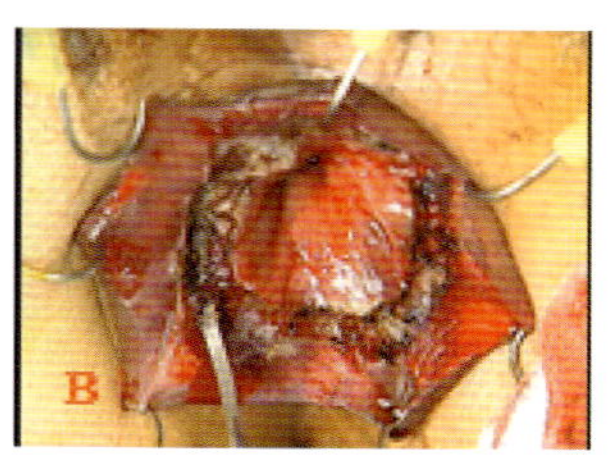

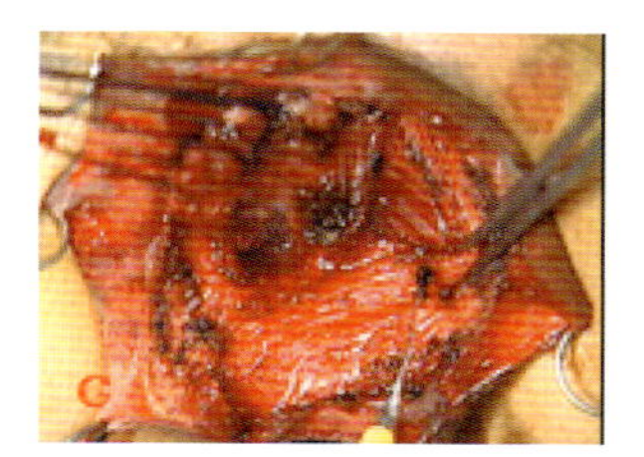

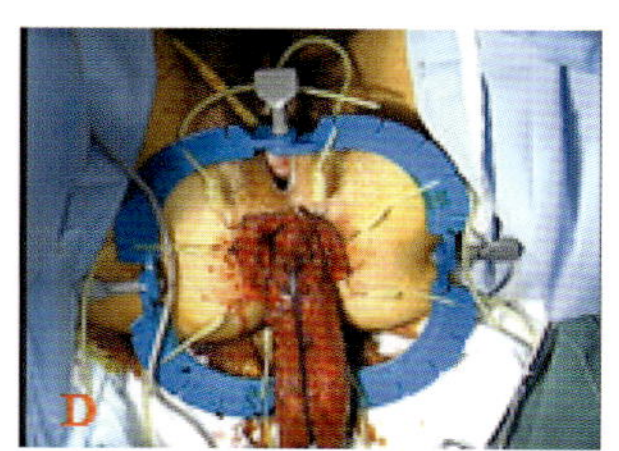

図2　ISRの実際

Q 肝臓がん、膵臓がんの治療法について教えてください

- 肝切除術では緻密な術前シミュレーションで安全な手術を行います。
- 当初、切除不能と診断された膵がん症例に対しても、化学療法と組み合わせ、根治切除（コンバージョン手術）を行います。
- 腹腔鏡下手術の導入により、根治性に加え低侵襲性も向上しています。

A 肝（肝臓）がんの外科的治療は肝切除術です。病気の大きさや場所によって肝臓をどれだけ切除する必要があるかが決まります。

肝臓は人間の身体で脳の次に大きな臓器で、①身体に必要なタンパク質や栄養を合成する、②アルコールなどの有害な物質を解毒・分解する、③食物の消化に必要な胆汁の合性・分泌する働きがあり、これができないと生きていくことはできません。そのため肝臓がんの手術を行う場合、当科では、術前のCT画像より「SYNAPSE VINCENT」を用いて、切除に必要な肝臓の容量（体積）を算出します。これに、肝予備能検査（ICG検査）の結果を加え、肝切除後にどれだけ肝機能が残すことができるかを術前にシミュレーションし、安全な肝切除を行っています。

また、低侵襲手術として2011年から腹腔鏡下肝切除術を導入しています。通常の開腹肝切除術と比較して、小さな手術創で少ない出血量で手術が行われています。腹腔鏡下肝切除術の適応も病変の位置や数によって決まりますが、年々症例数も増加しています。

膵（膵臓）がんは年々増加の傾向にあります。がんのなかでも根治がむずかしい“難治性のがん”といわれています。

膵がんの治療は、①手術、②化学療法（抗がん剤治療）、③放射線照射などを組み合わせて行います。確実にがんを取り除くには手術が必要ですが、手術のみでは再発する症例も多いため、現在では手術の前と後に化学療法を行うことが標準治療となっています。

また、発症時に「すでに他臓器に転移している」、「病気の広がりから手術がむずかしい」と診断される場合もあります。当院ではこのような症例には、まず化学（放射線）療法を導入し、病変が小さくなったところで手術を行うコンバージョン手術を積極的に行っています。コンバージョン手術の適応は、消化器内科、消化器外科、放射線科合同のキャンサーボードミーティングで詳細に検討して決定しています。

心臓や血管の手術って、どんなことをするの？

すごい!! 複雑で広範囲の大手術から整容性に優れた小切開手術、さらに血管内治療まで、当院の心臓血管外科はあらゆる治療の選択肢を提供します！

わたしたちがお答えします。

心臓血管外科
教授
土井 潔

心臓血管外科
准教授
島袋 勝也

心臓血管外科
講師
坂井 修

心臓血管外科
臨床講師
加藤 貴吉

心臓血管外科
助教
梅田 悦嗣

Q 狭心症で冠動脈バイパス術が必要だといわれました。どのように行うの？

A 狭心症は動脈硬化によって心臓を栄養している冠動脈が狭くなる病気です。冠動脈バイパス術は狭くなった冠動脈のかわりに新しい血管を植える血管の移植術です。血液が閉塞した動脈を迂回して心臓に流れる新しい道（バイパス）をつくります。ただし新しい血管といっても、冠動脈の太さは1.5mmほどなので人工血管が使えないため、生きている血管（「グラフト」といいます）を患者さんの体の別の場所から採取してきて心臓に植えます。

グラフトには大きく分けて動脈グラフトと静脈グラフトがあります。一般的に動脈グラフトのほうが長持ちするため（図1）、当院では積極的に動脈グラフト（左右内胸動脈、橈骨動脈、右胃大網動脈）を用いた冠動脈バイパス術を行っています（図2）。

心臓は生まれてから死ぬまで動き続けており、その心臓の表面にある太さ1.5mmほどの冠動脈に小さな切れめを入れてグラフトを縫っていくことは簡単ではありません。一般的には、人工心肺を

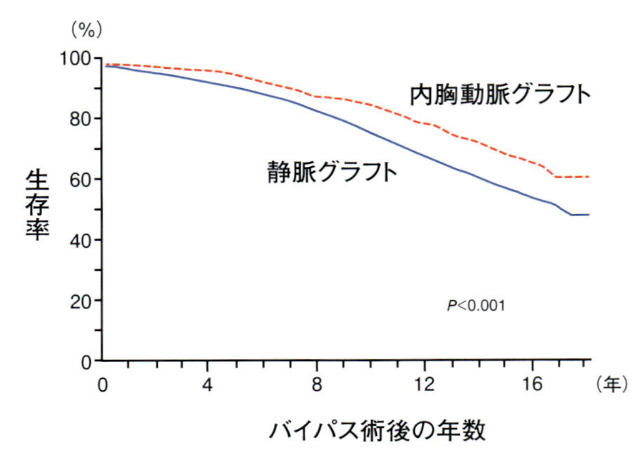

図1　グラフトの寿命

一般的に内胸動脈グラフトの寿命は静脈グラフトよりも長いといわれています。

〔Loop FD, et al : Influence of the internal-mammary-artery graft on 10-year survival and other cardiac events. N Engl J Med. 1986 ; 314(1) : 1-6. より改編〕

使用し心臓を一時的に止めてバイパス術（「オンポンプ冠動脈バイパス術」といいます）を行います。しかしながら人工心肺を使用すると、脳梗塞や腎不全などの合併症を起こす危険性が高くなるといわれています（表）。

当院では高度な技術と道具によって、人工心肺を用いずに、心臓が動いたままの状態で冠動脈バイパス術（「オフポンプ冠動脈バイパス術」といいます）を行っており、非常に良好な成績をおさめています。冠動脈バイパス術が大きな手術であるこ

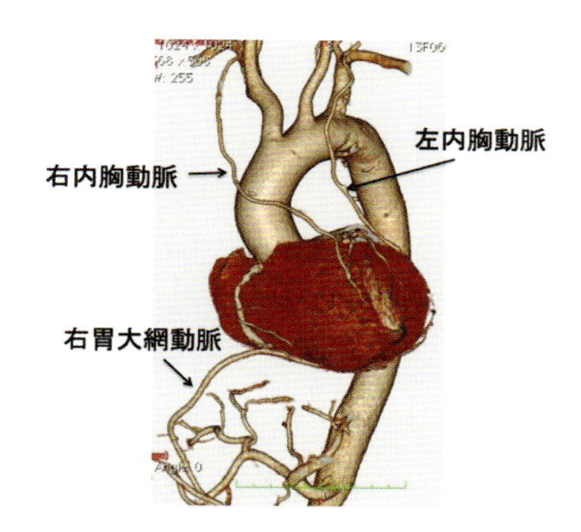

図2　動脈グラフトのみを用いた冠動脈バイパス術

左右の内胸動脈グラフトと右胃大網動脈グラフトを用いて4カ所の冠動脈にバイパスしてあります。

表　オフポンプ冠動脈バイパス術とオンポンプ冠動脈バイパス術の比較

	オフポンプ	オンポンプ
長所	人工心肺に伴う合併症（脳梗塞、呼吸不全、腎不全、出血など）が少ない	吻合が容易 循環動態が安定
短所	循環動態が不安定 吻合がむずかしい	人工心肺に伴う合併症の頻度がやや高くなる可能性がある

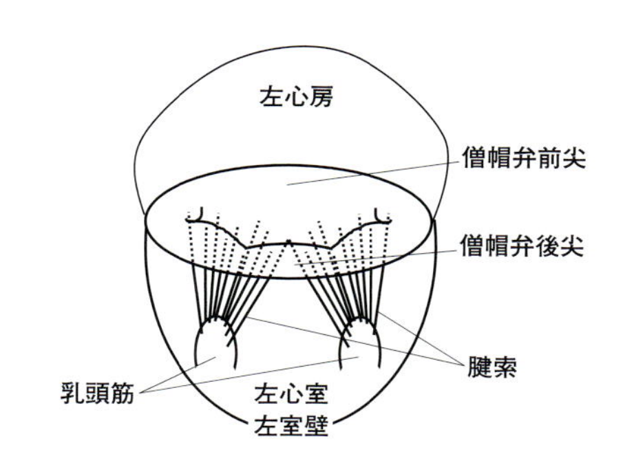

図3　僧帽弁、三尖弁、左心室の模式図

とは間違いありませんが、十分に準備をした待機手術であればその成功率は99%以上あります。

僧帽弁逆流症の手術って？どんなことをするの？

A 僧帽弁の構造は2つのパラシュートにたとえることができます（図3）。すなわち、前尖と後尖という2つのパラシュートがふくらんで、パラシュートの傘の部分が隙間なく接し、その結果、左心室から左心房への血液の逆流を防ぎます。パラシュートの紐（腱索）は乳頭筋を介して左心室壁に固定されています。

最近の僧帽弁逆流症の原因で最も多いのは、弁組織の変性によって腱索が伸びたり断裂したりして、支えを失った弁尖部分から血液が逆流するという僧帽弁逸脱によるものです（図4a、5a）。僧帽弁逸脱による逆流症の大部分は、人工弁に置換する必要はなく、弁を修復する手術（形成術）によって治療が可能です。断裂した腱索のかわりに人工腱索を移植したり、逸脱した弁尖部分を短冊状に切除したあとにギャップを縫合閉鎖したりする方法（四角切除法）です（図4b、c）。帽弁逆流症では弁の周囲（弁輪）が拡大していることが多いため、一般的には人工弁輪を逢着して

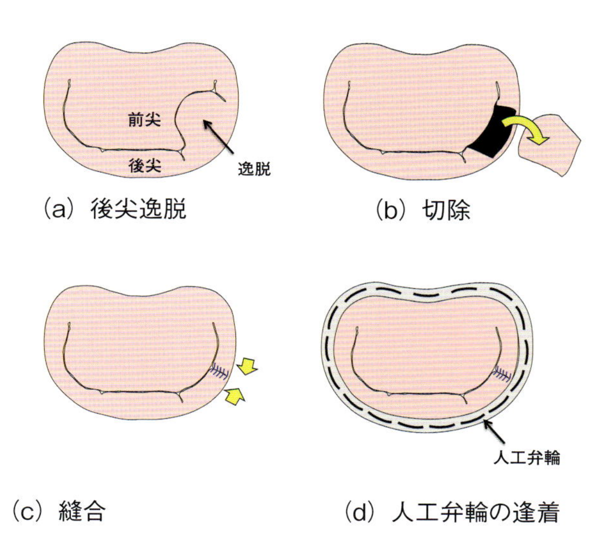

（a）後尖逸脱　（b）切除　（c）縫合　（d）人工弁輪の逢着

図4　僧帽弁形成術（後尖逸脱に対する四角切除法）

将来の弁輪拡大進行を予防します（図4d、5b）。

人工弁のなかでも、機械弁（金属弁）を移植した場合には、ワーファリンを用いた抗凝固療法が生涯必要となるため、日常生活にある程度の制限が加わります。しかしながら僧帽弁形成術後の患者さんでは、抗凝固療法は必要ありません。また、90%以上の患者さんでは逆流の再発もありません。

一般的な心臓の手術は、胸の真ん中にある胸骨を切って行うため（図6a）、手術後3カ月間の

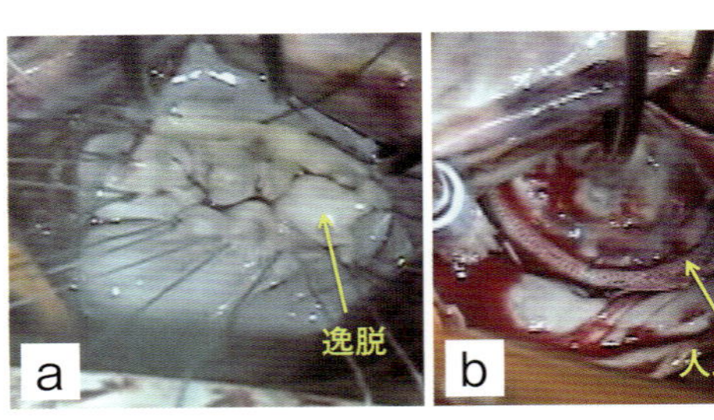

（a）後尖逸脱　（b）人工弁輪の逢着

図5　僧帽弁形成術（後尖逸脱に対する四角切除法）

上半身の安静が必要です。しかし僧帽弁形成術の場合には、右側の肋骨の間から小さな傷で行う方法（minimally invasive cardiac surgery：MICS，低侵襲心臓手術）を積極的に取り入れています（図6b、c）。MICSでは痛みも少なく、手術直後から上半身を使った運動や力仕事も可能です。

Q 大動脈瘤がみつかりました。手術はどのように行うの？

A 大動脈瘤は自覚症状なくみつかることがほとんどです。症状がなくても、破裂の危険性がある（大きくふくらんでいる、歪な形をしている）大動脈瘤には、破裂を予防するための手術が必要です。大動脈瘤の手術には、根治性の高い人工血管置換術、低侵襲なステントグラフト内挿術、そして、両者の併用（ハイブリッド手術）があります。人工血管置換術は、胸（胸部大動脈瘤）やおなか（腹部大動脈瘤）を大きく切ってから、大動脈瘤を完全に切除して人工血管に取り換えます（図7）。ステントグラフト内挿術は、金属のバネが付いた人工血管（ステントグラフト）（図8）を、カテーテルを使って動脈の内側に留置（内挿）して補強します（図9、10）。

人工血管置換術では、血の流れを一時的に堰き止めて治療します。胸の大動脈瘤では、さらに心臓を停止させて人工心肺を用いる必要があります。身体への負担は大きいものの、一度手術してしまえば、あとの憂いがない手術（根治術）です。一方で、ステントグラフト内挿術では、両足の付け根を5cmほど切開してカテーテルを挿入する動脈（大腿動脈）を確保します。身体の負担は少なく、手術翌日から食事や歩くことが可能で、1週間ほどで退院できます。しかしあくまで補強するだけなので、時間が経ってから再手術が必要になることがあります。根治と低侵襲のどちらを優先するかは、患者さんの年齢、持病、動脈瘤の形態などをもとに判断します。

当院では、人工血管置換術とステントグラフト内挿術どちらであっても、経験豊富な医師が治療に当たっています（図11）。特に、ステントグラフト内挿術に関しては、ステントグラフト実施基準委員会で認定された指導医3名、実施医1名が勤務する、岐阜県内随一の施設です。

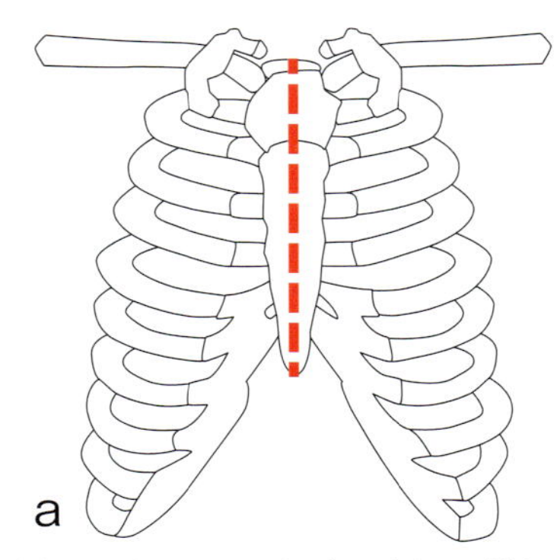

（a）通常の開胸法（正中切開法）

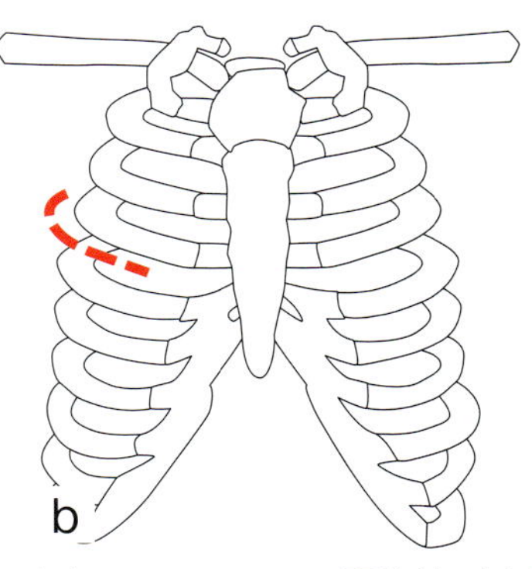

（b）MICSにおける開胸法（右開胸法）

（c）MICS後の創部

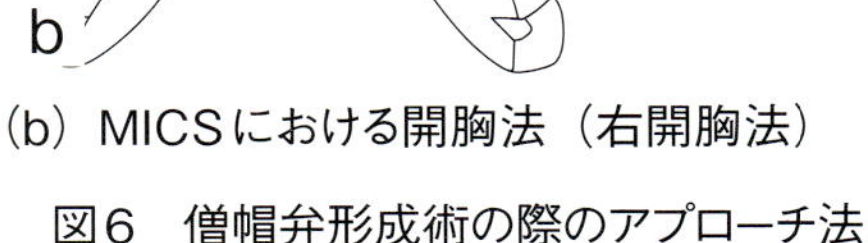

図6　僧帽弁形成術の際のアプローチ法

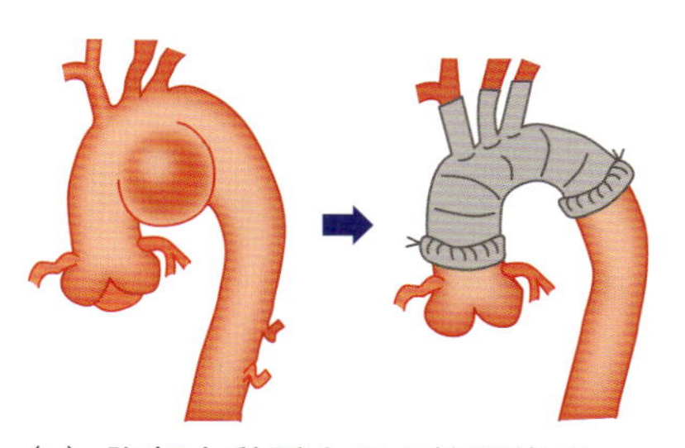

（a）胸部大動脈人工血管置換術　（b）腹部大動脈人工血管置換術

図7　人工血管による置換術の実際

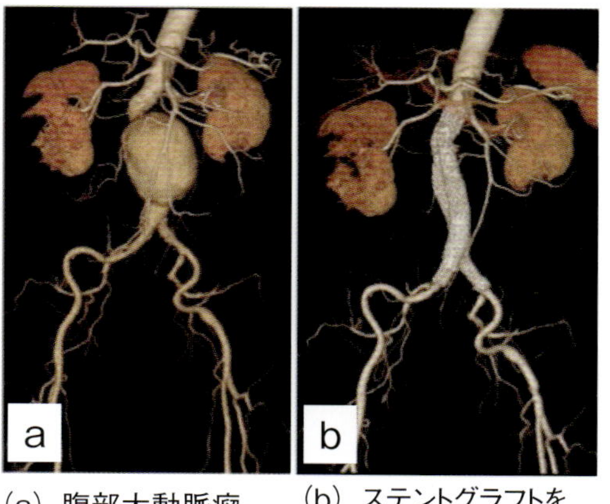

（a）腹部大動脈瘤　（b）ステントグラフトを用いた治療後

図9　腹部大動脈瘤ステントグラフト内挿術

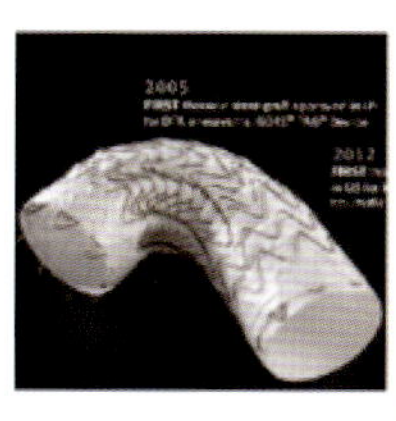

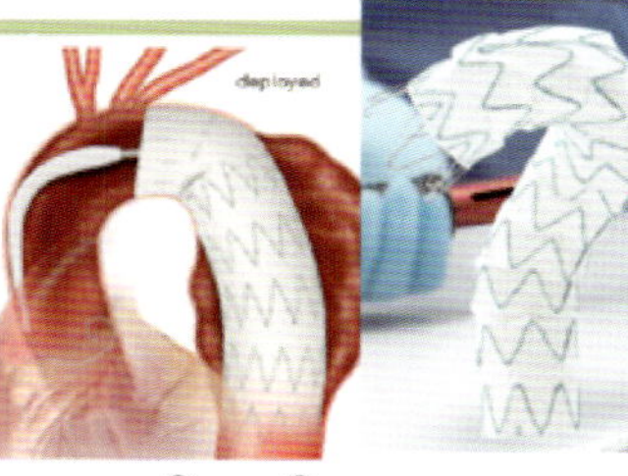

CTAG®（Gore社製）　Zenith®TX2®（Cook社製）　RelayPlus®（Bard Medical社製）　Valiant™（Medtronic社製）

（a）胸部大動脈瘤に使用するステントグラフト

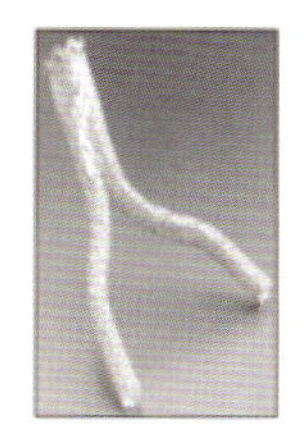

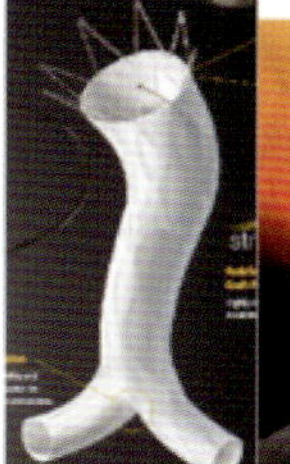

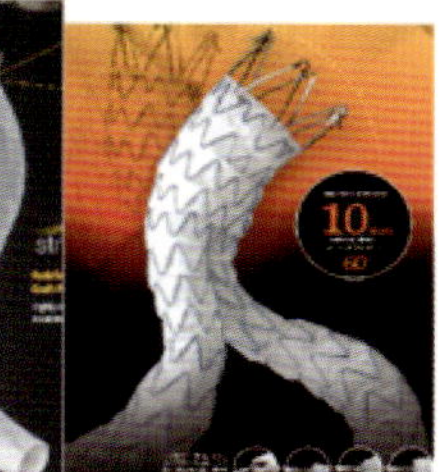

EXCLUDER®（Gore社製）　Zenith®（Cook社製）　AFX®（Endologix社製）　Endurant™（Medtronic社製）　Aorfix™（Lombard Medical社製）

（b）腹部大動脈使用するステントグラフト

図8　実際に使用するステントグラフト

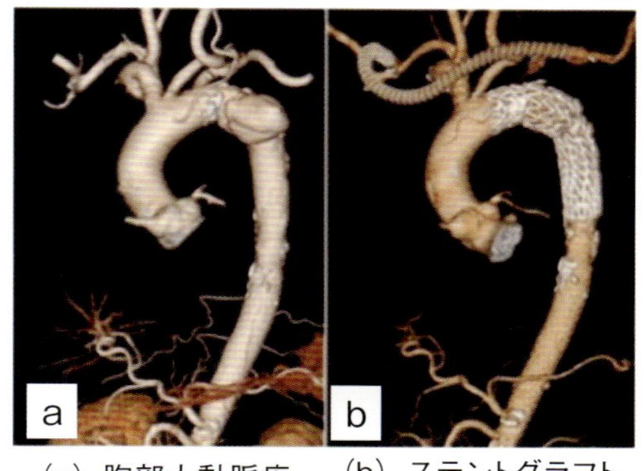

（a）胸部大動脈瘤　（b）ステントグラフトを用いた治療後

図10　胸部大動脈瘤ステントグラフト内挿術

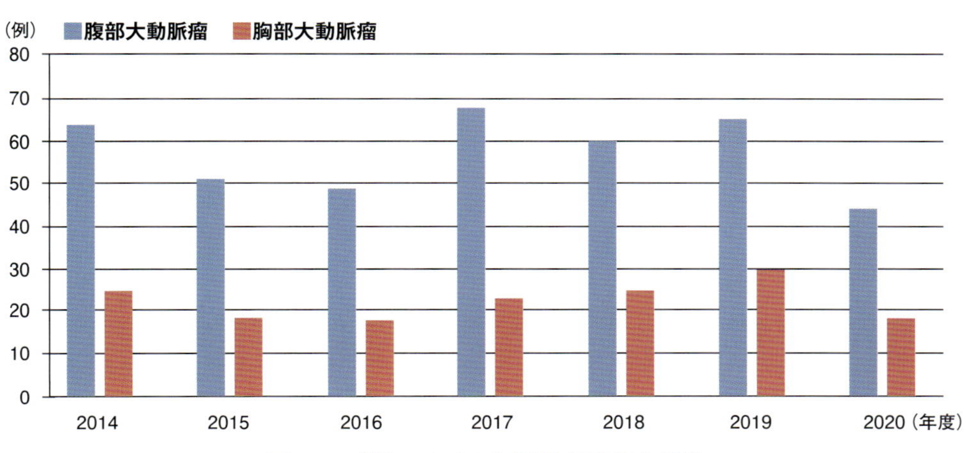

図11　当院における大動脈瘤手術症例数

肺がんの手術って？どういうことをするの？

すごい!! 岐阜県下唯一の100例以上の症例経験をもつロボット支援下手術施行施設です！ 患者さんにより優しく負担の少ない手術を提供!!

わたしたちがお答えします。

呼吸器外科
教授
岩田 尚

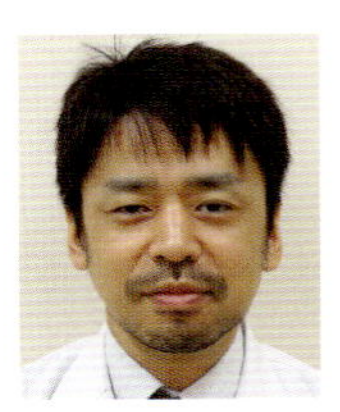

呼吸器外科
准教授
白橋 幸洋

Q 主治医から原発性肺がんの手術をすすめられました。どんな手術なの？

A 当院では、県内一の肺がん手術症例数（図1、表）で、患者さんの呼吸機能を適切に評価して、負担が少なくかつ根治性が得られる手術を心がけています。

肺は、右側3葉、左側2葉に分かれています。原発性肺がんに対する標準術式は、その葉を切除する「肺葉切除術+リンパ節郭清術」が基本です。がんの進展によっては、それより大きく肺を全部摘出する「肺全摘術」やその周辺の胸壁や臓器を合併して切除する場合もあります。また、術前に放射線療法や化学療法を施行し、がんを小さくしてから手術を行う場合もあります。当院は、

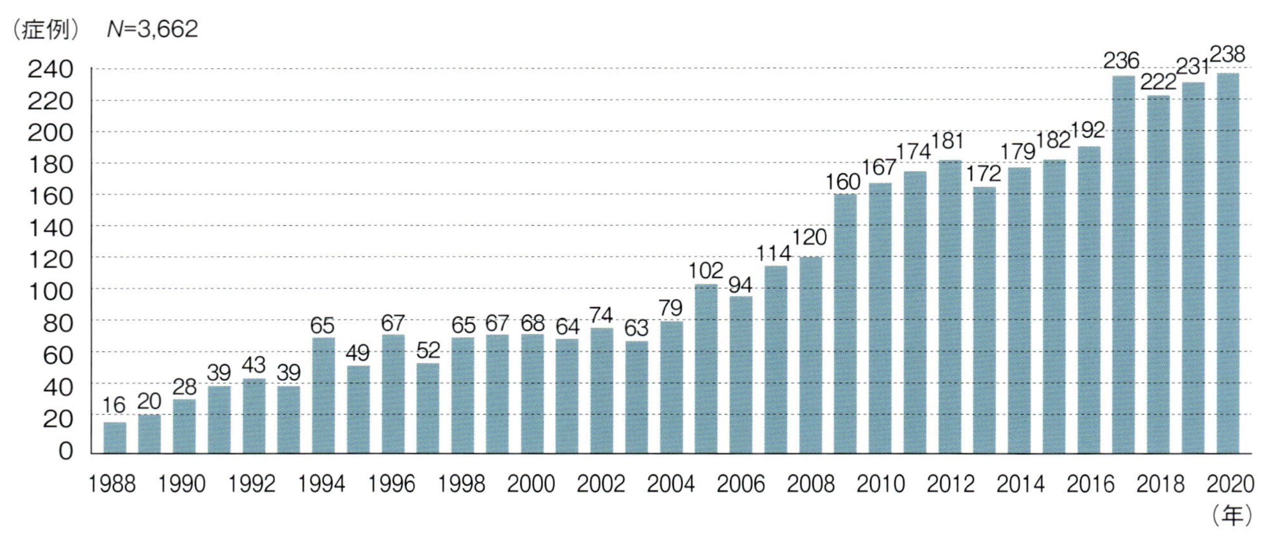

図1 当院の肺悪性腫瘍手術症例数（1988年1月～2020年12月）

表　岐阜県における医療機関別、2019年「肺がん」治療実績（読売新聞調べより）

医療機関名	手術件数（件）	うち区域切除（件）	放射線治療（根治的照射）を受けた患者数（人）	薬物療法を受けた患者数（人）
岐阜大	130	30	46	85
大垣市民	111	14	61	120
県立多治見	75	4	51	149
岐阜市民	68	4	54	71
木沢記念	0	0	7	0

写真1　ロボット支援下肺葉切除におけるポート位置

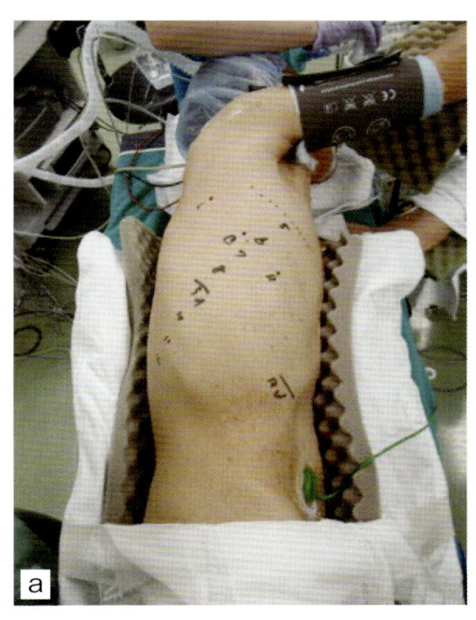
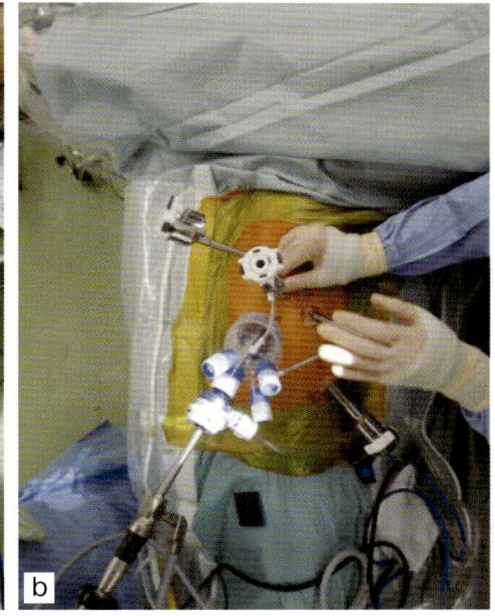
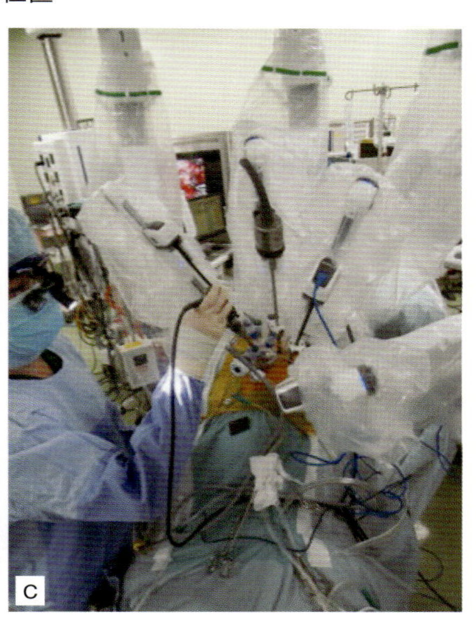

(a)患者さんの右側胸部のポート挿入予定位置
(b)トロッカー挿入時
(c)ロボットアーム装着した手術中(助手はほとんど手術サポートを必要としないため、別の胸腔鏡を挿入して安全に配慮している)

他の優秀な診療科やICU（アイシーユー）のバックアップもあり、他施設では躊躇（ちゅうちょ）するような症例に対しても適応があれば積極的に手術を施行しております。

また、標準術式である「肺葉切除術+リンパ節郭清術」を、患者さんによっては、胸腔鏡下（きょうくうきょうか）（胸に穴を開けて施行する術式）にて行っています。痛みが少ないため患者さんには良好といえます。加えて、2017年当院に手術支援ロボット「da Vinci（ダヴィンチ）Xi」が導入され、2018年には私たちの領域が保険収載されたことから、当院でのロボット支援手術が開始されました。当院呼吸器外科のメンバーは、この手術を、保険収載される以前の2012年3月23日に、美濃加茂市の木沢記念病院の協力のもと、岐阜県1例目（全国では、7例目!!）としてロボット支援下右上葉切除術（みぎじょうようせつじょじゅつ）を施行した実績をもちます。

現在では、私たちが2012年当時より懇意にしている、米国で最もロボット支援下呼吸器外科手術を施行している南マイアミ病院のDr. M Dylewskiに師事し、その卓越した術式を導入し、2018年10月より開始しました。この術式は、「ダヴィンチXi」の性能を最大限に発揮するように考えられた

写真２　区域間の同定法

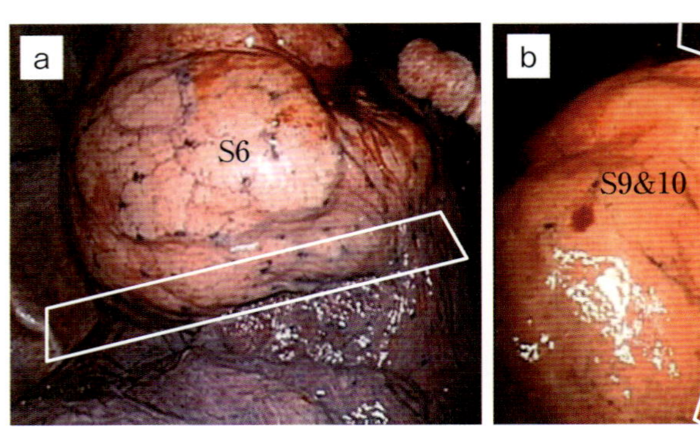

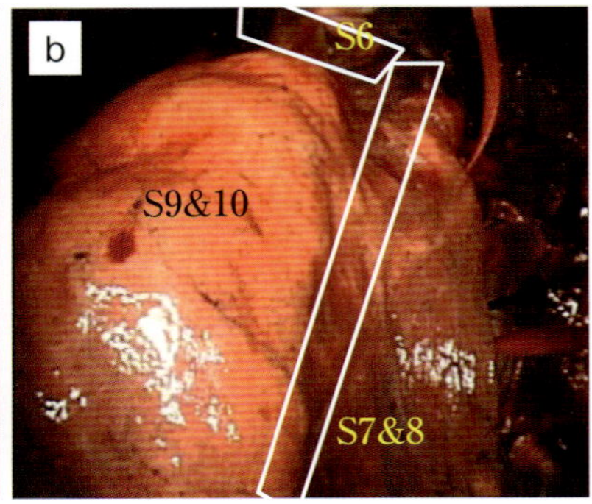

(a)右上葉S6の区域だけに膨張している。
(b)右下葉S9+10の区域だけが膨張している。

〔Hisashi Iwata, et al：Surgical technique of lung segmental resection with two intersegmental planes. Interact Cardiovasc Thorac Surg. 2013；16(4)：423-5.〕

写真３　ロボット支援下手術における区域間の同定法

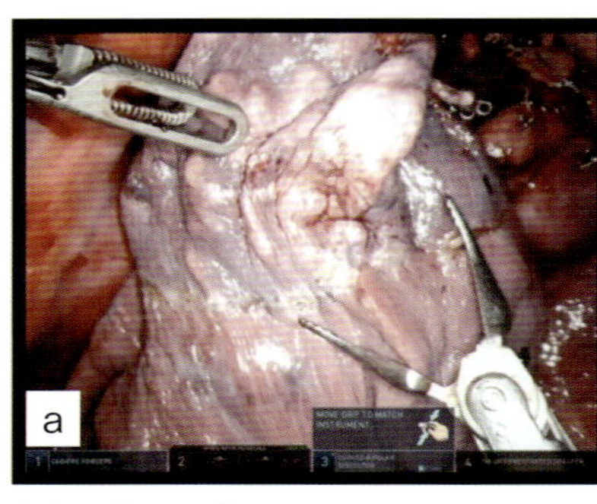

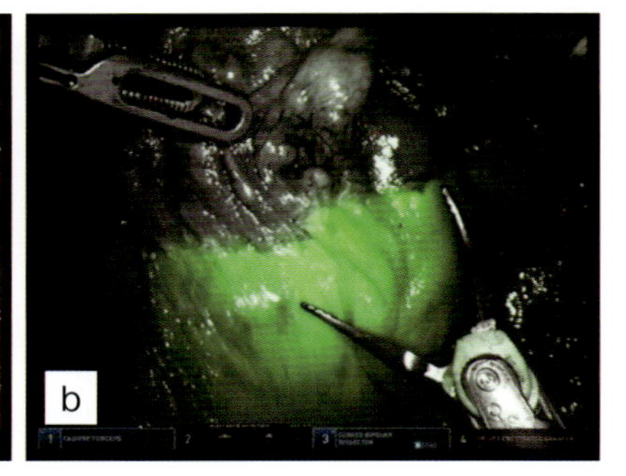

(a)通常の画像
(b)firefly mode(蛍モード)によって、血流がある残存区域が緑色になり、血流のない区域と区別できる。

ものです。国内で施行されているロボット支援下肺切除術は、助手のサポートが前提として施行されているところが多いですが、助手のサポートをほとんど必要としない、いわゆる“solo-surgery（ソロサージェリー）”と呼ばれる洗練されたものであり、助手のサポートが必要ない分、助手が手術の安全面に気を配れるものと考えています（**写真1**）。現在、国内では当院と神奈川県の新百合ヶ丘総合病院でしか施行されておりません。

一方、小さながんに対しては、根治性を損なわずに、かつ肺を肺葉切除より小さく切除する「区域切除術（くいきせつじょじゅつ）」も得意としている手術です。先に説明しました5つの肺葉は、それぞれ「区域」と呼ばれる小区分によって構成されています。区域切除術とは、その区域を肺葉から切り取る術式です。肺葉は、目で見るときれいに分かれていることが多く、葉と葉との間を切る肺葉切除術は比較的容易です。しかし、区域は、目で見てもはっきりその境界がわかりません。そこで、当科では独自に、よりその区域の境界を明らかにする方法を開発しました。それにより確実に区域の境界に沿って切除することができます。適応をしっかり検討して積極的に区域切除術を施行すれば、術後成績も良好であります。**写真2**はその方法によって得られた区域の境界です。S6やS9+10という名前の区域が膨張しており、他の区域と明確に

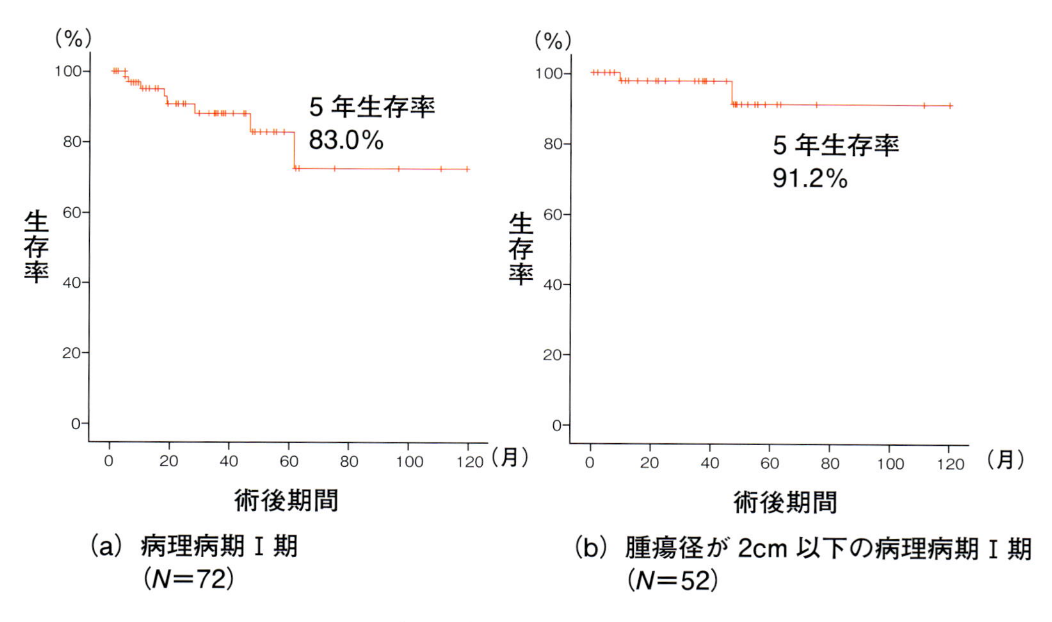

図2　病理病期Ⅰ期の区域切除の成績

区別できていることがわかると思います。これがロボット支援下手術では、さらに発展させることが可能になり、蛍光色素の投与（firefly mode）によって、より鮮明に区域面を同定しています（**写真3**）。**図2**は当科で施行した区域切除術の成績です。特に2cm以下の腫瘍では、5年生存率が91.2%と良好であります。

高齢化社会を迎え、患者さんも1つの疾患だけではなく多数の疾患を併存していることが多くなり、そのような患者さんには、よりご負担の少ない手術を実践することが重要と考えています。そういった意味でも、ロボット支援下手術を含む胸腔鏡下手術や区域切除術は、患者さんに“優しい手術”であり、それに積極的に取り組んできました。一方で、手術リスクが高い患者さんに対しても、充実した他診療科との密接な連携を組んでおります。安心して当科へお越しください。

Q13 乳がん診療の特徴について教えてください

すごい!! 最先端の乳がん手術・抗がん剤内分泌療法・乳房再建、ラジオ波焼灼療法（究極の乳房温存）、ゲノム医療、最先端診断などが強みです！

わたしたちがお答えします。

乳腺外科　教授
吉田 和弘

乳腺外科　教授
二村 学

Q 岐阜大学病院での最新の乳がん診断と治療について教えてください

A 乳がんは、自分でしこりを触知することができ、また、検診が普及したことによって90%近くがステージ2までの比較的早い段階でみつかります。その一方で、再発すると根治はむずかしく、長期にわたる闘病が必要になります。乳がんは、手術療法、薬物療法（ホルモン治療、分子標的治療、および抗がん剤治療）、放射線治療を適切に組み合わせて治療する必要があります。こうした特徴のある乳がんに対して、当院では次のような特徴的な治療を行っています。

1. 小さな乳がんも逃さない的確な技術で乳がん診断を行います。
2. 手術療法、薬物療法、放射線療法を巧みに組み合わせることで、身体に優しく、最大の効果を生むような集学的治療を行います。
3. 手術は、より整容性（形が整ってバランスもよい）を求めた乳房温存療法、乳房全摘例には希望に応じて乳房再建術も行います。最近は1.5 cm以下の小さな乳がんには、手術せずラジオ波でがんを焼き切ってしまうラジオ波焼灼療法（Radiofrequency Ablation：RFA）を行っています。
4. 遺伝性乳がん卵巣がん症候群（Hereditary Breast and Ovarian Cancer Syndrome：HBOC）に対する、遺伝子診断、遺伝子カウンセリング、フォローアップ、予防的乳房切除術をチーム医療で行っています。
5. 40歳以下の若い乳がん患者さんの場合、乳がん治療が終わっても妊娠・出産ができるようなサポートを行っています。

Q 岐阜大学病院の乳がん診断の特徴を教えてください

A 乳がんの診断は、マンモグラフィや超音波に加えて、近年はMRIも多用されるようになってきました。当院では、マンモグラフィをより立体的にとらえることができるトモシンセシスを採用

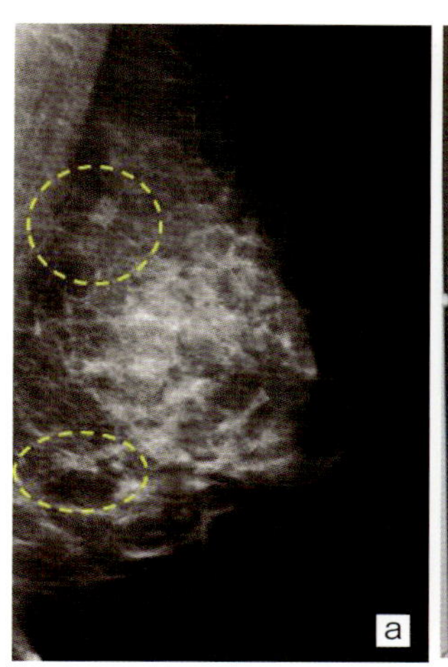

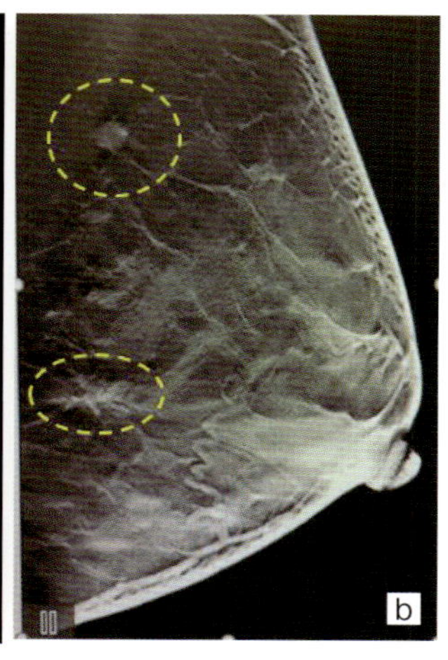

(a)通常のマンモグラフィ　(b)トモシンセシス

図1　トモシンセシスでより明瞭に乳がんを描出できます

していす。通常のマンモグラフィでは発見することができないがんでもとらえることができます（図1）。

さらに、「バーチャルソノグラフィ」といってMRI画像と超音波画像をリアルタイムに組み合わせることで、これまで診断が困難であった5mmほどの微小な乳がんの診断も可能になりました（図2）。こうした微小乳がんの発見は、RFAなど、“手術なしの究極の乳がん治療”につながっていきます。

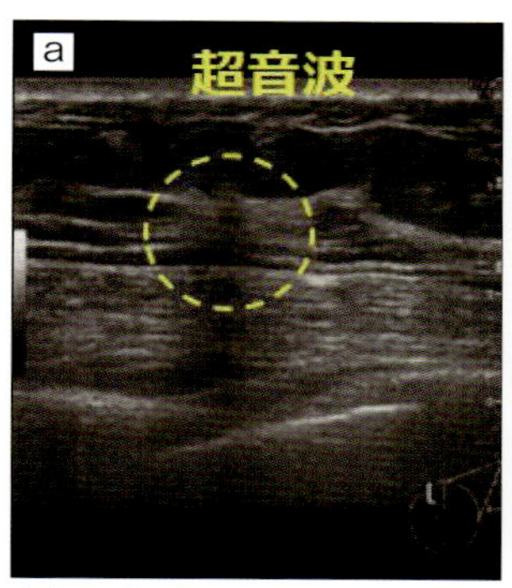

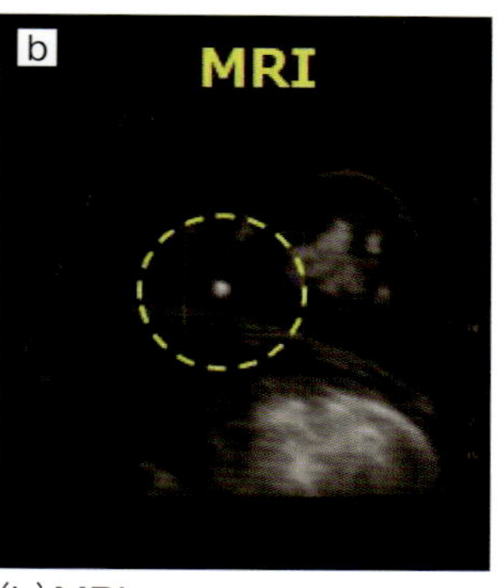

(a)超音波　(b)MRI

図2　MRI-超音波融合画像を用いたわずか5mmの乳がん発見例

Q 岐阜大学病院の乳がん手術の特徴を教えてください

A 乳がん手術は、乳房全部を切除する「全摘術」と乳房の一部だけ切除する「乳房温存手術」に分かれます。全摘術が全手術の6割を占めています。失われた乳房に対して乳房をつくる手術（再建手術）は、人工物（インプラント）を使う場合と、おなかや背中の筋肉や脂肪組織（自家組織）を用いる場合がありますが、いずれも患者さんのご希望に合わせ、形成外科医との共同手術で保険診療にて行うことができます。また再建手術は、全摘術を行ったあとに、あらためて行うことも可能です（図3）。

1.5 cm以下の乳がんに対しては、細い針を刺し、ラジオ波の交流電流によって発生する摩擦熱によってがんを焼き切ってしまう「ラジオ波焼灼療法（RFA）」での治療が、当院では今現在、「患者申出療養」（国が認めた、保険診療と自費診療の両方で行う治療制度）で行うことができます。この方法では、傷も目立たず乳房の形もほとんど変わらないことから、“究極の乳房温存療法”といえます（図4）。こうした治療法の実践のためにも、乳がん検診などによる早期発見は極めて重要といえます。

Q 遺伝性乳がん卵巣がん症候群とはどんな病気ですか？

A 日本でも乳がん患者さんの5～10%は乳がんの家族歴があるといわれています。このなかの7～8割は特定の遺伝子（*BRCA1*、*BRCA2*）の異常に由来しています。この遺伝子の異常を親から受け継いで起こる、乳がんや卵巣がんのことを「遺伝性乳がん卵巣がん症候群（HBOC）」といいます。これらの遺伝子の異常があると、乳がんは50～70%、卵巣がんは10～50%の確率で起こるとされ、米国の女優アンジェリーナ・ジョリーさんの公表でその名は世界中に知れ渡りました。ほかに、膵臓がんや前立腺がんにも関係があるといわれています。この病気の診断

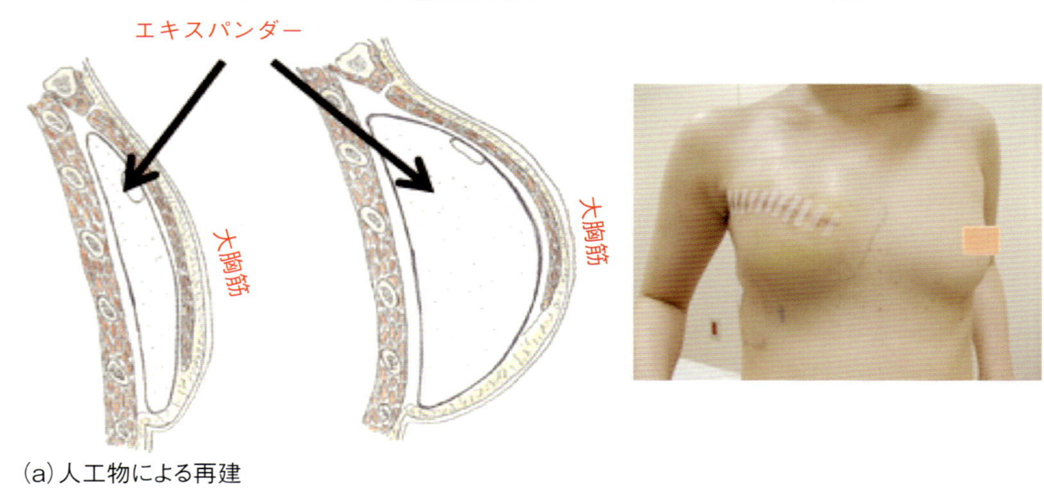

(a) 人工物による再建

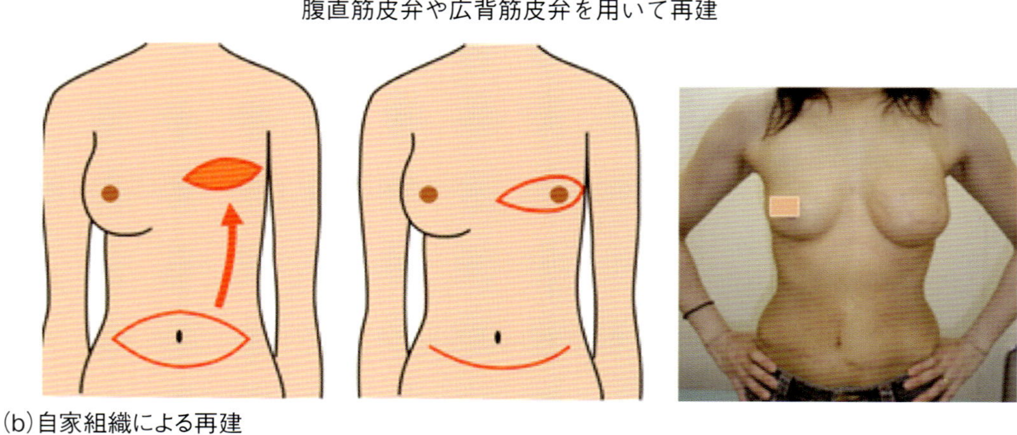

(b) 自家組織による再建

図3　乳房再建術

は、採血による遺伝子検査によって行いますが、この検査も保険適用となりました。もし、この遺伝子の変異があっても、当院では遺伝子カウンセリングによって詳細な聞き取りを行い、関係部署の連携によって今後の治療や検査を適切に行い、患者さんやそのご家族をサポートします。また、予防的な乳房切除や卵巣卵管切除も行われるようになりましたが、当院では岐阜県内で唯一これら一連の診断・治療・フォローアップがすべて施行可能です（保険適用可能な場合もあります）。

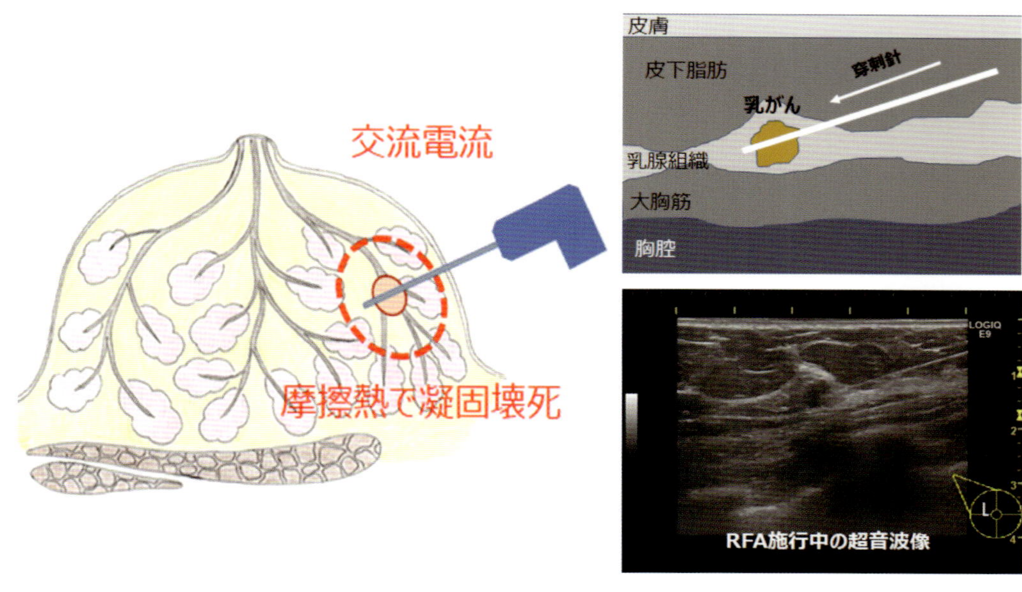

図4　乳がんラジオ波焼灼療法（RFA）

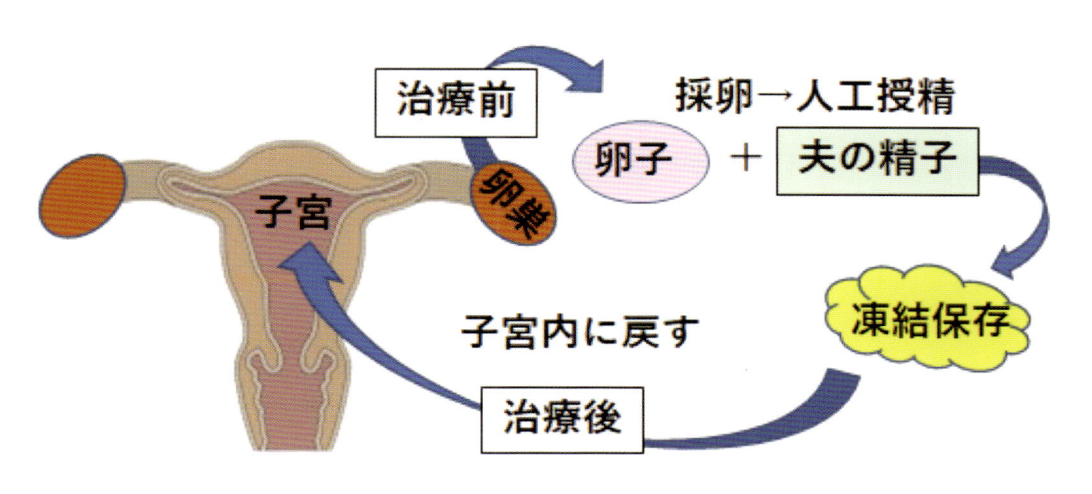

図5　妊孕性温存を考慮した乳がん治療

Q 若くして乳がんになった場合、妊娠や出産は可能ですか？

A わが国の乳がんピークは、45～49歳と60～64歳の2峰性が特徴です。しかし、39歳以下の方でも毎年約4,000～5,000人近くが発症するといわれており、何とかお子さんがほしいと思っておられた矢先に乳がんになってしまう、ということも少なからずあります。この年齢の患者さんにとって、治療後の妊娠・出産が可能かどうかは大変気になることでしょう。乳がん治療後でも出産された例は実際にありますが、治療に伴う卵巣の機能低下はさけられません。近年の治療の進歩によって、ホルモン治療や抗がん剤の治療期間も延び、妊娠・出産に対するハードルも高まりました。こうしたがん患者さんの妊娠のしやすさ（妊孕性（にんようせい））を守りながら、当院では産婦人科専門医と協力して、治療前に卵子や受精卵を凍結温存し、治療後に体内に戻して出産を試みることを積極的に進めています（図5）。近年では行政からの補助金制度もあり、以前より適応の幅が広がっています。

産婦人科・成育医療センターについて教えてください

すごい!! 危機的な産科出血・治療困難な婦人科がん・若いがん患者の生殖医療等、一般の病院では対応できない症例も含め産婦人科診療を行っています

わたしたちがお答えします。

産婦人科
教授
森重 健一郎

成育医療センター
教授
古井 辰郎

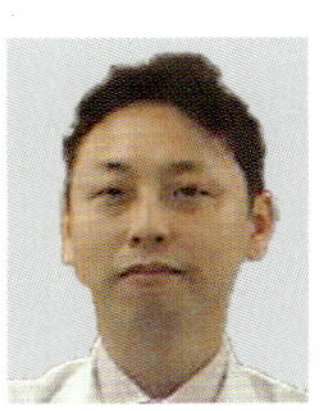

産婦人科
併任講師
早崎 容

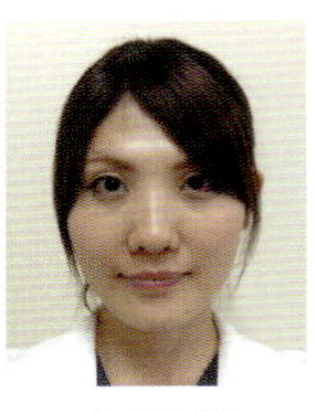

産婦人科
臨床講師
志賀 友美

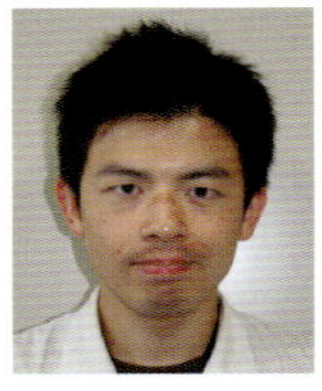

産婦人科
臨床講師
竹中 基記

産婦人科
臨床講師
森 美奈子

Q 産婦人科ってどんな診療科ですか?

A 産婦人科の診療は大きく分けて、周産期（産科）、腫瘍（婦人科がん）、生殖医療（不妊症）、女性医学（生殖内分泌）の4つの領域から成り立っています。それぞれの専門性に特化した診療を行うのは当然ですが、各領域をまたいで女性の一生涯をケア・サポートする診療科でもあります。

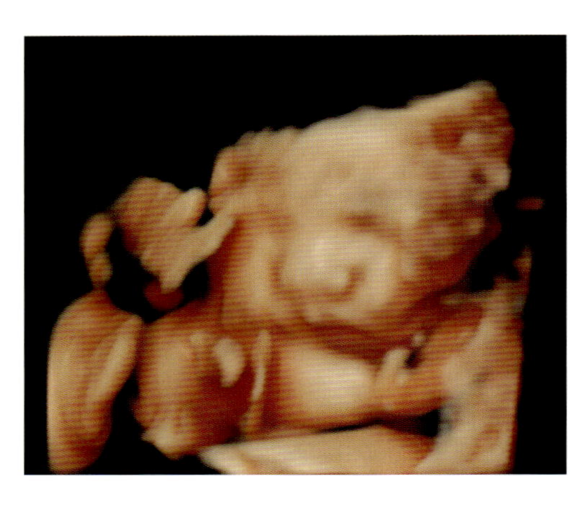

写真　4Dエコー写真

【周産期】

Q 岐阜大学病院の産科の特長は?

A 最新の超音波装置により、正確な胎児診断や4Dエコー（**写真**）を行うことができます。

また、各診療科との連携が可能であることから、さまざまな合併症をもつ妊婦さんへの対応が可能です。ひとりの妊婦さんに、多くの診療科やスタッフがかかわることで、より安全で安心できる出産が可能になります。

さらに当院では、前置胎盤や子宮筋腫合併妊娠など、出血のリスクが高い症例を多く取り扱っています。高い手術技術と自己血貯血や麻酔科による全身管理により、他院では不可能な帝王切開も安全に行うことができます。放射線科医の協力を得て、事前に総腸骨動脈バルーンを挿入することで、手術中の出血量をコントロールすることもあります。

Q 産後出血とは何ですか?

A 産後出血とは、産後24時間以内の出血量が経腟分娩で500mL、帝王切開で

1,000mLを超えるものと定義されます。それを超えて出血が続く場合を「産科危機的出血」と呼び、日本の妊産婦死亡の一番を占める原因となっています。

産科危機的出血では子宮全摘術が必要となることがありますが、当院では高次救急救命センター、放射線科と連携し、高度な全身管理や子宮動脈塞栓術を行うことで、95%以上の症例で子宮温存が可能となっています。子宮動脈塞栓術の施行数は全国でもトップクラスで、他院からの症例も数多く受け入れています。

また、このような産科危機的出血に備えるため、母体救急救命システム講習会を開催し、日頃からトレーニングを行っています。

Q 産後うつ病とは何ですか?

A 産後うつ病とは、分娩後数週間〜数カ月続くうつ状態のことをいいます。出産後の女性の15%以上が産後うつ病を経験するといわれており、近年話題となっている虐待や自殺をひき起こすことがあります。特に、もともと精神疾患をもっていたりサポートが少ない妊婦さんは産後うつ病のリスクが高いといわれています。

当院では、産後のメンタルヘルスケアに力を入れており、妊娠中から産後うつ病のリスクを評価し、早期発見・早期治療につなげています。産後うつ病のリスクが高いと判断される人には、より丁寧なケアと、フォローの継続をしています。もし、うつ症状がみられる場合には、精神科医や臨床心理士と連携しカウンセリングや薬物治療を行っていきます。精神疾患をもつ妊婦さんや出産育児に不安を抱えている妊婦さんも安心して出産していただくことができます。

【婦人科腫瘍】

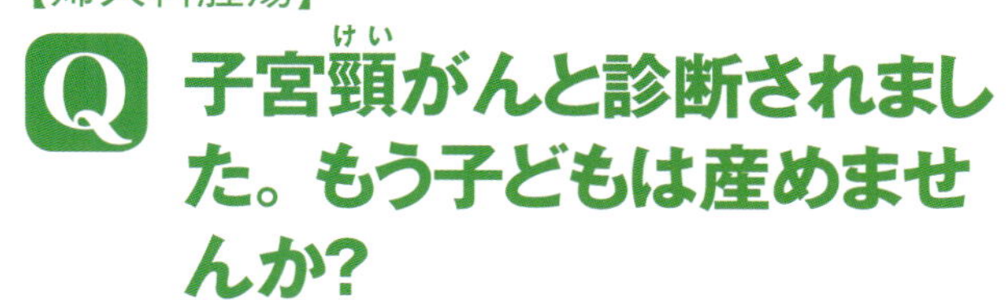

A 早期の子宮頸がんについては、子宮を温存する広汎子宮頸部摘出術という術式があります(図1)。この手術は、子宮頸部のがんのできている部分のみを取り除き、子宮と膣とをつなぎ合わせる手術です。当科では2010年から現在までに24例施行してきました(2021年10月時点)。再発リスクを考慮し、術中判断で子宮摘出に移行した症例はありますが、子宮を温存できた症例で再発はなく、安全性も示せています。また、7名の方が術後に生児を得ています。本術式が受けられるのは岐阜県下では当院のみです。

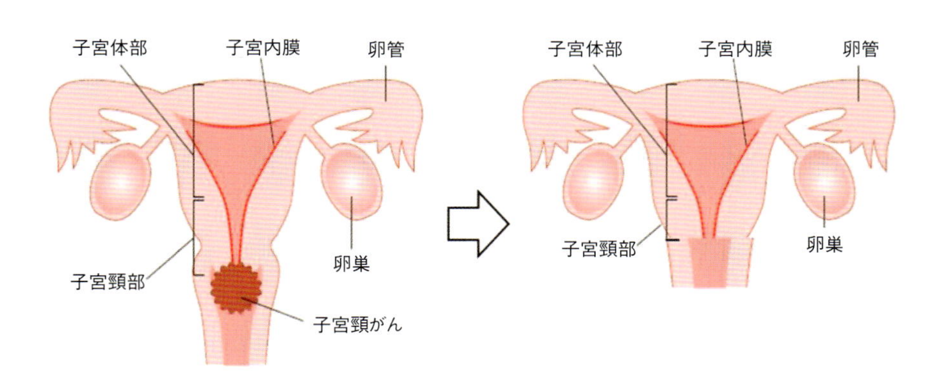

図1 広汎子宮頸部摘出術

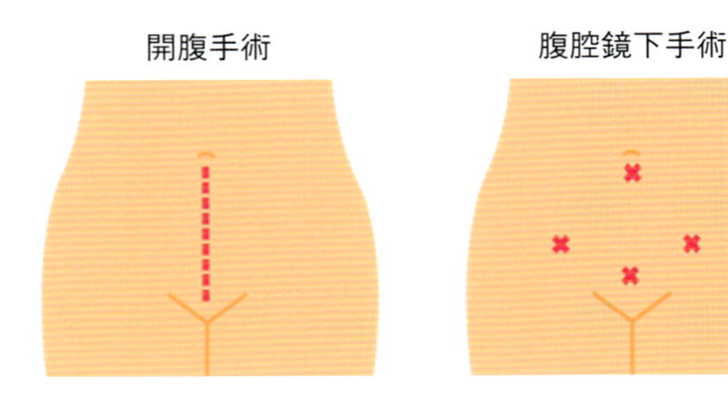

図2　開腹手術と腹腔鏡下手術の創部の違い

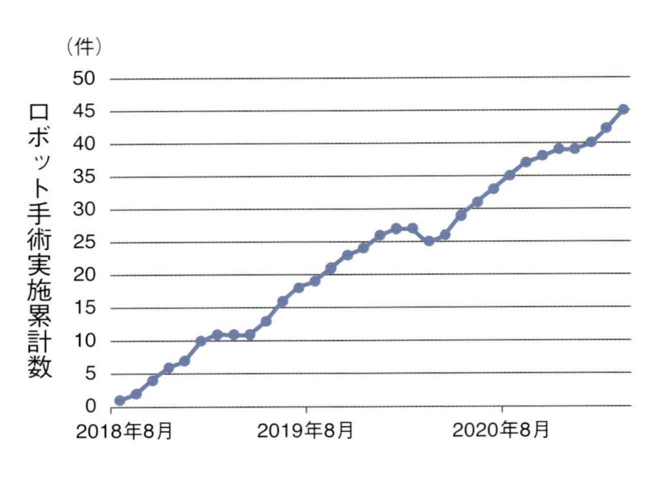

図3　当科におけるロボット手術の実績

Q どんな腹腔鏡下手術が受けられますか？

A 当院では積極的に腹腔鏡下手術を施行しており、婦人科内視鏡技術認定医に加え、婦人科腫瘍専門医も在籍しているため、子宮悪性腫瘍に対する婦人科腹腔鏡下手術を受けることができます。早期子宮頸がん、早期子宮体がんが保険適用となっています。その適用の範囲であれば小さい創でがんを治すことできます（図2）。

また、近年の話題として、乳がんを発症された方のうち遺伝性乳がん卵巣がん症候群（Hereditary Breast and Ovarian Cancer Syndrome：HBOC）と診断された場合に、リスク低減卵管卵巣摘出術（Risk-Reducing Salpingo-Oophorectomy：RRSO）が保険適用となったことが挙げられます。2014年に米国人女優のアンジェリーナ・ジョリーさんがこの病気を公表し話題となりましたが、当時日本国内では、まだ保険適用外でした。当院では2020年12月より開始し、すでに8例施行しました（2021年10月現在）。乳腺外科、ゲノム疾患・遺伝子診療センターと連携して診療に当たることが求められており、岐阜県下では当院のみで実施可能です。

Q ロボット手術に興味があるのですが、どんな婦人科疾患が保険の適用になりますか？

A 良性疾患に対する子宮全摘術と早期子宮体がんに対する子宮悪性腫瘍手術の2つが保険適用になります。当科では2018年よりロボット手術を開始し早期子宮体がんを中心に現在までに62例施行しました（2021年10月時点）。図3に示すようにその実績は右肩上がりです。

Q 手術において他科との連携など大学病院のメリットを教えてください

A 当院には全診療科が備わっているため、消化器外科・泌尿器科などとの合同手術が可能です。特に進行卵巣がんでは、消化管を合併切除するケースも多々あり、根治術がめざせるというところも大学病院ならではの利点です。また、ロボット手術では、泌尿器科と連携して、術中蛍光尿管カテーテルを挿入することで、尿管損傷のリスクを軽減でき、より安全な手術を受けることができます。ほかにも、心臓血管外科や整形外科、形成外科と連携し、太い血管や骨にがんが浸潤している場合のむずかしい手術や皮膚を大きく切り取らなくてはならない大手術も当院では可能です。

Q 婦人科がんサバイバーでは何が問題になるのですか?

A 「がんサバイバー」とは、がんが治った方という意味で使われていますが、広い意味では、がん治療を終えた方だけでなく、がんと診断されたばかりの方や、治療中や経過観察中の方なども含む、すべての「がん体験者」のことをいいます。

婦人科がんでは、女性ホルモンを分泌している卵巣を摘出する必要があることが多く、早く閉経した状態になるため、卵巣欠落症状、更年期障害、ボディイメージの変化が起こり、ホルモン状態の変化がメンタルヘルスにも影響を与える可能性が出てきます。また、早期の閉経によって、長期的には骨粗鬆症や脂質異常症などの生活習慣病が増えることも問題となります。がんの治療も大切ですが、身体的・精神的につらい状態が続いたり、がんの治療がうまくいっても生活習慣病で命が縮んだりしては意味がありません。当科では、婦人科がん治療中から定期的な骨密度測定や血清脂質の検査を行い、適切な管理とメンタルケアも含めたケアを行っています。

また、婦人科がんの手術後は、下肢リンパ浮腫が起こることも多く、生活の質（QOL）が損なわれることがあります。リンパ浮腫外来を設け、リンパマッサージや下肢弾性ストッキングの装着指導などを行っています。

このように、当科では、婦人科がんサバイバーがよりよく生きるためのサポートも積極的に行っています。

【生殖医療】

Q どのような不妊治療が受けられますか?

A 当院では、一般の不妊治療から人工授精、生殖補助医療（体外受精など）までの治療が受けられます。特に、多嚢胞性卵巣症候群や早発卵巣不全の診断や治療、合併症を有する方の不妊治療などを、他の診療科と連携して治療に当たっています。

また、生殖医療専門医２名に加え、生殖医療に詳しい看護師、臨床心理士なども在籍しており、幅広いケアを提供しています。

Q がん治療による不妊について教えてください

A ある種の抗がん剤による治療や放射線治療では、精子や卵子が減少することがあり、将来的に不妊になる可能性が生じる場合があります。当院の成育医療センターでは、がんセンターとの連携により、さまざまながん診療の専門医の知識と不妊治療（生殖医療）の専門医が十分な議論をして、がん治療前の妊孕性温存（卵子や精子の凍結保存）を行うことに対するカウンセリングや適切な患者さんへの妊孕性温存治療の実施を提案しています。また、こういった診療は「がん・生殖医療」といわれ、岐阜県では、全国初の地域のがん診療施設との連携によるネットワーク体制（岐阜モデル）を構築し、当院はその中核施設として若年患者さんの治療後の子をもつ希望を支えています。

骨、関節、筋肉などの痛みについて相談させてください

すごい!! 最先端の手術ロボット・術中ナビゲーション・三次元手術計画を駆使して、難易度の高い症例にも安全で確実な手術を行っています

わたしたちがお答えします。

整形外科
教授
秋山 治彦

整形外科
准教授
松本 和

整形外科
講師
野澤 聡

整形外科
講師
永野 昭仁

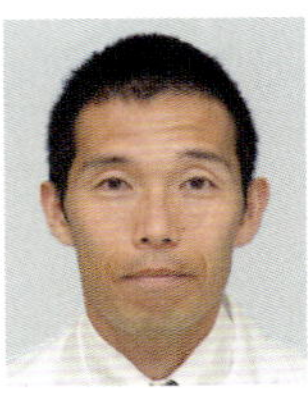

整形外科
特任准教授
平川 明弘

整形外科
助教
寺林 伸夫

整形外科
特任助教
岩田 崇裕

Q 歩くと足の付け根が痛み、近医で股関節が変形し脚が短くなっているといわれました。治療で治るの？

A 変形性股関節症の症状です。軟骨がすり減り、炎症が起こることで関節炎や痛みが生じます。日本では欧米と異なり、生まれつき、もしくは幼少期から股関節のつくりにやや異常のある先天性股関節脱臼や発育性股関節形成不全のある人が、後に変形性股関節症を発症することが多いといわれています。左右の脚の長さに違いが生じる原因は、関節軟骨がすり減ってしまうこと、さらには骨が変形してしまうことです。

症状や変形が強い場合には、人工関節置換術が行われます（写真1）。痛みを除去すると同時に、できるだけ、左右で脚の長さの差がなくなるように手術を行います。当科では、3Dコンピュータシミュレーション（写真2）を行っています。また、関節の変形に応じて、以前から行ってきた最小侵襲手術に加え、筋肉をまったく切離せずに人工股関節インプラントを設置するdirect anterior approach手術を2018年より開始しています。本年も同手術法で人工股関節置換術を積極的に行っており、より低侵襲の手術による患者さんの早期の日常生活および社会復帰が可能となりました。

Q 階段の昇り降りで膝が痛み、近所の整形外科で注射をしていますがよくなりません。どうすればいい？

A 中年以降によく起こる変形性関節症の症状です。原因は軟骨がすり減り、炎症を起こすことで、関節炎や痛みを感じさせます。残念なことに軟骨が一度すり減ると、いくら注射を打ってももとに戻ることはありません。私たちは患者さんの年齢、症状、変形の程度などを総合的に判断して治療法を提示します。たとえば、比較的若くて活動性の高い患者さんには高位脛骨骨

写真１　人工股関節置換術

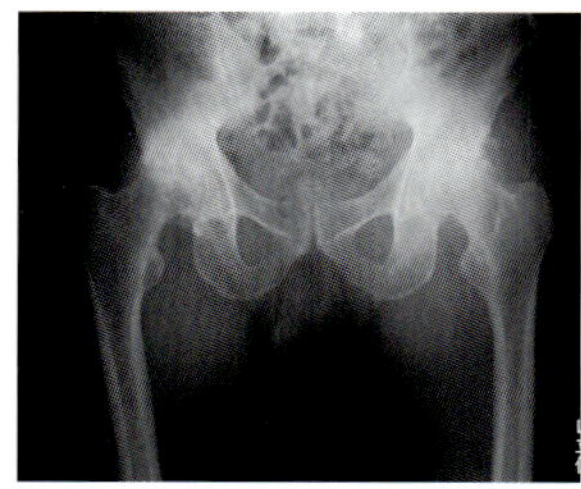
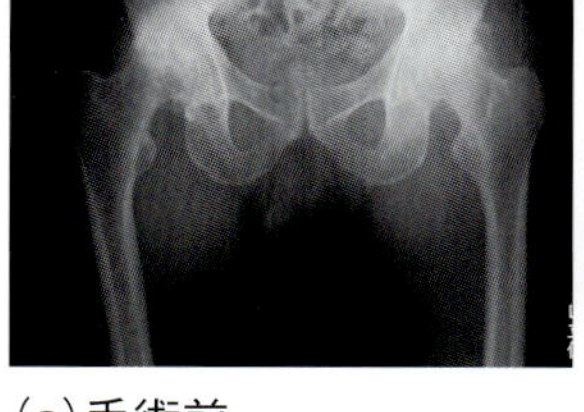

（a）手術前　（b）手術後

写真２　人工股関節置換術
術前の3Dシミュレーション

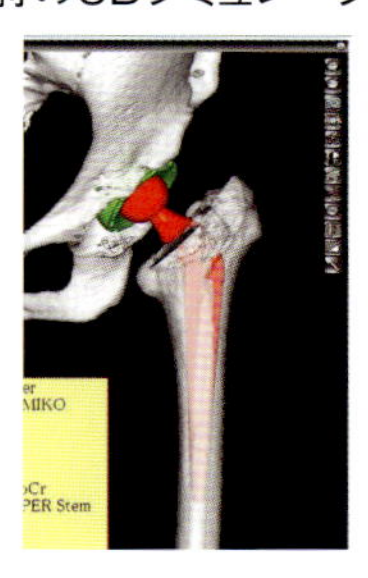

切り術（High Tibial Osteotomy：ＨＴＯ）（**写真３**）を、変形が進行し末期変形性膝関節症と診断された患者さんには人工膝関節置換術（**写真４**）を施行します。

特に人工膝関節置換術では、手術支援ロボットNABIO（**写真５**）を、2020年１月より導入し治療を行っています。このロボットは東海地方では初めて当科に導入され、現在では年間約100例の手術で使用しています。ロボット支援手術では、より正確で安全な手術が可能となり、患者さんには安心して手術を受けていただくことができます。

写真３　高位脛骨骨切り術

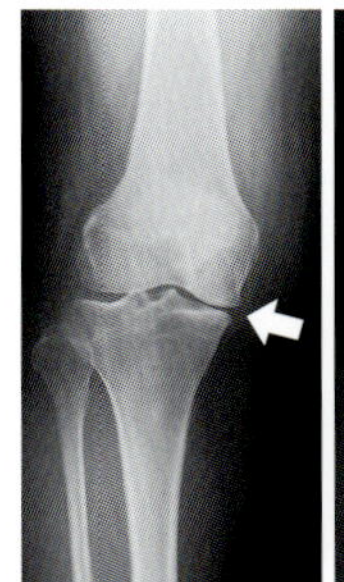
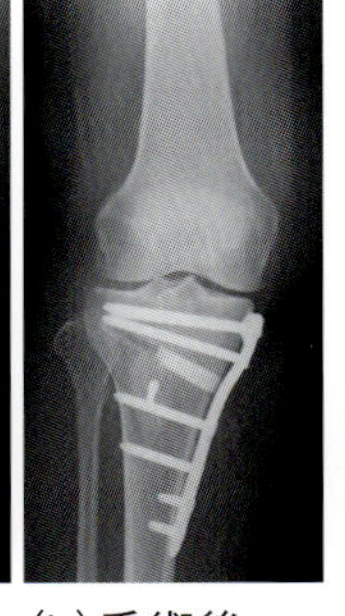

（a）手術前　（b）手術後
骨の角度を変えることで内側（矢印）にかかる負担を減らします

写真４　人工膝関節置換術

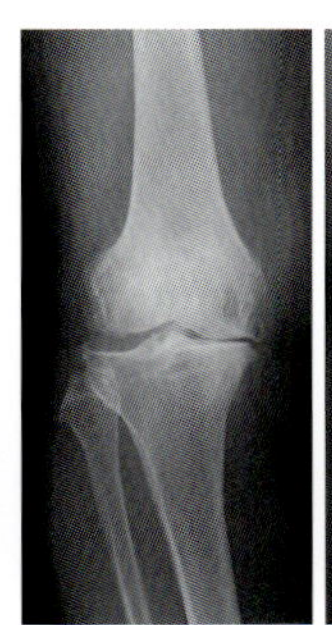
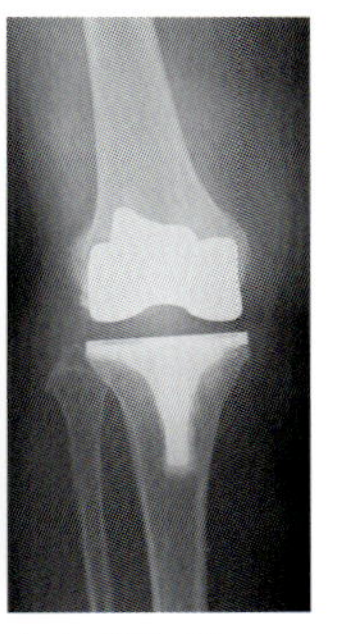

（a）手術前　（b）手術後

写真５　手術支援ロボットNABIOを使用した手術

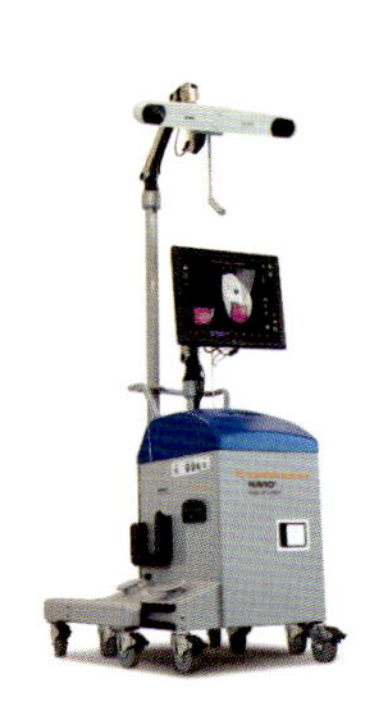
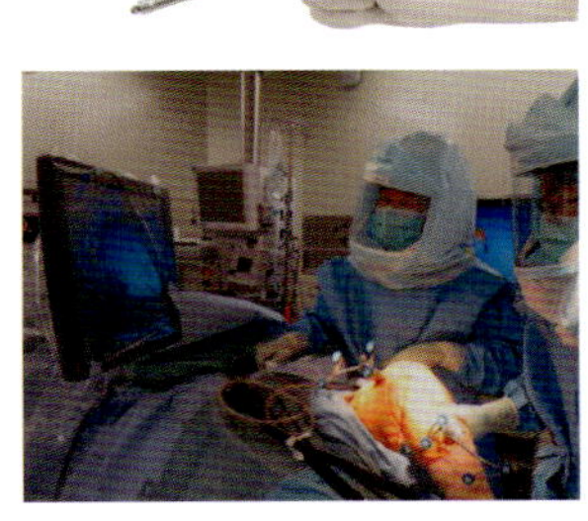

Q 夜も痛くて眠れないほどの肩痛があり五十肩といわれましたが、なかなか治りません……

A “五十肩”とはまだまだ画像診断装置の発達していない昭和初期につくられた名称です。現在はＭＲＩや超音波装置を用いることで腱・筋肉などの軟部組織を容易に描出できるようになってきています。“五十肩”とひとくくりにされていますが、実は肩関節痛をきたす疾患はいくつもあります。特に、そのなかでも代表的な疾患に腱板断裂（**図1b**）があります。腱板とは上腕骨頭をおおう組織ですが、この部分に断裂を起こすと肩に痛みを感じたり、腕が上げにくくなったりすることがあります。保存療法（手術をしない治療）として、リハビリテーション、注射、薬物による治療があります。これら保存療法に抵抗し、痛みの改善がなく、症状が長引く腱板断裂は手術療法の適応となってきます。

手術療法として、修復可能な断裂には腱板修復術を行います。当院では、直径5mm程度の内視鏡を用いた関節鏡視下腱板修復術（**写真６、図1c**）を行っており、5～10mm程度の傷5～8カ所で手術することができます。また、修復が不能な断裂では、腱移行や腱移植を用いた再建を行っています。たとえば、65歳以上で手が上げられない腱板修復不能な患者さんにリバース型人工肩関節置換術（**写真７**）を行ったりします。

Q 関節リウマチと診断されました。どのような治療がありますか？

A 現在関節リウマチ治療薬として、メトトレキサートを中心としたcsDMARDsと炎症性サイトカインやT細胞を標的としたbDMARDs（「生物学的製剤」ともいいます）があります。当科ではこれらの治療薬を組み合わせることで、早期に関節リウマチの疾患活動性を制御しています。2020年12月の時点で、198人にメトトレキサートを、116人に生物学的製剤あるいはJAK阻害薬を使用した治療を行っています。

また、関節リウマチによる関節破壊が進行した患者さんでは、薬物治療だけでは十分な機能回復や痛み改善が得られない場合があるため、このような場合には薬物治療と同時に手術治療による改善をはかります。

Q 以前から肩こりや首の痛みがありましたが、最近は手足がしびれて、指が動かしにくくなってきました。放置しても大丈夫でしょうか？

A 頸椎症に伴う脊髄の障害が考えられます。放置すると症状が進行して字が書けなくなったり、歩行が不自由になったりするおそれがあります。症状が進行して手遅れになる前に適切な手術を行い、脊髄を救済する必要があります。脊椎インプラント手術（写真8）においては、当院ではコンピュータ支援ナビゲーション（写真8c）や脊髄電位モニタリングを用いており、安全かつ正確な手術が可能です。首の骨は繊細であり、危険性も高いので、綿密な計画に基づいた手術技術が不可欠です。

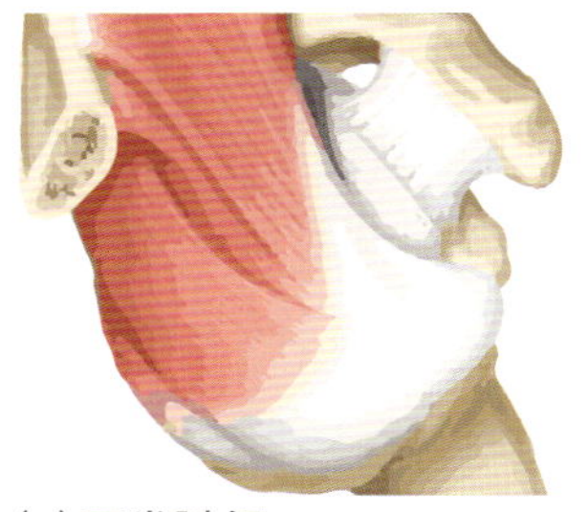
(a)正常腱板

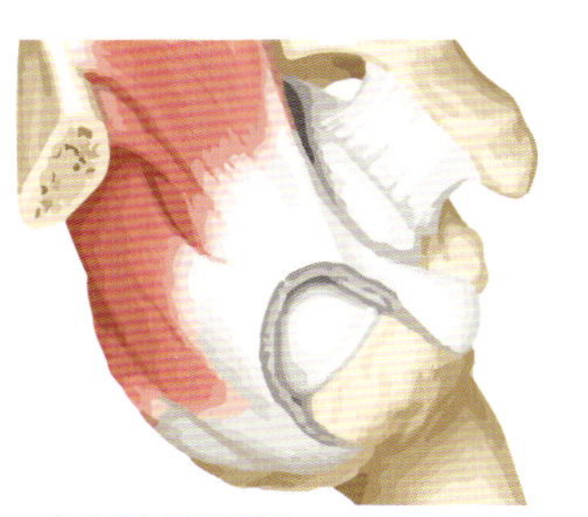
(b)腱板断裂

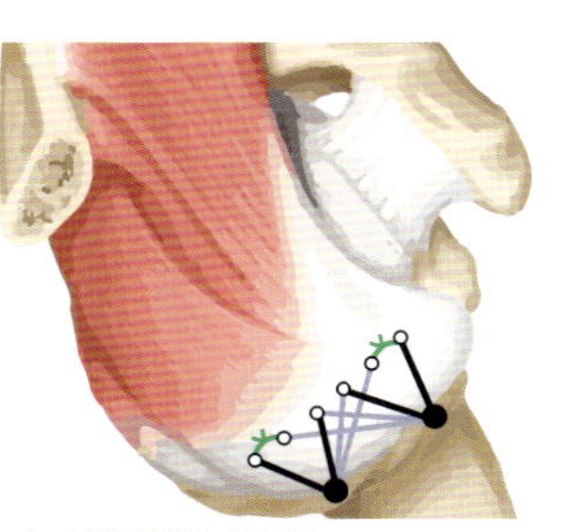
(c)断裂修復後

図1　肩腱板

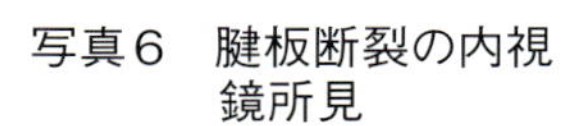
写真6　腱板断裂の内視鏡所見

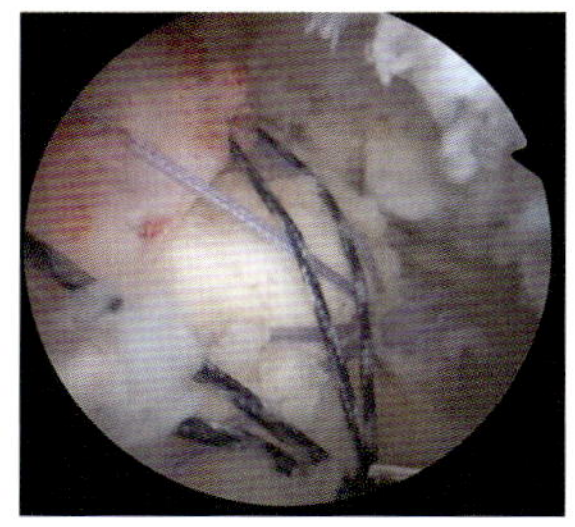
修復後

写真7　リバース型人工肩関節置換術

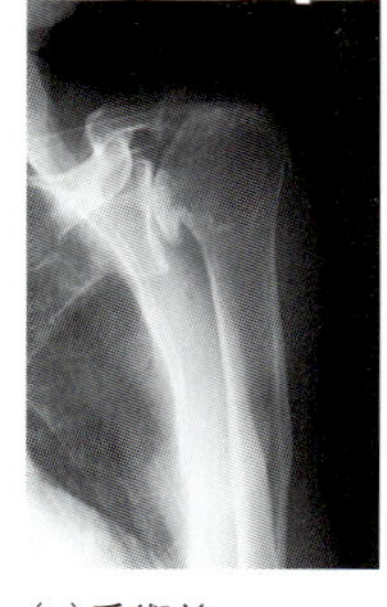
(a)手術前

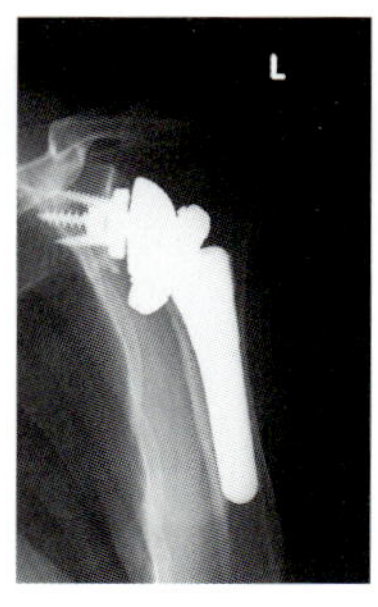

(b)手術後

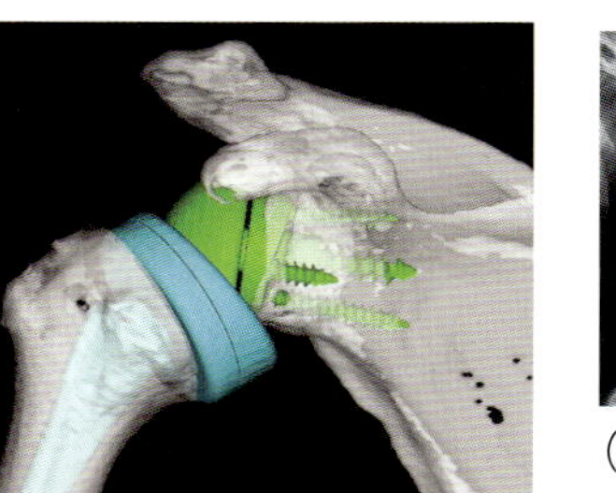

写真8　頸椎後弯症の手術

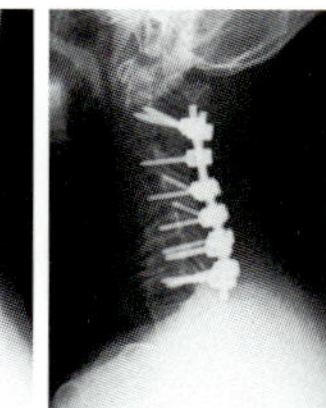
(a)手術前　(b)手術後

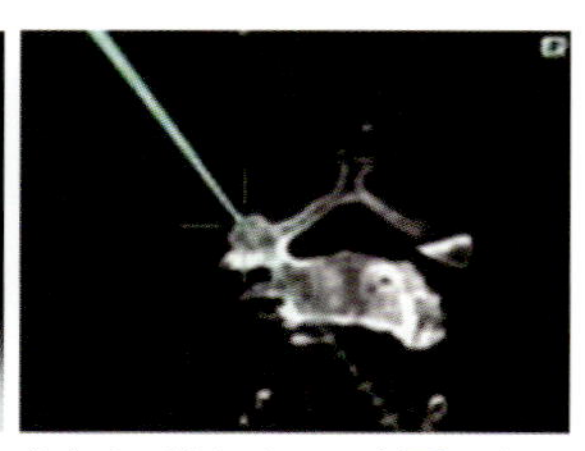
(c)ナビゲーションを用いた椎頸椎弓根スクリュー軌道の確認

頸椎の弯曲が矯正され脊髄が救済されました。

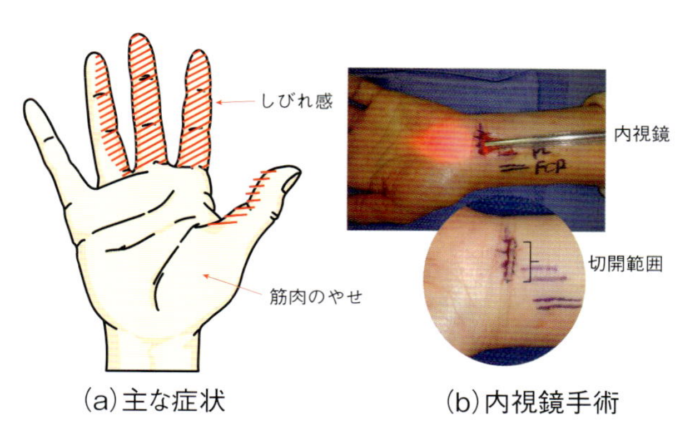

(a)主な症状　(b)内視鏡手術

図2　手根管症候群

写真9　人工指関節置換術

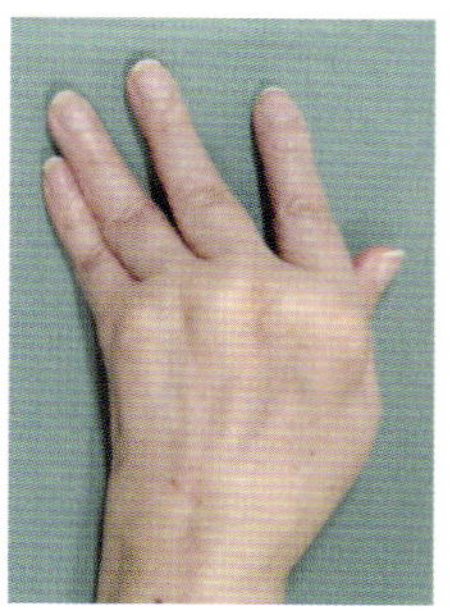

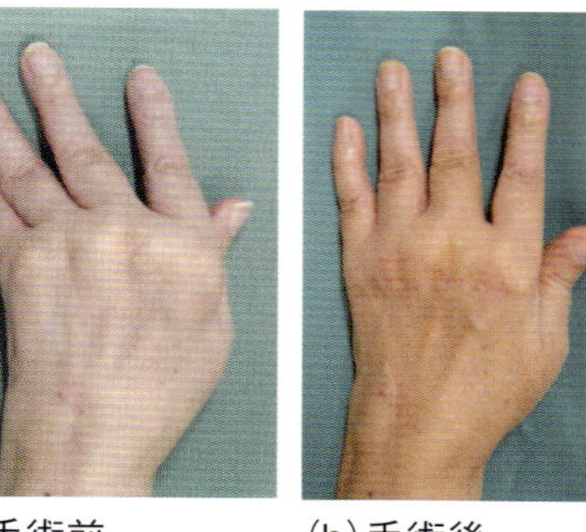

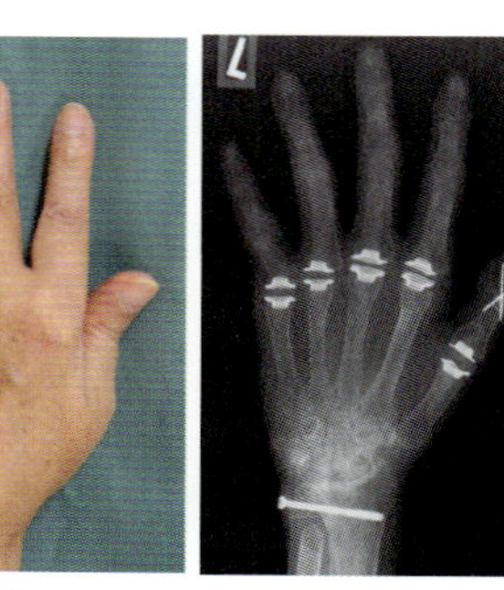

(a)手術前　(b)手術後

Q 最近手がしびれ寝ていても目が覚めます。首からではないといわれましたが、ほかに何が原因？

A 手首で神経が圧迫されている可能性があります。正中神経が手首にある手根管というトンネルで圧迫された状態です（手根管症候群）。示指、中指を中心にしびれ･痛みが出ます。しびれは母指、環指に及ぶこともあり、これらは明け方に強くなり、手を振ることで楽になります。症状が進行すると、母指の付け根（母指球筋）がやせてきて細かい作業や物をつまんだりするのがむずかしくなります（図2a）。手の使い過ぎをやめても治らないときは専門医にご相談ください。飲み薬、手首の安静や手術により治療を行います。手術は、現在では内視鏡を使って、小さな傷で神経の圧迫を取り除くことができます（図2b）。また、症状の進んだ患者さんに対しては、手のすじ（腱）の走行を変える手術を併せて行うことで使いやすい手に治すことができます。

Q 関節リウマチの治療中ですが手指の変形が進み使いづらくて困ります。変形を戻す方法はありますか？

A 装具などによる手指変形の矯正保持も有用ですが、変形が進んだ患者さんに手術によって変形を治すことができます。手術には、①炎症を起こしている滑膜を切除する方法、②靭帯や腱を修復する方法、③関節を固定する方法、④人工関節に置換する方法などがあります（写真9）。

Q 最近しこりに気がつきました。痛みもないので放っておいてもいいですか？

A そのしこりは軟部腫瘍の可能性があります。軟部腫瘍は体中のどこにでも発生し、多くの場合は良性ですが、まれに悪性の場合があるので注意が必要です。また、悪性でも痛みはないことのほうが多いので、痛くないからといって放っておくというのは間違いです。大きさや硬さ、できている場所や大きくなるスピードなども参考にはなりますが、それだけで良性か悪性かの正確な判断はできません。

軟部腫瘍の正確な診断は、詳細な画像検査と生検による病理検査が必要であり、骨軟部腫瘍専門医でないとむずかしいことが多いのです。正確な診断を行わずに、安易に手術でとってしまうのは非常に危険です。骨軟部腫瘍専門施設、および骨軟部腫瘍専門医は日本整形外科学会ホームページ「骨・軟部腫瘍相談コーナー」（https://www.joa.or.jp/jp/public/bone/index.html）から検索することができます。ぜひご活用ください。

脳の手術について教えてください

すごい!!
県内最後の砦として手術技術は最高レベルにあります! 特に悪性脳腫瘍に対する光線力学療法や覚醒下手術、座位手術は県内随一のものです

わたしたちがお答えします。

脳神経外科 教授
岩間 亨

脳神経外科 准教授
中山 則之

Q 脳のCT検査で髄膜腫と診断されました。どんな病気なの? 治療は?

A 脳腫瘍は人口10万人に対し年間8〜10人の割合で発生するといわれています。そのうち85%が良性ですが、髄膜腫は良性脳腫瘍のなかで最も多いものです。良性脳腫瘍は他の部位に転移することがほとんどなく、成長の速度がゆっくりで周囲の正常脳との境界がはっきりとしています。

髄膜腫とは、脳をおおう硬膜という膜から発生した腫瘍で、脳を圧迫することでさまざまな神経症状(たとえば、視力障害、複視、聴力障害、顔面の感覚障害、嚥下障害など)が出ることがありますが、頭を打ったときなどに受けたCTやMRIなどの検査で偶然発見されることも多いです。治療は発生部位や大きさ、症状、年齢などを考慮して決めます。脳の表面にできている場合は手術で全摘出することで完治できます。しかし、これが脳の深部や頭蓋底部にできている場合、手術の難易度が上がります。重要な脳神経や血管を巻き込んでいることがあり、これらを丁寧に温存するためです。当院ではニューロナビゲーションシステムや神経モニタリングなどを使って神経機能を温存したうえで、安全に腫瘍を摘出する治療を進めています。また、髄膜腫は非常に血管に富んだ腫瘍であり、術中の出血量が多くなることが見込まれます。そこで当院では、術前に自己血輸血や自己血の糊(フィブリン糊)で他人の血液を輸血することをさける努力を行っています。また、術前に腫瘍血管を詰めておくことで出血量を減らすようにも努めています(写真1)。

Q 脳腫瘍と診断され、しゃべれなくなるかもといわれました。大丈夫でしょうか?

A 脳には言語の機能や手足を動かす機能など、それぞれのパーツで分担されています。特に言語の機能は多くの場合、左側の脳の一部に存在しています(図1)。脳のCTやMRIなどで脳腫瘍の診断を受けた場合、この位置に腫瘍があると言語機能の障害が問題になります。時々、言葉を言い間違えたり、単語が出にくくなっていた

写真1　髄膜腫の治療計画

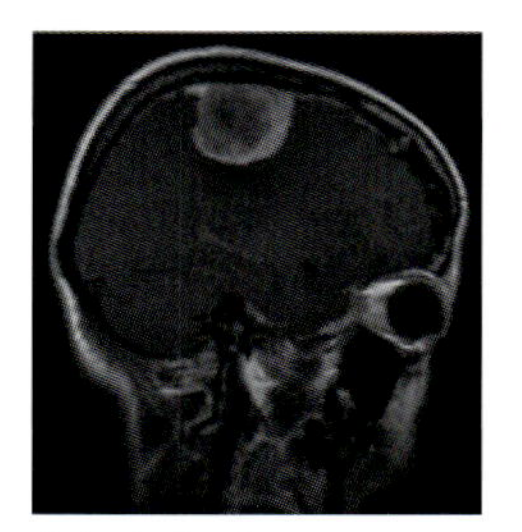

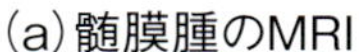

(a) 髄膜腫のMRI

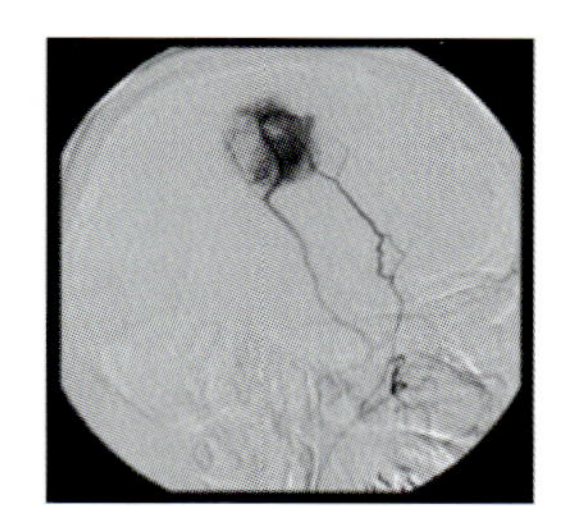

(b) 髄膜腫に集まる血管

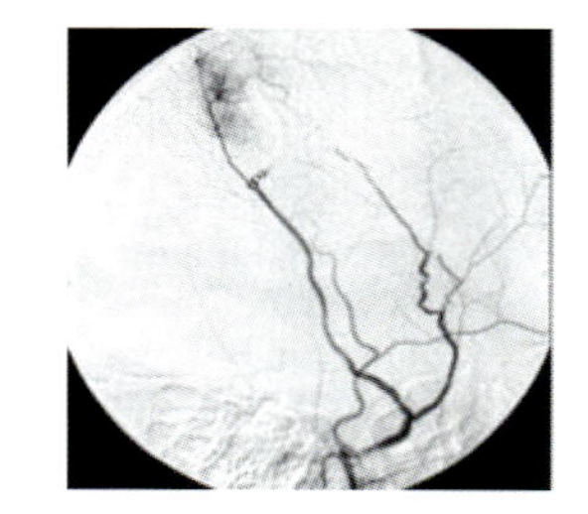

(c) 血管を詰めることで手術での出血量を減少させる

り、うまく言葉が理解できなかったりといった症状が出ます。このような場所の腫瘍を手術で取り除く際には注意が必要になりますが、全身麻酔がかかった状態では、手術が終わってからしか、うまくしゃべれるかどうかがわからないことになってしまいます。そこで、当院では覚醒下手術を行っています。

覚醒下手術では、患者さんに手術の途中で目を覚ましていただくのですが、麻酔科医と協力して、十分な痛み止めの注射と軽い鎮静薬を使って手術を行いますので、ほとんど痛みはありません。麻酔の深さが徐々に浅くなると、話ができるようになり、手を握ったり、指示通り足を動かしたりできるようになります。スタッフと話をしながら、また言語の機能テストを受けながら手術を行います（写真2）。言葉の機能に問題ない範囲でできるだけの腫瘍を摘出し、最終的に言語機能が無事に保護されたことを確認して手術を終えることができます。手術中に患者さんが精神的にパニックになったり、けいれんを起こしたりしないよう、しっかり準備を整えています。脳神経外科医と麻酔科医、手術室のナースたちのチームワークで成り立つ特殊な手術です。

Q 脳腫瘍に対して、岐阜大学病院ならではの、治療方法はありますか？

A 神経膠腫といわれる腫瘍は、周囲の正常脳に染み込んでいく性質があります。これを浸潤といいますが、浸潤した腫瘍は術者の目に認識しにくいため、細胞レベルでは完全に摘出できないことが多く、その残った腫瘍が再発の原因になります。これらの認識しにくい染み込んだ腫瘍

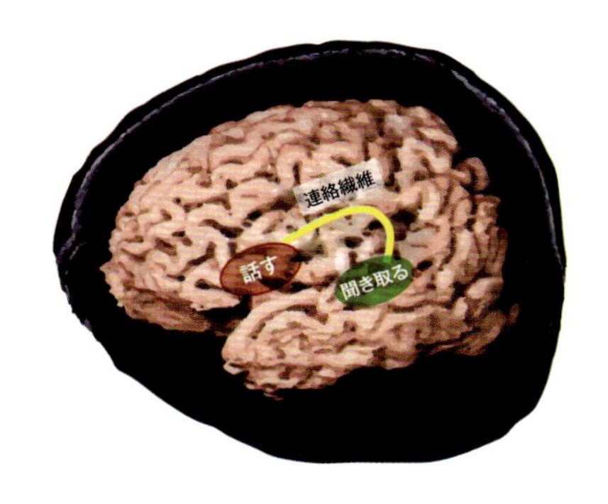

図1　言語機能の模式図

写真2　ナビゲーションシステムを用いた顕微鏡手術

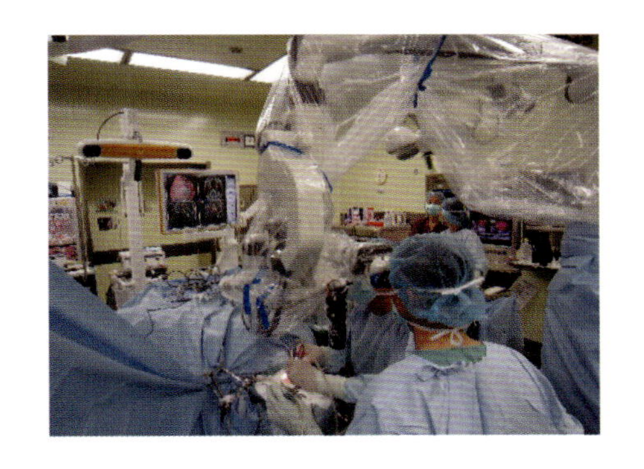

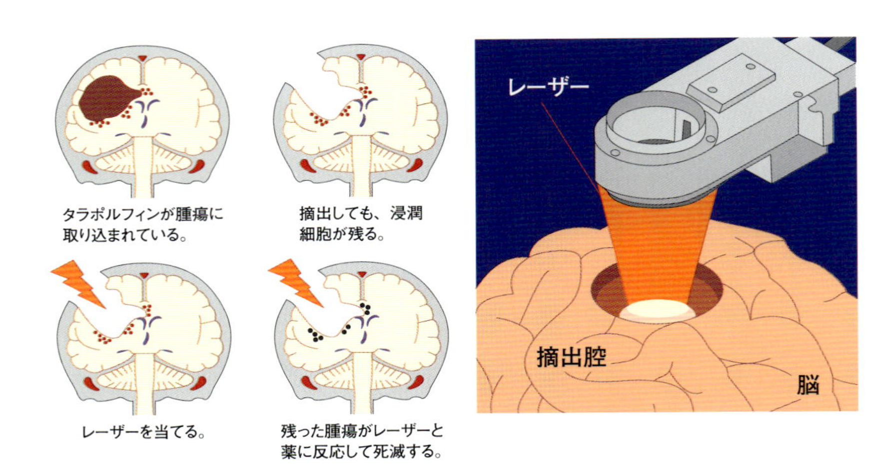

図2　光線力学的療法

細胞に対して、選択的に（つまり、正常脳にダメージを与えずに）治療する方法として、2016年6月から光線力学的療法（レザフィリン®療法）が導入されました。レザフィリン®（一般名：タラポルフィンナトリウム）という注射薬を手術前日に投与すると、腫瘍細胞だけに薬剤が取り込まれます。手術によって腫瘍をできる限りたくさん摘出したあとに、摘出面（浸潤した腫瘍細胞が残っている部分）にレーザー光線を当てることで、腫瘍細胞に取り込まれたタラポルフィンナトリウムが変化して一重項酸素を発生します。この一重項酸素が強い殺細胞効果を発揮し、腫瘍を栄養する血管も閉塞するので抗腫瘍効果が高まります（図2）。

Q パーキンソン病の治療としてDBSという手術をすすめられました。DBSって？

A パーキンソン病は手がふるえたり、関節が硬くなって動きにくくなったりする症状の病気です。進行すると姿勢が前かがみになったり、すり足になったりして歩行困難になることもあります。治療の最初のうちは内服治療で症状が改善して日常生活に問題ないことが多いのですが、病気が進行してくると、徐々に薬の効果が悪くなったり、逆に効き過ぎて調節が困難になったりして日常生活に支障をきたすようになります。

そこで、これらの薬の副作用をさけるために薬を減らしても症状が悪くならないよう、脳の深部に電極を埋め込んで電気刺激する治療がDBS（Deep Brain Stimulation、脳深部刺激術）です。両側の脳の神経核（視床下核や淡蒼球）に細いリード線を入れて、胸の皮下に埋め込んだ電池とつなぎます。リード線は皮下に埋め込むので露出しません（図3）。常時、電気刺激を行うことで症状の改善をはかります。

Q 脳出血の手術にも内視鏡を使うのですか?! 具体的に教えてください

A 脳卒中の1つである脳出血を起こすと多くの場合、意識が悪くなり、しびれや失語といった症状を呈し、場合によっては死に至ります。脳出血をきたし意識障害がみられる場合は手術が考慮されます。手術は脳内の血腫を吸引し、脳内で出血が続いていれば止血を行います。

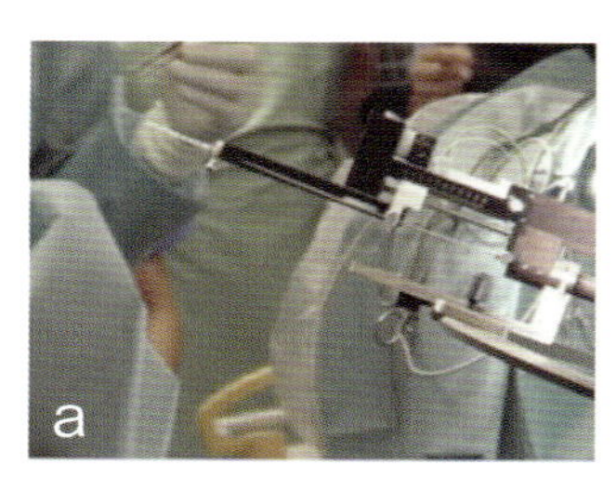

(a)リード線を入れているところ

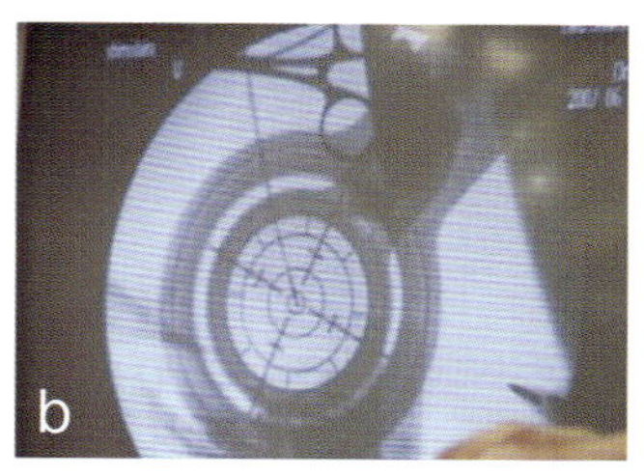

(b)リード線の先端部をレントゲンで確認

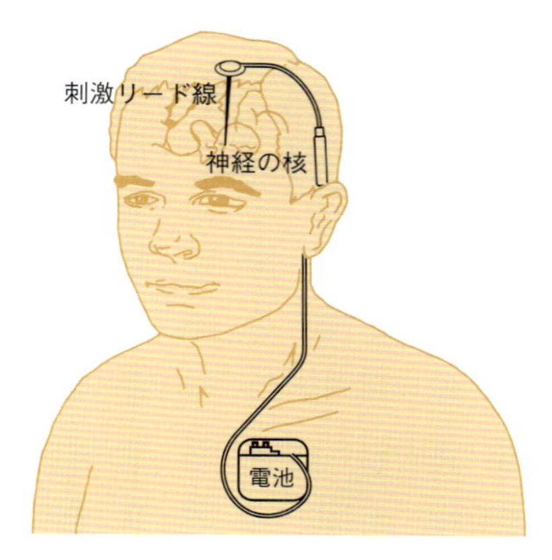

これを両側で行うことが多い。

図３　脳深部刺激術の実際

写真３　内視鏡的血腫除去術

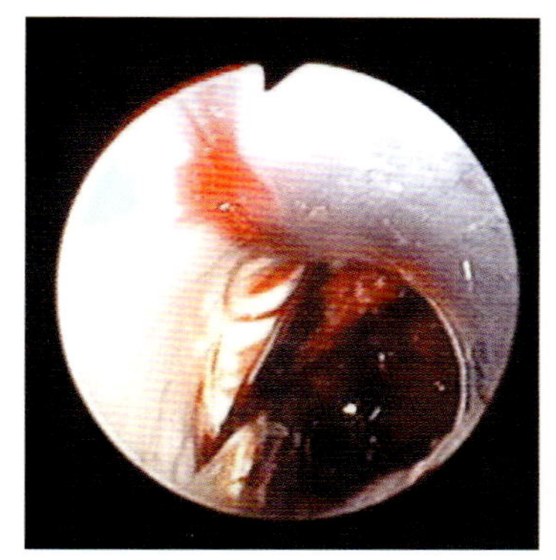

(a)内視鏡手術

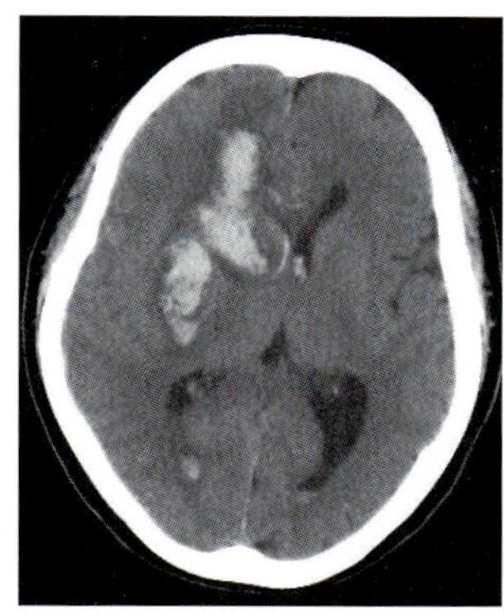

(b)手術前CT

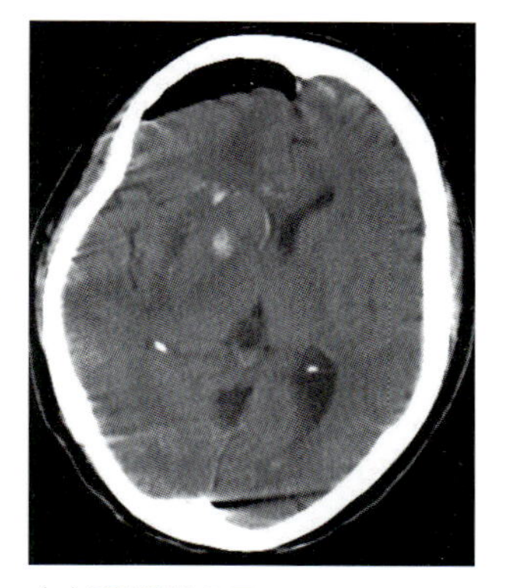

(c)手術後CT

これまでこの手術には手術用顕微鏡を使用した開頭術が行われてきましたが、近年は腹部手術や胸部手術と同様、脳神経外科領域でも内視鏡を用いた手術が行われるようになってきました（写真３）。内視鏡を用いて手術を行った場合、手術の傷が小さく、小さな開頭もしくは直径1.5cm程度の穿頭術（せんとうじゅつ）での手術が可能です。内視鏡手術は開頭手術に比べ手術時間が短く、術中出血量が少なく、患者さんの負担が少ない手術法です。現在、当院では脳出血手術の７割以上で内視鏡手術を行っており、岐阜県で最も多く神経内視鏡手術を行っています。この手術が今後ますます安全、確実に行えるようになり、脳出血患者さんの治療が進歩していくことが期待されます。

眼科であつかう疾患や治療について教えてください

すごい!!

白内障手術のみならず、網膜硝子体手術、緑内障手術においても、当院では、手術後早期回復ができるように、最先端の低侵襲手術を行っています!

わたしたちがお答えします。

眼科　教授
坂口 裕和（さかぐち ひろかず）

眼科　准教授
望月 清文（もちづき きよふみ）

眼科　臨床准教授
澤田　明（さわだ あきら）

眼科　併任講師
石澤 聡子（こくざわ さとこ）

Q 白内障（はくないしょう）って？

A 白内障とは、虹彩の後ろに位置する水晶体（すいしょうたい）あるいはレンズと呼ばれる組織が、白く混濁し、視力などの視機能（しきのう）が低下する病気です。

白内障の原因は、加齢（かれい）、糖尿病（とうにょうびょう）、アトピー性皮膚炎、遺伝性（いでんせい）の病気に伴うもの、副腎皮質ホルモン服用に伴うもの、ほかの目の病気に伴うものなどさまざまです。多くは加齢に伴って発生するもので、早ければ40歳頃から発症し、80歳を超えるとほとんどの人が白内障の状態にあるといわれています。

症状としては、目のかすみ、視力低下を訴えられることが多いですが、ほかにも、まぶしい、ぼやける、二重三重に見える、近視が進む、眼鏡をかけても見にくくなる、暗い場所で見にくいなど、患者さんによっていろいろな症状があります。

白内障の治療には、医師によっては進行を遅らせるために目薬や飲み薬が使われる場合もありますが、残念ながら視力を回復することはできません。視力回復には手術が必要になります。

手術は、目の黒目と白目の境あたりに数mmの切り込みを入れて行います。そこから器具を入れて、濁った水晶体を超音波（ちょうおんぱ）で砕いて吸い取り、そこに水晶体のかわりになる新しい透明な眼内レンズというものを入れます。手術時間は水晶体の硬さなどにもよりますので、患者さんごとに異なります。手術技術の向上、手術機器の安全性が高まり、非常に安全に手術ができる病気ですが、合併症も皆無ではありません。

新しく挿入する眼内レンズには、ピントが合う距離、すなわち焦点が1つの、単焦点（たんしょうてん）レンズと、遠近両用の眼鏡を目のなかに入れるような、2つ、3つの焦点をもつ、多焦点（たしょうてん）レンズがあります。レンズによって、手術費用が異なりますし、目によって合う合わないもあり、今後のQOL（キューオーエル）（生活の質）等にもかかわってくることですので、生活スタイル、今までが近視／遠視のいずれであったか、ご希望など、いろいろなことを加味して、実際に手術をされる医師と手術のタイミングも含めて、よく相談して決めるのがよいかと思います。

Q 硝子体（しょうしたい）手術とはどのような手術なの？

A 眼球のなかにはその容積の80%を占める硝子体というゼリー状の部分があり、硝子

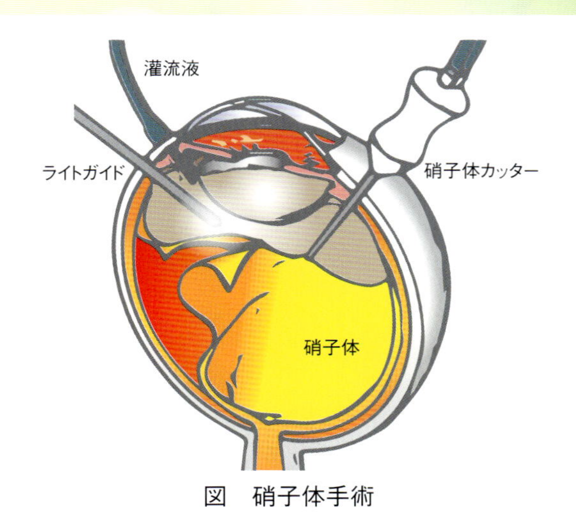

図　硝子体手術

強膜に３カ所の穴を開け、そこから目の中で操作する器具を挿入してする。

写真１　実際の手術風景

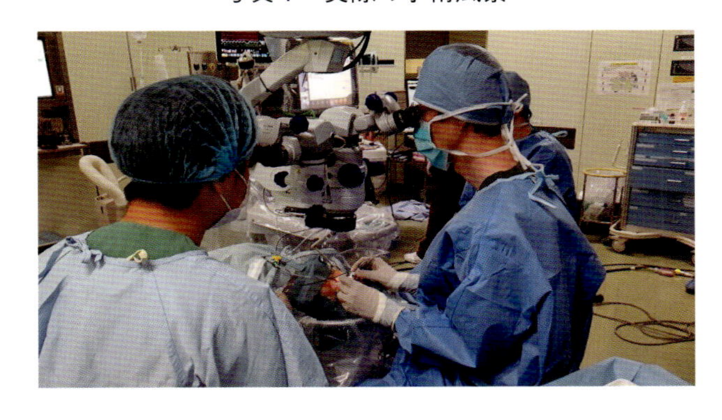

体の外側には網膜（もうまく）というフィルムの働きをする部分があります。網膜の疾患や硝子体の牽引・濁りが原因で視力が低下している場合に硝子体を切除する手術を行います。

実際の手術では、強膜（きょうまく）（白目の部分）の3、4カ所に小さな穴の開いた器具を刺入し、硝子体を切除するカッターを入れ、ライトで眼内を照らし、灌流液で置換しながら硝子体を切除していきます（図、写真１）。硝子体切除後、さらに増殖膜を取り除いたり、レーザーを照射したりするなどの処置を行います。何も問題がなければ灌流液置換（かんりゅうえきちかん）で終了しますが、網膜剝離（もうまくはくり）など網膜をしばらく押さえておかないといけないような疾患の場合には空気や特殊なガス、もしくはシリコンオイルに置換します。手術時間は30分～2時間程度で、術後にうつむきや横向きなどの体位を保持していただく場合があります。また、中高年以上の場合、白内障手術を同時に行います。

写真２　糖尿病網膜症

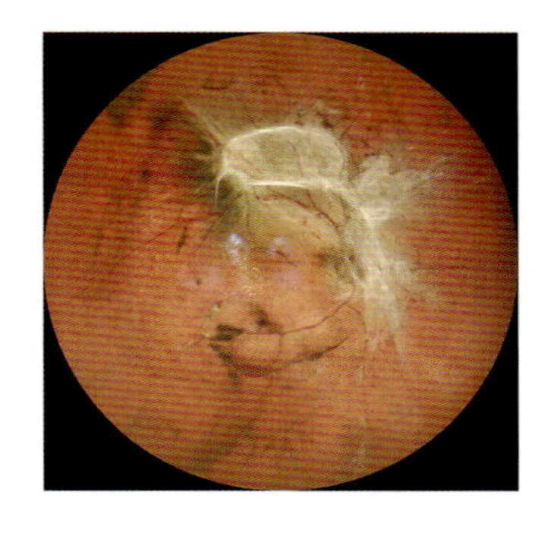

写真３　網膜剝離

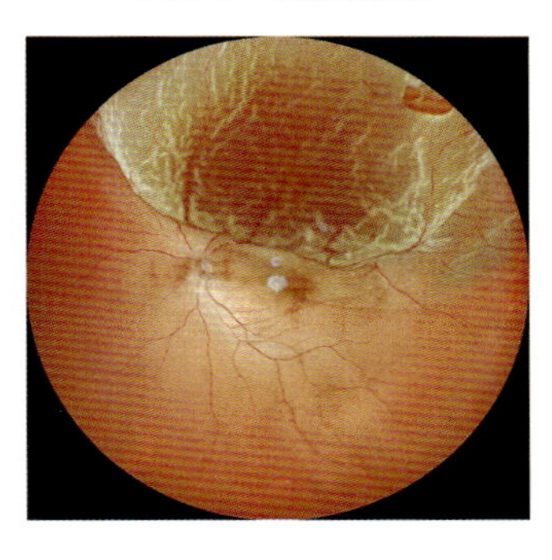

主な適応疾患を以下に示します。

①増殖糖尿病網膜症（ぞうしょくとうにょうびょうもうまくしょう）（写真２）

糖尿病があると、血管が脆弱になり糖尿病網膜症を発症する場合があります。進行すると、新生血管や増殖膜が出現し、硝子体出血や牽引性網膜剝離を発症します。硝子体手術で出血や増殖膜を取り除き、レーザー治療を追加します。

②裂孔原性網膜剝離（れっこうげんせいもうまくはくり）（写真３）

網膜に穴が開き、網膜下に目のなかの水が入り込んでしまい網膜が剝がれる病気です。放置すると網膜剝離が拡大して失明する可能性があるため早めの手術が必要です。手術で硝子体を切除し、ガスに置換して剝がれた網膜を伸ばし、穴の周りにレーザーを照射して網膜を癒着させます。若い方の場合は硝子体手術ではなく強膜にシリコンバンドを縫い付けるバックリング手術を選択する場合もあります。

③黄斑円孔（おうはんえんこう）（写真４）

主に加齢により真ん中を見る部分（黄斑部）

写真４　黄斑円孔のOCT（網膜の断層撮影）

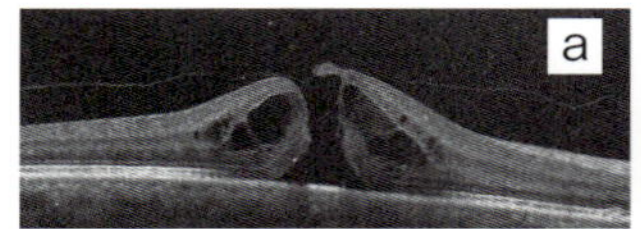

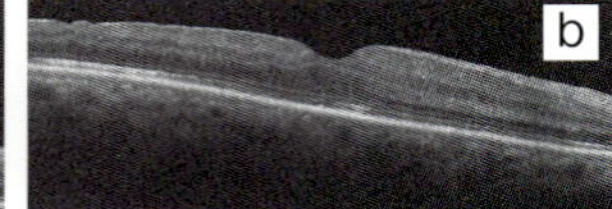

(a)術前：黄斑部に円孔を形成。(b)術後：円孔は閉鎖している。

に穴が開いてしまうことがあります。これを黄斑円孔といいます。硝子体を切除して網膜の一番内層にある内境界膜を剥離して特殊なガスを注入します。術後はうつむきの体位をとる必要があります。

④黄斑上膜

特発性、あるいはぶどう膜炎などの炎症により黄斑部の上に膜組織を形成する病気です。視力低下や物がゆがんで見えるなどの症状が出た場合に手術を行って膜を除去します。

⑤硝子体出血、硝子体混濁

糖尿病網膜症のほかにもさまざまな疾患が原因で硝子体出血を発症する場合があり、消退しなければ手術を行います。また、原因不明の硝子体混濁が悪化する場合は硝子体手術を行って術中の検体を調べ診断の一助とすることもあります。

緑内障とは？

A 緑内障は日本の中途失明原因の第1位であり、視神経障害とそれに対応する特徴的な視野障害を特徴とした疾患です。神経変性疾患であるため改善はむずかしく、一生涯うまく付き合う必要があります。

一生涯にわたる緑内障管理としては、①早期発見、②正確な診断、③適切な薬物治療、④専門医による手術治療が必要となってきます。

①早期発見

非常に自覚症状が乏しい疾患であるため、早期における眼科医受診が望まれます。驚くことに写真５のような視野障害の方でも自覚症状はありません。緑内障の方がご家族におられる場合は特に早期受診をおすすめします。

写真５　この視野障害でも視力は良好

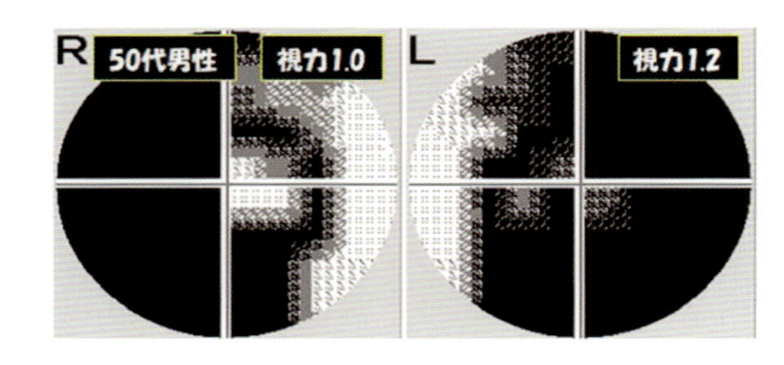

写真６　視神経障害解析ソフトによる長期経過例

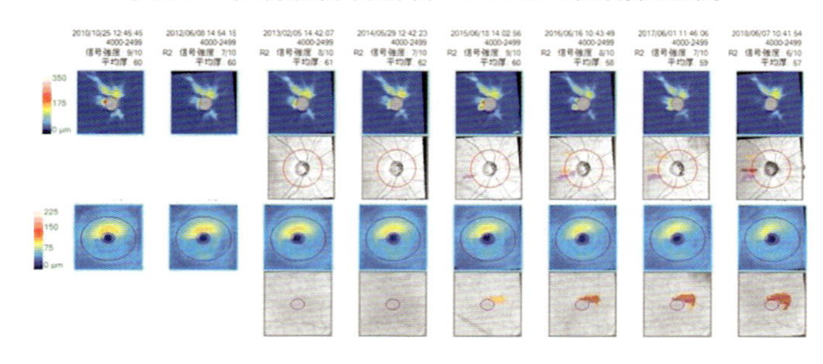

②正確な診断

緑内障は、眼圧検査、隅角検査、眼底検査、視野検査、OCT（Optical Coherence Tomography、光干渉断層計）などにより総合的に診断されます。病型としては、大きく分けて開放隅角緑内障と閉塞隅角緑内障がありますが、診断により治療方針が異なります。診断後は、視神経障害解析ソフトや視野解析ソフトによる視覚的な緑内障管理を行っています（写真６）。

③適切な薬物治療

緑内障の治療薬は、点眼薬だけでも7つのグループがあります。緑内障治療は1種の点眼薬のみでよい場合もありますが、悪い方は2〜3種類の点眼薬を組み合わせて加療します。専門的な知識と新しい薬剤の適切な情報をもとに、各症例に最も効果的に処方しています。

④専門医による手術治療

緑内障の手術治療には、レーザーと観血的手術があります。レーザー治療は外来で簡便に行うことができ、緑内障病型によっては有用です。観血的手術としては、線維柱帯切除術（房水を結膜の下に流す）、線維柱帯切開術（房水の排出抵抗の原因となる部分を開放する）や緑内障インプラント手術などがあります。

緑内障管理としては、手術のみではなく適切な術後管理も重要であり、怠ると眼圧が再上昇してしまうこともあります。したがって、手術時期を見極めること、手術方法の選択、厳格な術後管理、この3者がそろうことによりはじめて緑内障手術の成否が決まってきます。

Q ぶどう膜炎って？治療法は？

A ぶどう膜とは、眼球の中心部を包む脈絡膜、毛様体、虹彩の3つをまとめた総称です。何らかの原因でこれらの組織に炎症が起こることを「ぶどう膜炎」といいますが、ぶどう膜そのものに原因がある場合と全身のほかの臓器に起こった炎症が血流を介して生じる場合とがあります。頻度は異なりますが、小児から高齢者まであらゆる年齢層でぶどう膜炎が生じます。

ぶどう膜炎では、炎症の部位や程度、合併症によって、さまざまな目の症状が現れます。代表的な症状としては、充血、鈍痛、飛蚊症、まぶしい、ぼやけて見えるなどがあります。さらに、ぶどう膜の炎症が網膜に影響を与え（ぶどう膜は網膜と接しているので）、視力低下や、時には失明に至ることがあります。また、頭痛、発熱、皮膚症状、関節痛など全身症状が原因疾患によっては伴うこともあります。

ぶどう膜炎が生じる疾患として、わが国ではサルコイドーシス、原田病、ベーチェット病（写真7）が多くみられます。ほかにも膠原病、腸疾患、糖尿病、血液疾患あるいは悪性腫瘍（がん）などがぶどう膜炎の原因になることがあります。ウイルス、細菌、真菌、寄生虫などの微生物の感染によっても生じます。これらぶどう膜炎の診断は、問診（飼っている動物の種類、生肉を食べる習慣があるか、外国に行ったことがあるか）、眼所見、全身検査所見などを総合的に判断して行いますが、時に内科や皮膚科など他の診療科を受診していただくこともあります。また、前房水や硝子体液を採取して病原体の遺伝子検査（PCR法）やサイトカイン（炎症に関するタンパク）の測定を行うこともあります。このような検査から診断がつけば治療方針を立てることができます。しかし、いろいろ調べても、どうしても原因がわからない場合も3～4割あります。

写真7　ベーチェット病

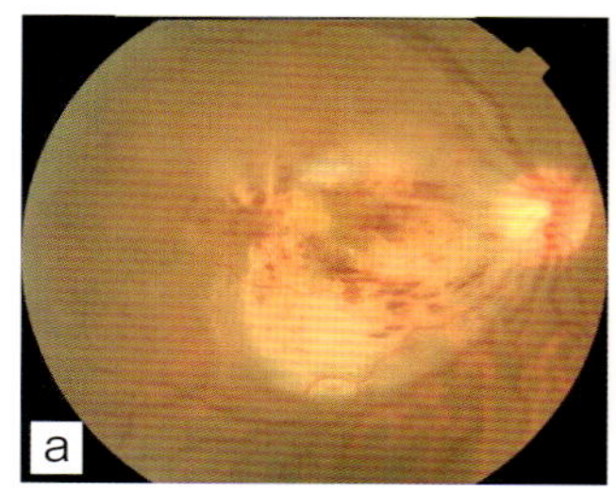

(a)治療前

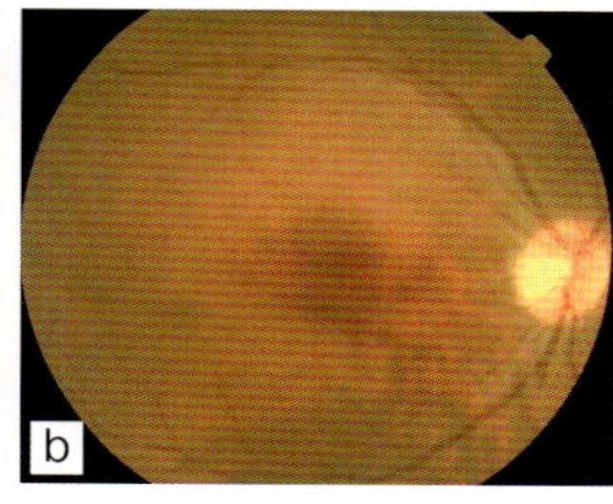

(b)TNF-α阻害薬による治療後

症状が全身に及ぶことが多いぶどう膜炎では、点眼薬だけでなく全身的な治療を必要とすることが多く、主な治療薬としてステロイド薬（副腎皮質でつくられるホルモン）の点眼、内服や注射のほか、コルヒチン（白血球の動きをおさえる薬）、シクロスポリン（免疫力をおさえる薬）の内服やTNF-α阻害薬（インフリキシマブやアダリムマブ：炎症をおさえる薬）の点滴または皮下注射などがあります。多くのぶどう膜炎は、失明につながる難病とされてきましたが、新しい治療薬や診断法の登場により、近年では早期に診断して適切に治療を開始すれば、失明の危険をさけることができる場合もあります。早くみつけて、こじらせないうちに治してしまうことが、何より大切です。そして病状がよくなったあとも、病気と向き合い、しっかり治療を続けてください。

Q18 耳鼻咽喉科の最新治療を教えてください

すごい!! 頭頸部がんにおける県内唯一の研究施設として機能温存をめざした高度な医療を行っています

わたしたちがお答えします。

耳鼻咽喉科・頭頸部外科
教授
小川 武則

耳鼻咽喉科・頭頸部外科
准教授
大橋 敏充

Q 頭頸部がん（耳、鼻、口腔、喉頭、咽頭などのがん）と診断されました。機能を温存する最新治療を教えてください

A 頭頸部がん（鎖骨から上の頭部、頸部に発生するがん）では、見る、聞く、話す、飲み込む（摂食、嚥下）行為、さらには味覚などの大事な機能を損なうことなく完治できるのか……、この点は患者さんにとって最も重要で心配なことでしょう。頭頸部がん治療の柱は、大きく分けて「手術治療」と「放射線治療」ですが、がんの正確な診断（ステージ診断）と頭頸部がんに多いといわれる重複がん（別のがんを同時に発症する）診断を行い、個々の患者さんに適切な治療をチームで検討する必要があります。当院では、「頭頸部キャンサーボード」を毎週行い、すべての患者さんの適切な治療を耳鼻咽喉科医、放射線診断医、放射線治療医、形成外科医、口腔外科医、腫瘍内科医で検討しています（写真1）。

早期がんの多くは、機能温存手術（内視鏡や外切開で機能を温存する手術）や放射線治療を中心として根治可能です。進行がんでも放射線治療と抗がん剤の同時併用により喉頭温存が可能なことがあります。放射線治療の効果と治療後の後遺症（嚥下障害や口腔乾燥など）が異なるため治療前の予測は困難ですが、当院では、強度変調放射線治療（Intensity Modulated Radiation Therapy：IMRT）、進行上顎洞がんの超選択的動注化学放射線治療（RADPLAT法）を標準導入しており、がん病巣を集中的に根治させる治療法を確立しています。一方、進行がんにおいても機能温存する手術も多く開発されており（内視鏡手術や機能再建を伴う再建付き手術）（写真2）、高度進行がん、重複がんに対する形成外科、脳神経外科、消化器外科との合同手術など、国内一流の手術治療を展開しています。

また、治療による副作用に対しての支持療法も多数開発されており、当院では、日本ではまだ数少ない頭頸部がん専門医を中心とした高度なチーム医療を提供しており、岐阜県内では唯一当院のみで施行可能な治療も多く手がけております。

写真１　頭頸部キャンサーボード（毎週開催）

写真２　下咽頭がん患者の喉頭と咽頭の部分的切除

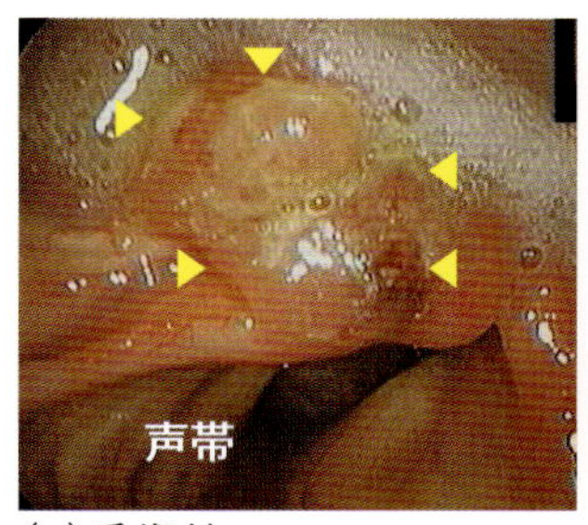

(a)手術前

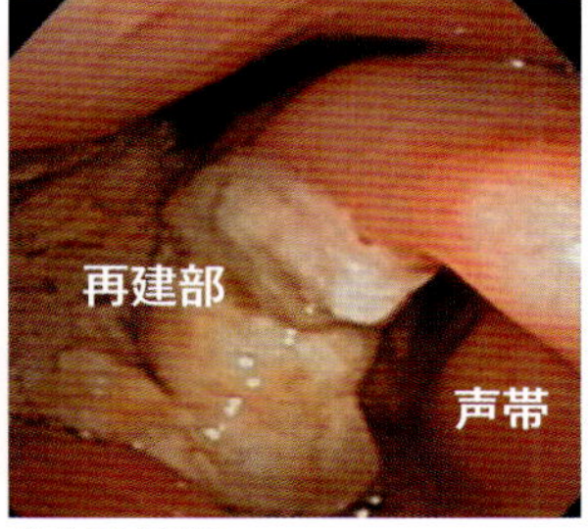

(b)手術後

甲状腺腫瘍（こうじょうせんしゅよう）と診断されました。検査、治療法について教えてください

A 甲状腺腫瘍は、若い方にも発症する可能性がある病気です。治療は手術治療が中心になりますが、その一方で経過観察でもよい病態も多くあります。当院では、免疫・内分泌内科と合同で甲状腺診療に当たっており、治療前の正確な診断（細胞診を含む）を免疫・内分泌内科で行ったあとに、隔週で合同症例検討会（甲状腺カンファレンス）（写真３）を行い、手術症例について検討しています。手術治療においては、反回神経（声帯を動かす神経）の温存がポイントとなりますが、当科では反回神経の術中モニタリングで温存をめざすとともに、腫瘍の進展により温存できない場合には、嗄声（させい）の程度によって音声機能改善手術（甲状軟骨形成術Ⅰ型や披裂軟骨内転術）（写真４）を後日行うことも可能です。

写真３　甲状腺カンファレンス（隔週開催）

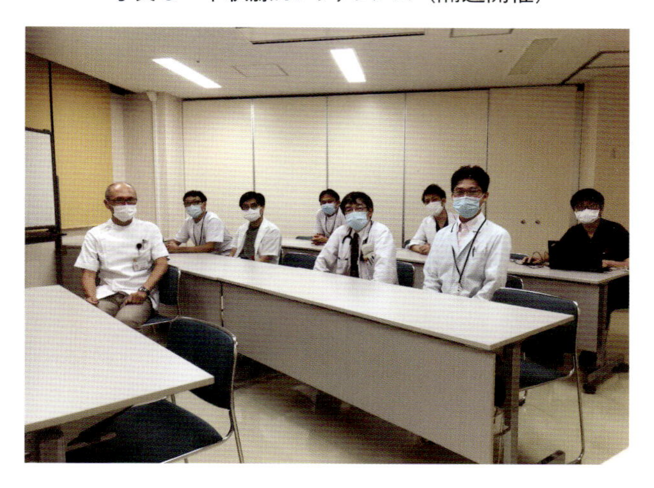

写真４　喉頭内視鏡検査（発声時）

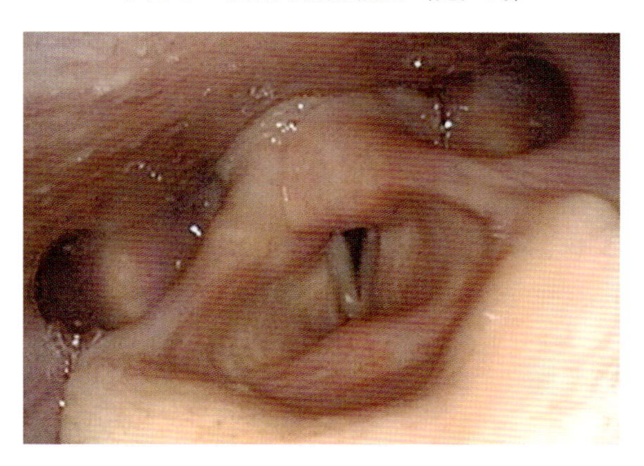

(a)手術前

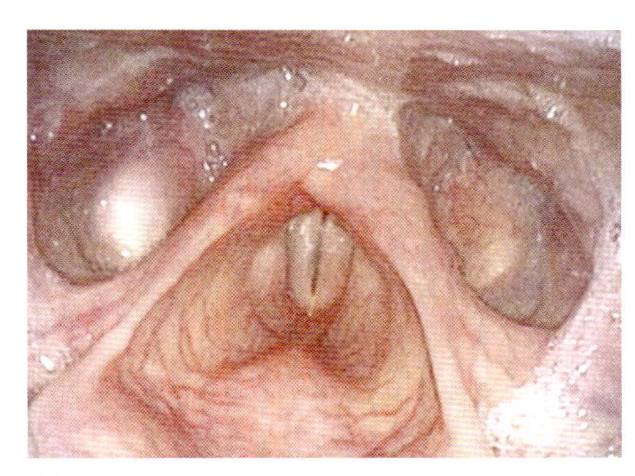

(b)手術後
術後には発声時の隙間がなくなっています。

Q 聞こえが悪いです……。難聴の最新治療を教えてください

A 難聴診療においては、聞こえない原因が何であるかによって、治療可能なもの、補聴器や人工内耳などの適応となるものとさまざまに分かれます。聞こえが悪いほかに、次の①～⑥のうちで当てはまるものがあれば治療は可能です。ぜひ当科を受診してください。

①時々耳だれが出る

鼓膜に穿孔があるかもしれません。内視鏡を使用し、30分程度の簡単な手術で鼓膜をつくることができます（図1）。入院も不要です。当科では年間20例ほどの患者さんがこの手術を受けています。

②交通事故や転倒などの外傷後から聞こえない

中耳の中で音を伝える小さな骨を耳小骨といいますが、3つの耳小骨が連結し音を内耳に伝えます。外傷により、外れた耳小骨のつながりを手術で治すことで聴力は劇的に改善します。

③中耳炎をくり返している

真珠種性中耳炎かもしれません。この中耳炎は骨を溶かすため、放っておくと危険です。難聴やめまい、時に顔面神経麻痺をひき起こします。軽度なうちは外来での処置で対応可能ですが、悪化すると、手術が必要になります。当科でも年間30例ほどの患者さんが治療されていて、決してまれな病気ではありません。

④以前に中耳炎の手術を受けていて、それ以後聞こえない

最新のCTスキャンで耳のなかの構造を精査したうえで手術適応を決定します。当科では、日本では実施数の少ない人工中耳や埋め込み型骨導補聴器（図2）の手術にも対応しています。

⑤30～40歳頃から難聴が徐々に進行している

鼓膜に異常はなく、耳小骨の1つであるアブミ骨が固く動かなくなる耳硬化症かもしれません。アブミ骨を人工アブミ骨でつくり直すことで聴力を改善できます（図3）。

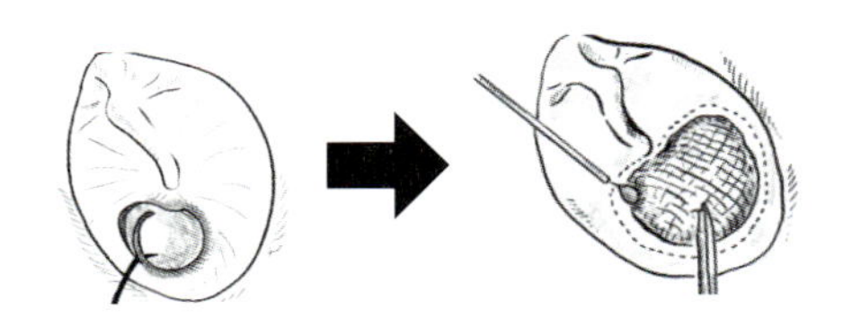

図1　鼓膜形成

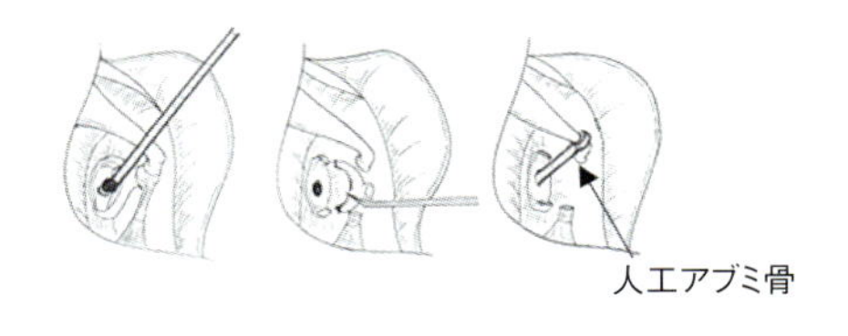

図3　アブミ骨手術

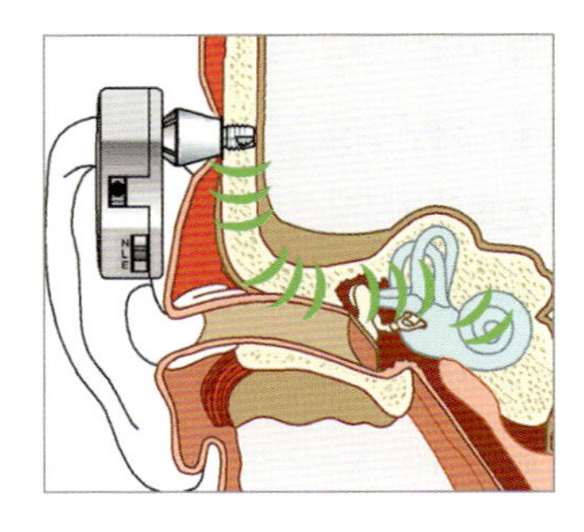

図2　埋め込み型骨導補聴器

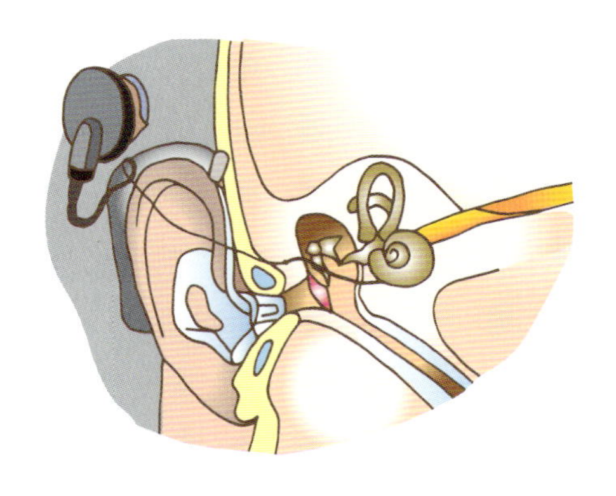

図4　残存聴力保存型人工内耳

⑥補聴器をしても聞こえにくい

突発性難聴や老人性難聴は、蝸牛が障害される感音難聴です。会話に困る方は補聴器を使用しますが、補聴器でも十分に会話ができない方もいます。そのような方には、人工内耳があります。人工内耳を埋め込む手術により、音や声がある社会へ再び戻ることができる革命的な治療で、岐阜県下では当院だけが行っています。最近では、それほど高度な難聴でなくても、残存聴力保存型人工内耳を埋め込む手術も行われています（図4）。

Q 食事でむせるので時々入院します。治療法について教えてください

A 食べ物を認識して口に運び、かみ砕いて、舌で口腔から咽頭に送り、反射により食べ物を食道に送り、食道の蠕動運動によって胃まで運ぶ一連の機能を嚥下といいます。嚥下には多くの器官がかかわっているため、さまざまな疾患によって嚥下障害が起こります。

当院では嚥下障害に対して、医師、言語聴覚士、看護師、栄養士などが連携して治療に取り組んでいます。嚥下内視鏡検査（写真5）、嚥下造影検査（写真6）などを行い、嚥下障害の原因と重症度を評価します。明らかになった障害部位に対しては、嚥下カンファレンス（毎週）を行ったうえで、多職種で病態、適切な治療法やリハビリテーションを検討し、適応のある症例には手術治療を行います。

外科的治療には大きく2つの方法があります。

1つは、喉頭機能（発声機能）を温存しつつ経口摂取をめざす「嚥下改善術」です。これらには、咽頭から通過しやすくする輪状咽頭筋切断術や、喉頭を顎のほうにひっぱり喉頭に入りにくくする喉頭挙上術などの手術があります。この手術は喉頭機能を温存したままで誤嚥のない経口摂取も実現が目的です。術後は患者さんが誤嚥しないためのリハビリテーション継続が必要です。

もう1つは、さらに高度な嚥下障害をもち喉頭の温存が困難ではあるが、患者さんに食事摂取の希望がある場合に選択する「誤嚥防止術」です。この手術では喉頭機能は失いますが、誤嚥が絶対に起こらないような状態にする方法です。これには喉頭摘出術や喉頭気管分離術があります。気管切開を受けているにもかかわらず肺炎をくり返しているような患者さんや寝たきり状態で今まで経口摂取を禁止されているような患者さんでも、症例によってはこれらの手術で経口摂取が可能となります。この2つの治療選択は嚥下機能評価検査とリハビリテーション結果で行っています。

写真5　嚥下内視鏡検査

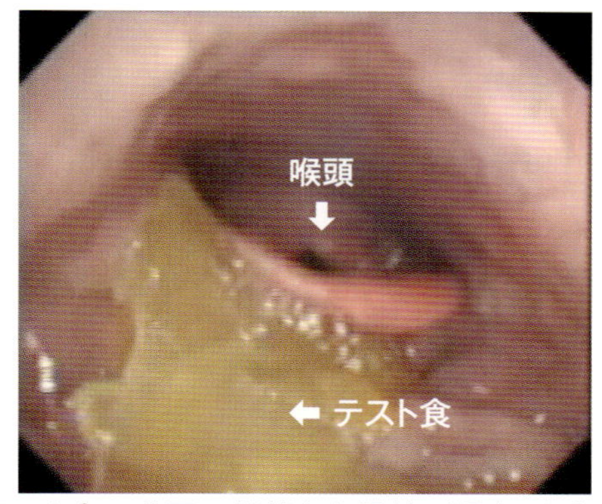

テスト食の嚥下の状態を内視鏡で観察します。

写真6　嚥下造影検査

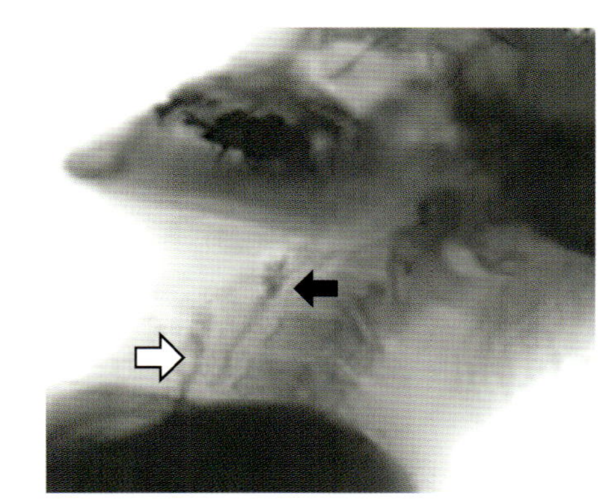

造影剤は食道（➡）以外に喉頭（⇨）に誤嚥している。

こんな症状、形成外科手術で何とかなりますか？

すごい!! 傷跡、眼瞼下垂、小耳症、リンパ浮腫、漏斗胸など、高い技術で手術を行っています

わたしがお答えします。

形成外科　准教授
加藤 久和

Q 交通事故でできた顔の傷跡が気になります。きれいにできますか？

A 傷跡はきれいにならないものとあきらめてはいませんか？　傷跡をなくすことはできませんが、Z形成術やW形成術と呼ばれる外科手術や植皮などを組み合わせて、目立ちにくくすることは可能です（写真1）。

また、まぶたや鼻、唇などの傷跡は、ひきつれによって機能障害を起こすこともあります。手術によって傷跡を美しくするとともに、そういった機能障害も治すことができます（写真2）。

写真1　前額部の傷跡

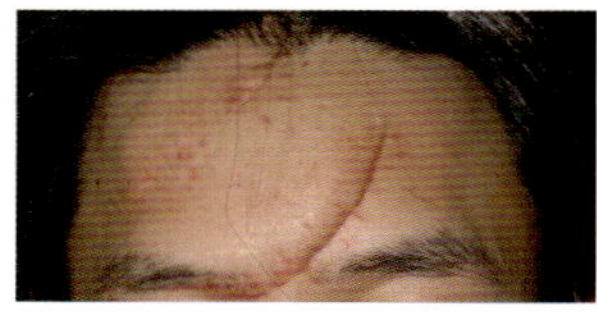

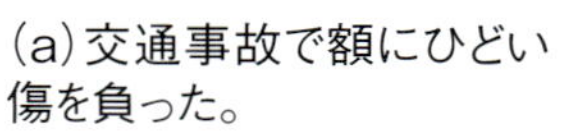

(a) 交通事故で額にひどい傷を負った。

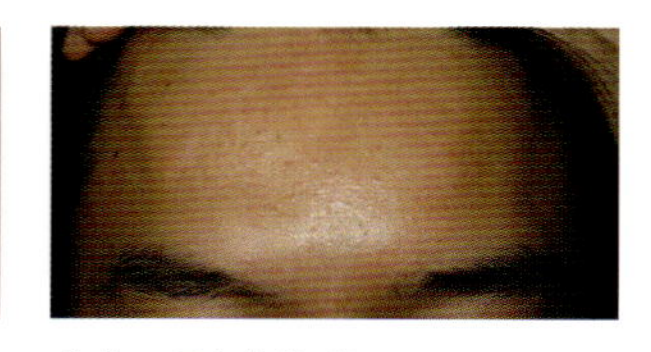

(b) W形成術後

Q 年をとって上まぶたが下がり見にくくなりました。治療できますか？

A 上眼瞼挙筋が収縮するとその力が挙筋腱膜に伝わり、上まぶたが引き上げられます。年をとると、この挙筋腱膜が使い古したタオルのように伸びてしまい、上眼瞼挙筋の力が上まぶたに伝わらなくなり、まぶたが下に垂れてしまいます。これを老人性下垂とか腱膜性下垂といいます。

この場合は、手術によって挙筋腱膜を短縮することで、まぶたが上がるようになります（写真3）。

さらにここで注目したいのは、手術前後の眉毛の高さと前額部（おでこ）のしわです。挙筋腱膜が伸びて挙筋の力が上まぶたに伝わらなくなると、自然に眉毛を上げて一生懸命まぶたを上げようとします。その結果、眉毛が上がり、おでこにし

写真2　下眼瞼の傷跡による閉瞼障害

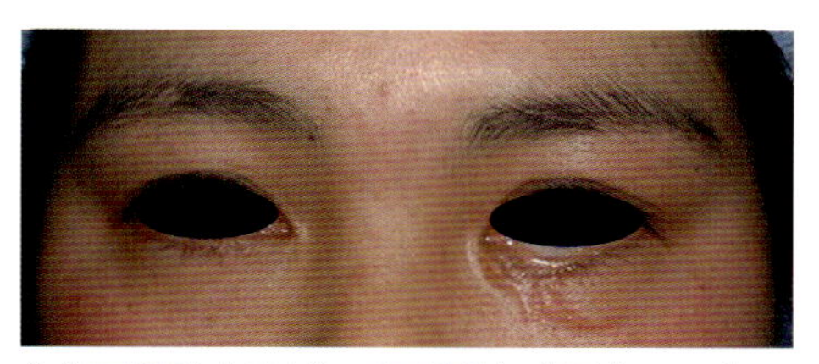

(a) 下眼瞼をけがして下眼瞼が下方にひきつれ目が完全に閉じられない。傷跡も目立つ。

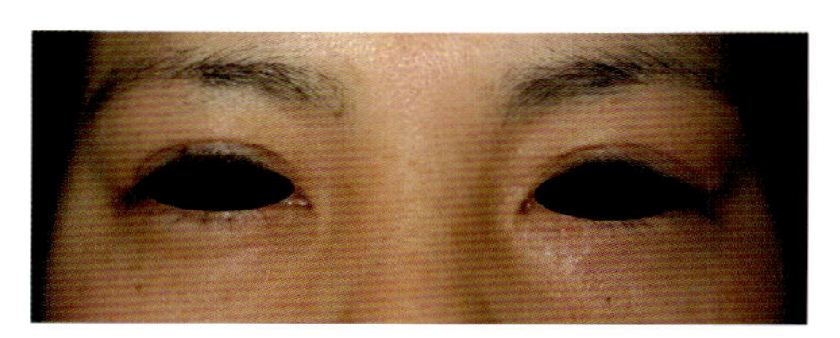

(b) Z形成術と上眼瞼からの皮膚移植できれいな二重になり、ひきつれも修正された。

わがよってしまうのです。眉毛は前頭筋という筋肉で上げていますが、前頭筋は帽状腱膜をはさんで後頭筋とつながっています。眉毛を上げると、前頭筋と後頭筋に緊張が加わり、頭痛や肩こりの原因となります。眼瞼下垂の手術をして、前頭筋・後頭筋の緊張をとってやると、こういった症状が緩和される可能性があります。

Q 生まれつき耳がありません。手術は可能ですか?

A 小耳症という病気で、10,000人に1人程度の割合で起こります。現在では、日本人の永田医師が考案した永田法という手術法が広く行われています。この方法は2回で一連の手術です。1回目は肋軟骨で耳介の形をつくって、耳をつくるべき部位に埋め込みます。2回目は耳起こし（側頭部に埋め込んだ軟骨を起こし、耳が立っている状態にする）です。どちらも全身麻酔で10日程度の入院となります。当科でもこの永田法を行っています（写真4）。

Q 子宮がんの術後、脚がむくみます。よい治療法はありませんか?

A がんのリンパ節郭清術などで、腕や脚がむくむ病気があります。リンパ浮腫といいます。これは普通のむくみと違って、簡単にはとれません。また、非常に腕や脚が重くなるし、時々炎症を起こして熱を出したり、リンパ液が皮膚から染み出したりします。ストッキングや包帯などを使った理学療法も重要ですが、近年、リンパ管細静脈吻合術という手術が行われるようになり、ある程度の効果が期待できるものとなりました。皮下のリンパ管と皮静脈を吻合する（ぴったりと合わせる）方法です。これによりうっ滞したリンパ液が静脈に流れていきます（写真5）。当科でも、2016年からこの手術を開始し、100例以上の実績をあげています。脚が細くなって軽くなり、なかには杖を使わないと歩けなかったのが、杖がいらなくなったという人もいます。ぜひご相談ください。

写真3　老人性眼瞼下垂

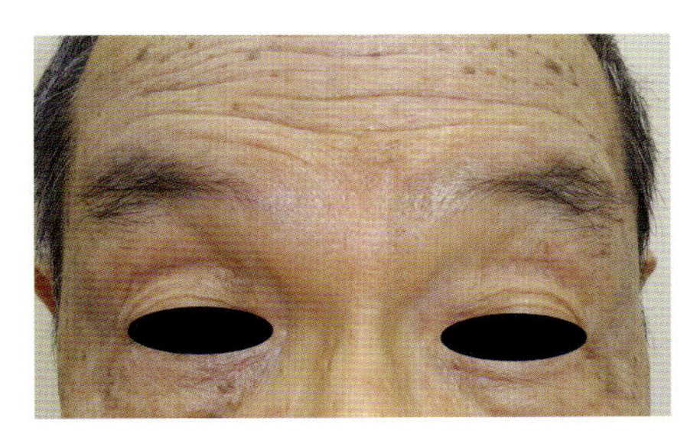

(a)手術前。上眼瞼は下垂し、眉毛が上がって前額部にしわができている。

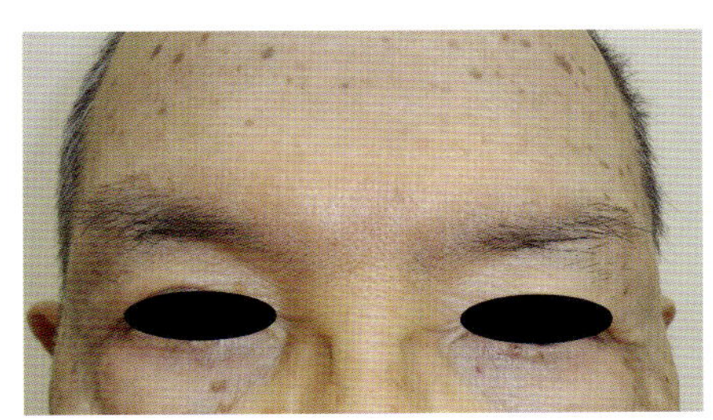

(b)手術後。上眼瞼は上がり、眉毛は下がり、前額部のしわが薄くなった。

写真4　小耳症

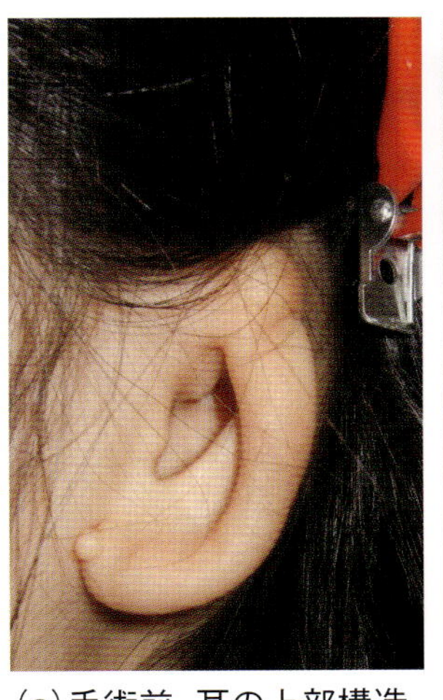

(a)手術前。耳の上部構造がない。

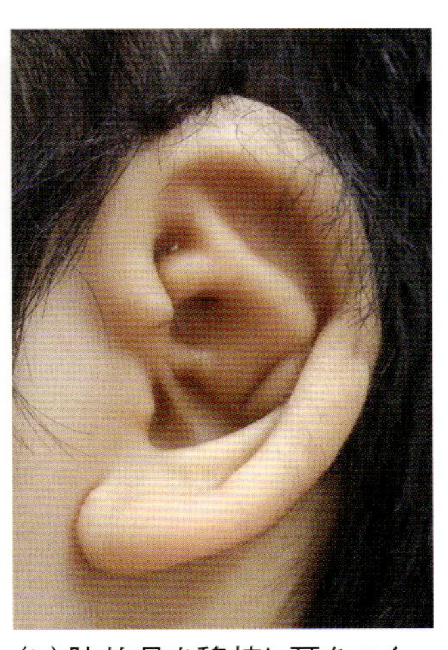

(b)肋軟骨を移植し耳をつくった。

写真５　リンパ管細静脈吻合術前後

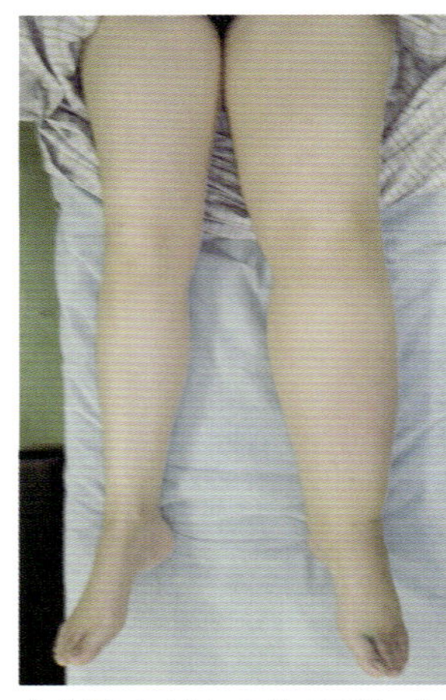

(a)子宮がんの治療後、左下肢にリンパ浮腫が発症した。

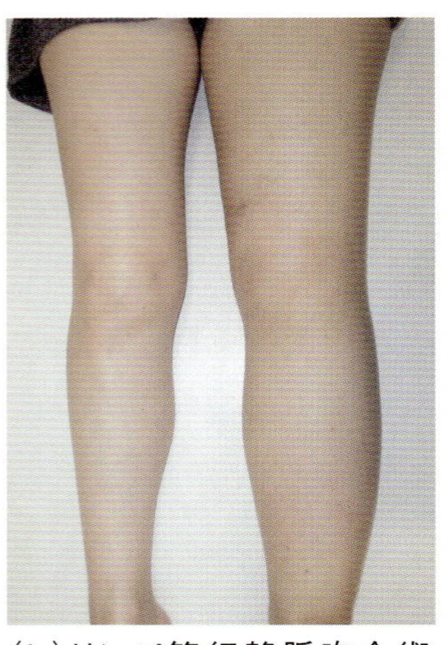

(b)リンパ管細静脈吻合術後。脚が細くなった。

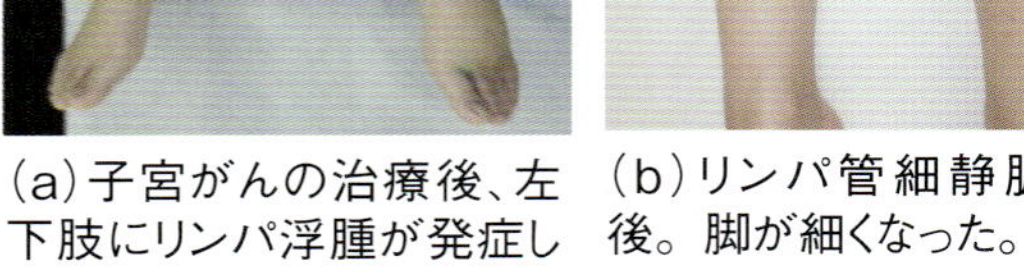

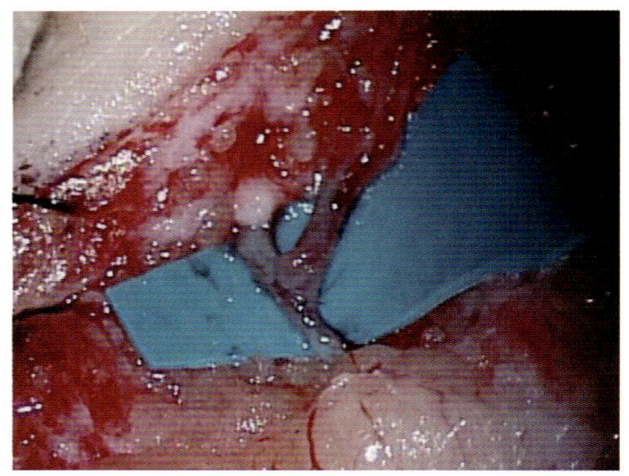

(c)リンパ管と細静脈の吻合部位(2カ所)

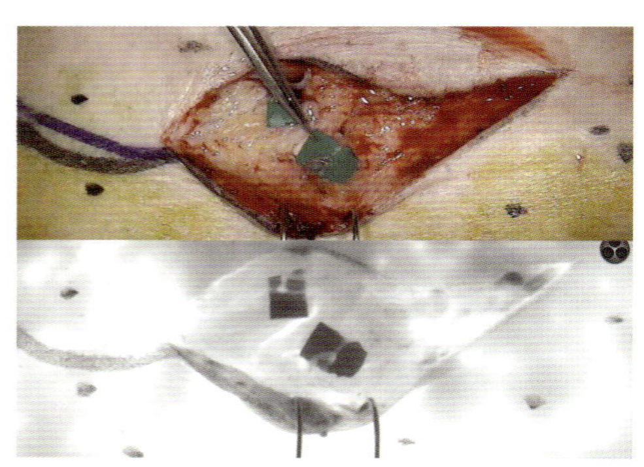

(d)色素と蛍光を利用した術中リンパ管造影。静脈にリンパ管からリンパ液が流入していることがわかる。

Q 乳がんの術後、なくなってしまったおっぱいはつくれないですか?

A 乳がんの術後おっぱいをつくる手術を乳房再建術(にゅうぼうさいけんじゅつ)といいます。再建する時期によって一次再建と二次再建に分けられます。一次再建とは乳がんの切除と同時におっぱいをつくる方法です。二次再建は、以前に、乳がんを切除した患者さんに行うもので、もう何年も経ってしまったからといってあきらめる必要はありません。また、再建材料によっても2つの方法に分けられます。自分の肉（自家組織）を移植しておっぱいをつくる方法と、人工物（シリコンインプラント）を筋肉の下に入れておっぱいをつくる方法があります。残念ながら写真でお見せすることはできませんが、条件が整えば自然な美しい乳房をつくることができます。当科では、乳腺外科と共同で乳房再建を行っており、一次でも二次でも、また、自家組織もインプラントにも対応可能です。どちらも保険適用です。それぞれ利点・欠点がありますので、乳房再建をご希望の方はご相談ください。詳しく説明いたします。

Q 胸がくぼんでいて、他の子よりも疲れやすいです。治せますか?

A 胸がくぼむ漏斗胸(ろうときょう)という病気があります。幼少の頃から変形はありますが、思春期に変形が強くなりやすいです。心臓や肺の機能は正常なことが多いのですが、他の子どもに比べ、疲れやすかったり、運動機能が低下したりするお子さんもいます。当科では、「ナス法」と呼ばれる金属のバー（「ペクタスバー」といいます）を胸郭内に挿入し、約2年半留置して、胸郭の変形を矯正する手術を、呼吸器外科の協力のもと安全に行っています（写真6）。

Q 仕事中に機械に顔をはさまれ顔の骨に大けがを負いました。もとの通りになりますか？

A 形成外科は、顔の骨折を専門に治療しています（写真7）。できるだけ目立たないところを切開し、顔に大きな手術跡を残すことなく、可能な限りもとに戻します。

そのほかにも、顔面神経麻痺に対して神経や筋肉の移植をして動きを回復させたり、さまざまな先天奇形の治療を行ったりもしています。動画や写真でお見せできないこともあり、紹介していませんが、お困りのことがあったらご相談ください。

写真6　漏斗胸

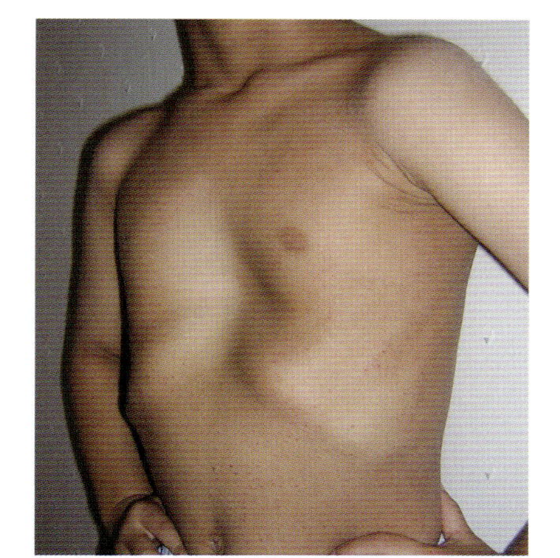

(a)手術前の胸郭

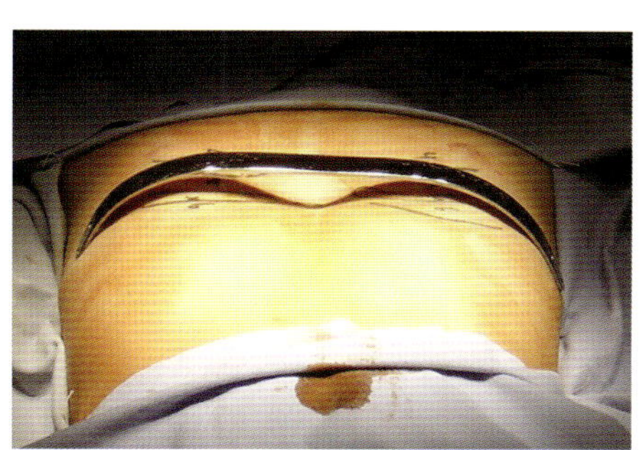

(b)胸郭に挿入するペクタスバー

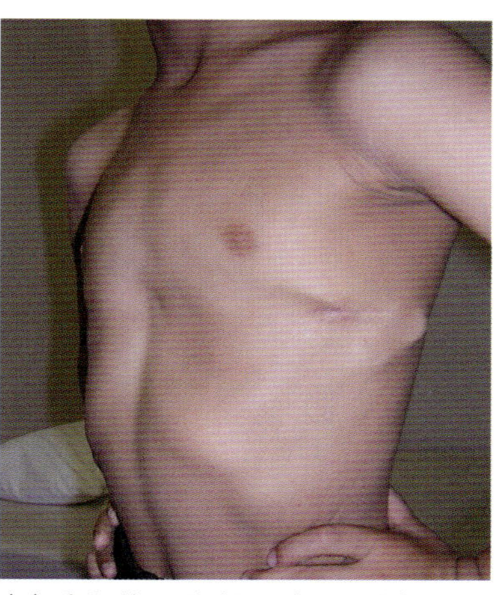

(c)手術後。胸郭の陥凹は矯正されている。まだペクタスバーが入っている。

写真7　多発顔面骨折

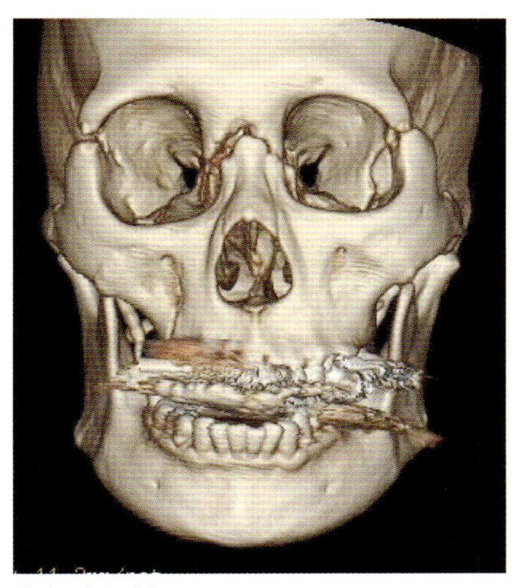

(a)手術前

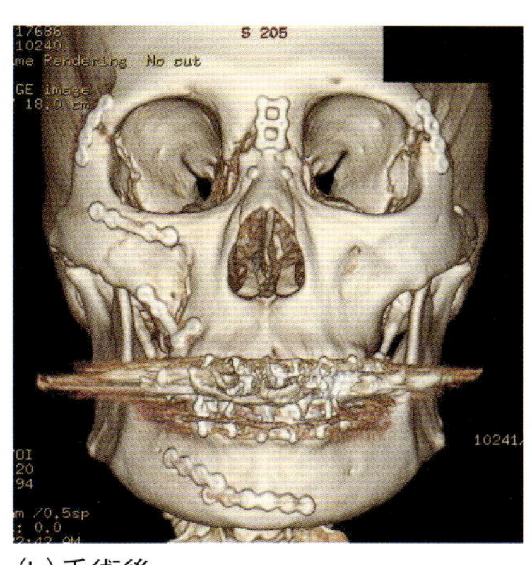

(b)手術後

なかなかよくならない皮膚の病気、どうしたらよいでしょうか？

すごい!! 皮膚にできるすべての病気を診療します。他の病院でなかなか治らない方はぜひ当科にご相談ください

わたしたちがお答えします。

皮膚科　准教授
周 円（しゅう えん）

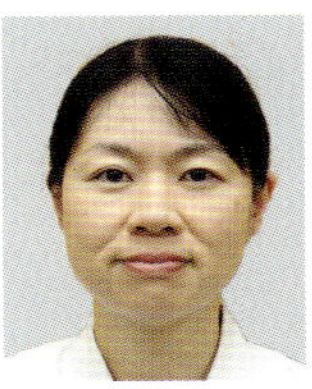

皮膚科　講師
水谷 陽子（みずたに ようこ）

皮膚科　臨床講師
水谷 有希（みずたに ゆき）

Q 乾癬（かんせん）といわれました。治療法は？

A 乾癬の治療は塗り薬（外用薬）以外に、紫外線、内服、注射、血液浄化療法など有効な治療がいろいろあります。

乾癬は、赤い皮疹（ひしん）に白いカサカサの鱗屑（りんせつ）が付着するのが特徴で、半数の人では痒（かゆ）みがあります。身体のどこにでもできますが、頭、すね、肘、膝、おしりなどに多くみられます。“かんせん”といっても、“感染”することはありません。日本人では1,000人に3人程度の割合で発症しますが、欧米ではその約10倍も発症しており、珍しい病気ではありません。また、乾癬の方の10人に1人は関節に痛みがあり、「関節症性乾癬（かんせつしょうせいかんせん）」とか「乾癬性関節炎（かんせんせいかんせつえん）」と呼んでいます。特に手足の指やアキレス腱（けん）のあたりに痛みや腫れがあります。

当院では毎週月曜日の午後に乾癬外来で、専門的な治療を行っています。外用療法（活性型ビタミンD3（ディースリー）軟膏（なんこう）、ステロイド軟膏）、紫外線療法（PUVA（プーヴァ）療法、ナローバンドUVB（ユーブイビー）療法）、内服療法（レチノイド製剤、シクロスポリン、アプレミラスト、メトトレキサート）を併用し治療しています。重症の乾癬や関節痛のある患者さんに対しては、生物学的製剤という注射薬も積極的に導入し、症状が劇的に改善した患者さんは多くおられます（写真1）。現在は10種類の生物学的製剤を使用することができますが、患者さんの生活スタイルや年齢、合併症の有無などを考慮して、患者さん一人ひとりに合った製剤を選択しています。また、新しい治療の協力施設として、積極的に乾癬治療薬の治験に参加しています。

膿疱性乾癬（のうほうせいかんせん）、掌蹠膿疱症（しょうせきのうほうしょう）では、血液浄化治療部門と協力して好中球（こうちゅうきゅう）・単球（たんきゅう）吸着療法も行っています（写真2）。これは活性化した好中球や単球の一部を血液から取り除くというもので、1週間に1回、1回1時間ほど行い、大変効果的です。当院も参加した多施設での研究では、8割以上の方に効果がありました。

現在の乾癬の治療は以前と比べ選択肢がとても多くなりました。多くの乾癬の患者さんが、毎日お薬を塗らなくても皮疹のない状態を保つことができるように、一人ひとりに適した最新の治療を提供し、患者さんのQOL（キューオーエル）（生活の質）の向上をめざしています。

写真1　乾癬

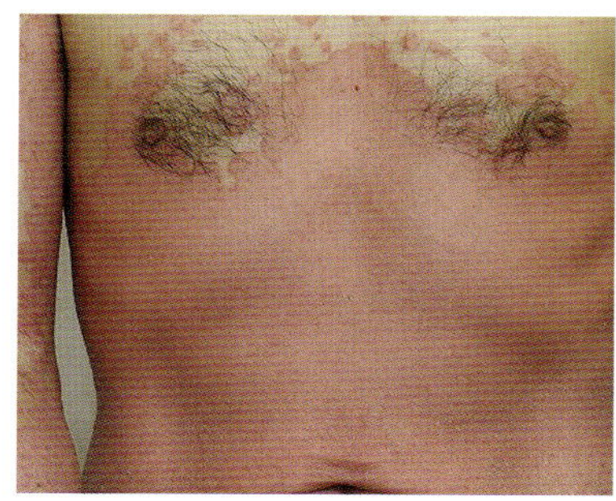
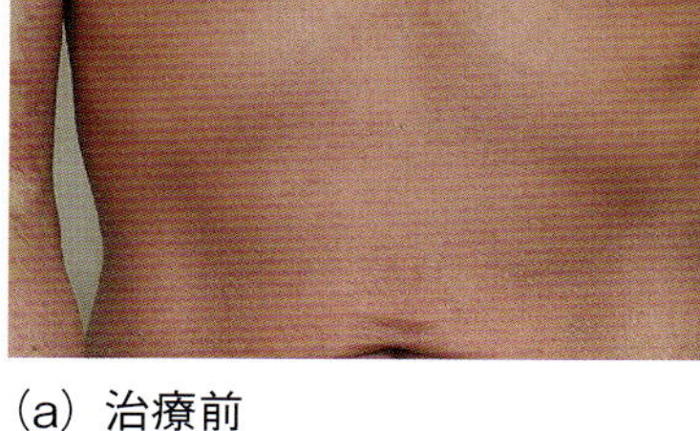

(a) 治療前　(b) 生物学的製剤治療後

写真2　膿疱性乾癬

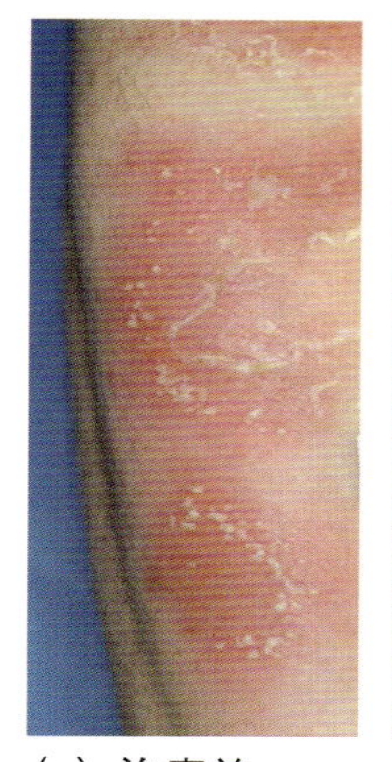
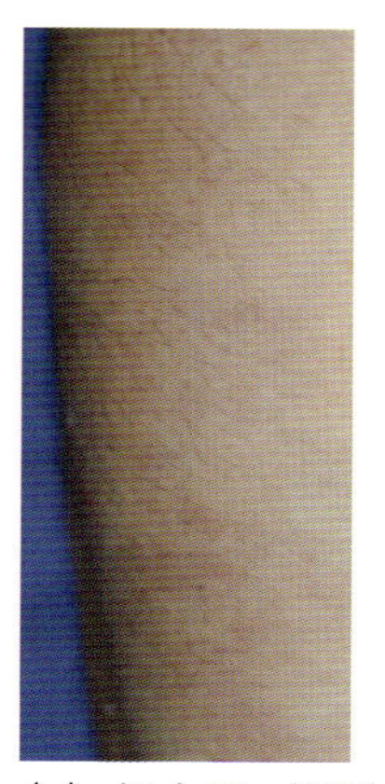

(a) 治療前　(b) 好中球・単球吸着療法後

Q メラノーマの疑いがあるといわれました。メラノーマって？

A メラノーマの疑いがあるといわれたら、詳しい検査や治療が必要です。皮膚科専門医がいて、詳しい検査のできる病院をなるべく早く受診してください。

まずメラノーマとは何かご説明しましょう。皮膚にはメラノサイト（色素細胞）といってメラニンという色素をつくる細胞があります。この細胞が、がん化したものがメラノーマ（悪性黒色腫）です。通常黒いので「ほくろのがん」といわれますが、良性のほくろが簡単にメラノーマになるわけではありません。良性のほくろだと思っているもののなかにメラノーマが混じっていると考えたほうがわかりやすいと思います。日本人では手足の裏に黒いしみができたり、爪にある黒い線が太くなったりして、そのうち、できものができることが多いです（**写真3**）。

次に当院での治療についてです。当院は岐阜県がん診療連携拠点病院であり、皮膚科でもメラノーマ、有棘細胞がん、基底細胞がんなど、さまざまな皮膚がんの初期診断から、手術やその後の経過観察まで行っています。他の施設で診断を受けて当院で治療を受ける方もたくさんおられ、県内では最も多くのメラノーマの患者さんを

写真3　メラノーマ

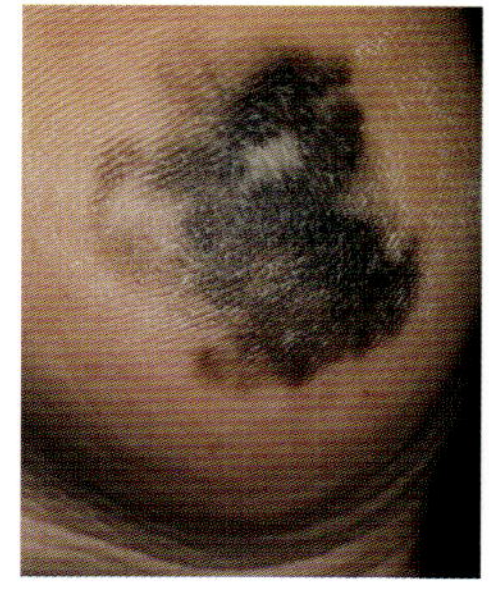
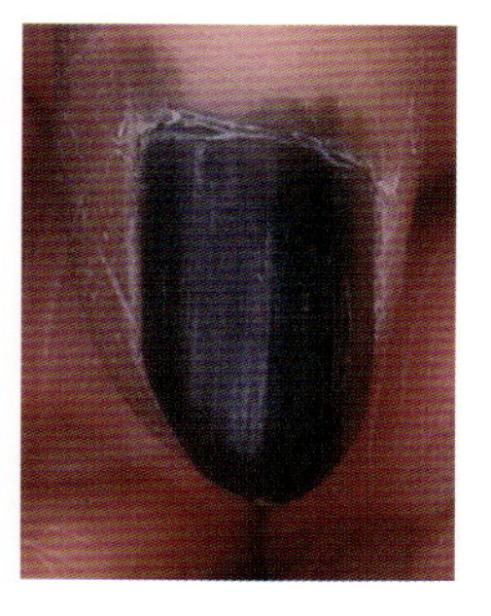

(a) かかとのメラノーマ　(b) 母指爪のメラノーマ

治療しています。

メラノーマでは、①形が非対称、②縁どりが不整、③色が不均一、④拡大傾向（大きさが6mm以上）、⑤盛り上がっている、などの見た目の異常所見のほかに、ダーモスコピーという特殊な拡大鏡を用いて詳細な観察を行い診断します。

治療は進行度（病期）によって異なります。基本的にはまず手術で広めに切除し、センチネルリンパ節生検といって、がんの病巣からがん細胞が流れていく最初のリンパ節（センチネルリンパ節）に転移があるかないかを検査して、術後に点滴治療を行うか、リンパ節全部を切除するかどうかを決めるようにしています。

進行期のメラノーマでは、ニボルマブ（商品名:オプジーボ®）やイピリムマブ（商品名:ヤーボイ®）、ペンブロリズマブ（商品名：キイトルーダ®）という

点滴の薬剤を使って効果をあげています。また、BRAF(ビーラフ)という遺伝子の変異のあるメラノーマの場合には、分子標的薬という種類に含まれるBRAF阻害薬とMEK(メック)阻害薬という2種類の飲み薬を併用して、治療することができます。

メラノーマの患者さんは主として月曜午前の腫瘍外来で定期検査を行い、経過をみせてもらっています。メラノーマ治療は飛躍的に進歩しましたが、早期発見、早期治療が大切なことは言うまでもありません。

Q アトピー性皮膚炎で困っています。ステロイドの塗り薬は怖いと聞きます……大丈夫でしょうか?

A 皮膚科専門医の指導のもとに、アトピー性皮膚炎に対して適切な種類、量のステロイドの塗り薬を塗ることは問題ありません。副作用がないかを定期的にチェックしていれば安心してアトピー性皮膚炎の治療を行うことができます。症状の重症度、範囲、部位に応じてステロイド外用薬の強さや外用回数、外用量を調整しながら治療していきます。また、ステロイド以外の塗り薬や保湿剤と組み合わせるなど工夫して治療します。ステロイド以外の塗り薬としてはタクロリムス軟膏(商品名:プロトピック®軟膏)に加え、新しくデルゴシチニブ軟膏(商品名:コレクチム®軟膏)が登場し、アトピー性皮膚炎の治療の幅が広がっています。

アトピー性皮膚炎は先天的なアトピー素因に、環境因子が加わって発症する慢性の皮膚炎です(**写真4**)。症状には年齢による特徴があり、季節によって悪くなったり良くなったりをくり返すこともよくあります。塗り薬や飲み薬による治療だけでなく、ストレスやアレルギーなどの悪化因子がないかを検索し、それらを除去すること、毎日の入浴やス

写真4　アトピー性皮膚炎の症状

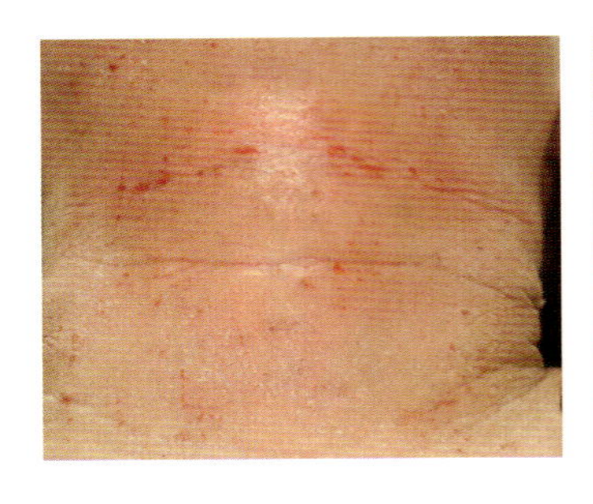

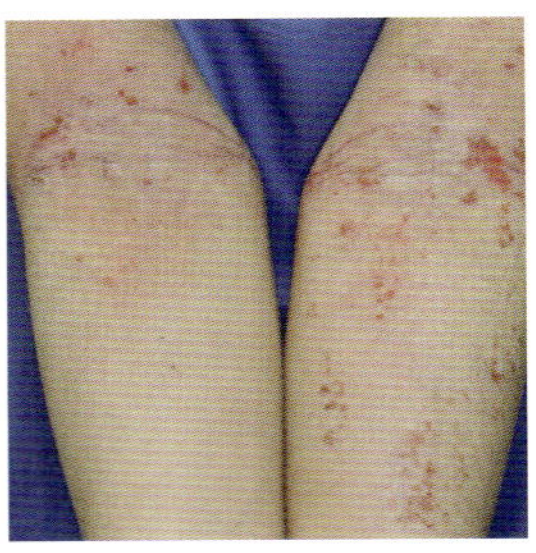

キンケアを行い、皮膚のバリア機能を改善するよう努力することも必要です。根気よく治療を続けていけるよう、私たちもしっかりサポートしていきます。

当科では現在、毎週水曜日の午後にアトピー外来を行っています。「アトピー性皮膚炎診療ガイドライン」の標準的治療を基本としながら、個人個人の生活環境や治療に対する希望などを十分時間をかけて聞くよう心がけ、柔軟性をもって診療に当たっています。外来でうまく治療できない場合や重症の場合には、入院治療も行っています。塗り薬の正しい塗り方を入院中にマスターできるよう指導し、良好な治療成績をあげています。

重症アトピー性皮膚炎に対しては、免疫抑制薬(めんえきよくせいやく)の内服療法(シクロスポリン、商品名:ネオーラル®)や紫外線療法を行うこともあります。それでも皮疹や痒みがよくならない場合には、注射薬(デュピルマブ、商品名:デュピクセント®)による治療も行っていますので、重症であっても外来通院で治療することが可能です。症状や生活スタイルに合わせて最善の治療が行えるよう努めています。

Q 生まれたときから顔にあざがあります。レーザー治療は受けられますか?

A 当院のレーザー外来では毎週木曜日の午後に保険適用のある血管腫(けっかんしゅ)、太田母斑(おおたぼはん)、異所性蒙古斑(いしょせいもうこはん)、外傷性刺青(がいしょうせいしせい)、扁平母斑(へんぺいぼはん)のレーザー治療を行っています。

写真5　いちご状血管腫

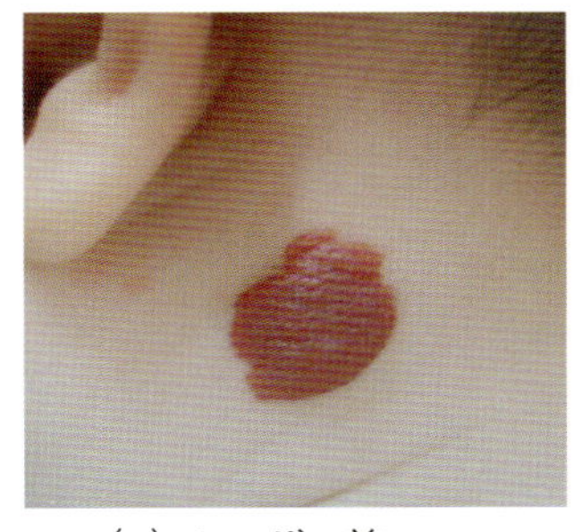

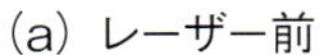

(a) レーザー前

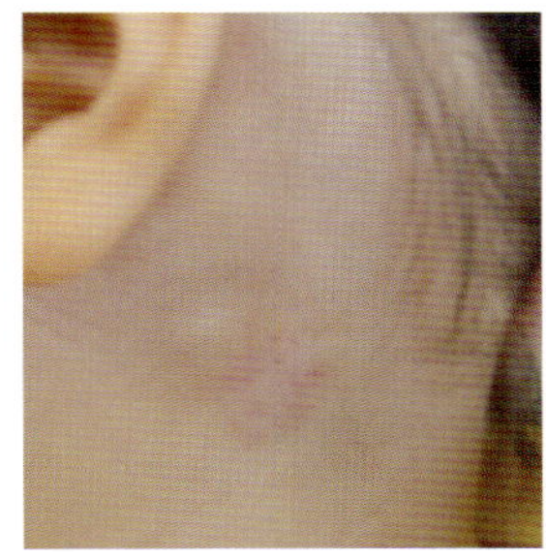

(b) レーザー後

写真6　太田母斑

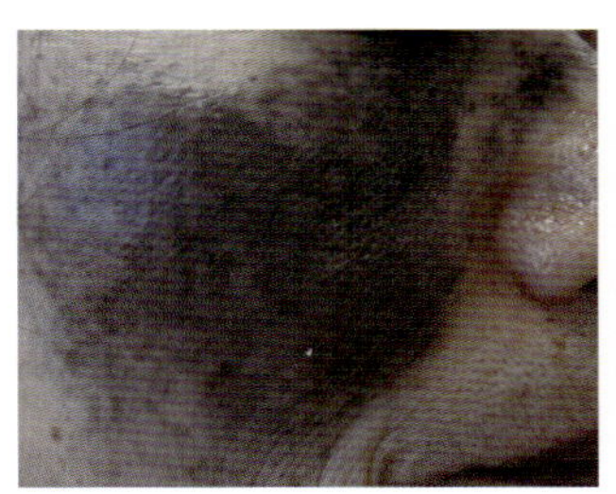

(a) レーザー前

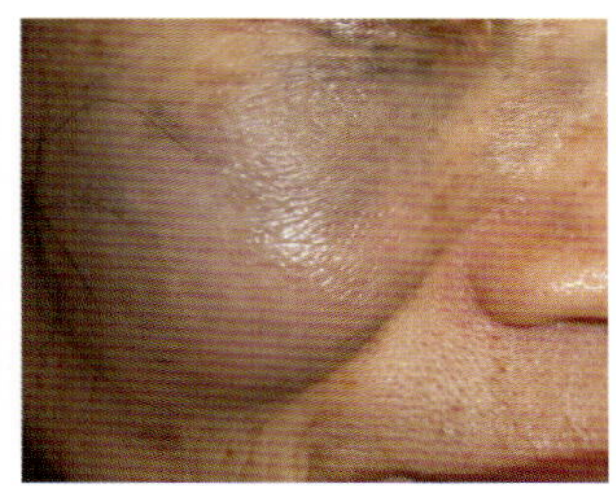

(b) レーザー後

写真7　扁平母斑

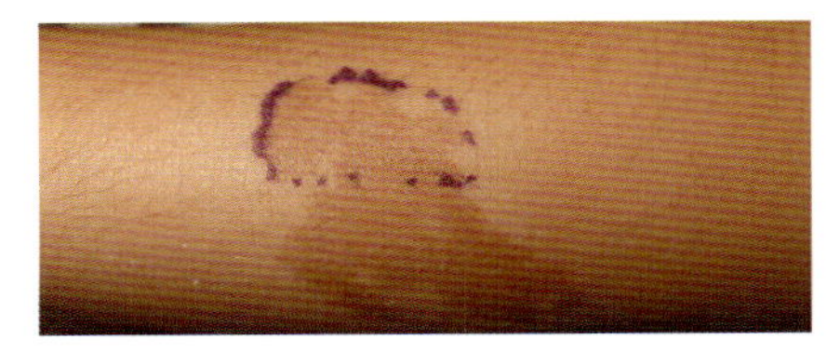

(a) レーザー前

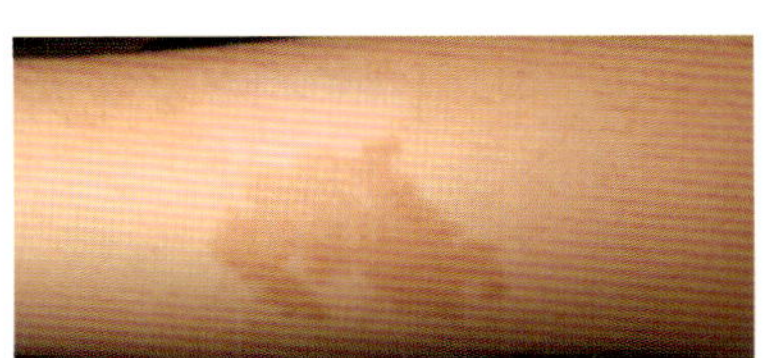

(b) 1回レーザー後

(c) 2回レーザー後

赤あざ（単純性血管腫、乳児血管腫）などの血管性病変の治療にはダイレーザーを、青あざや茶あざ（太田母斑、異所性蒙古斑、外傷性刺青、扁平母斑）には、Q（キュー）スイッチアレキサンドライトレーザーを使用しています（写真5、6、7）。乳児血管腫は自然消退するため経過観察することが多いのですが、大きさや症状、部位によっては重篤な機能障害をきたすため、早期から内服薬（プロプラノロール、商品名:ヘマンジオル®シロップ）で治療することもあります。ただし内服薬には副作用のリスクがあるため、当院では小児科医の観察下で慎重に治療を行います。

レーザー治療は1回の治療で完治するわけではなく、数回の照射が必要なこともあります。また、治療効果を判定するために初回に小範囲をテスト照射する場合もあります。そのため、治療は数カ月から数年かかることもあります。レーザー治療は有効な治療法ですが、病変の深さや皮膚の性質などにより、効き方に個人差があります。

また、レーザー照射時には、輪ゴムではじかれたような一瞬の痛みがありますが、当院では麻酔のテープやクリームを使って痛みを和らげながら治療しています。

Q 円形脱毛症（えんけいだつもうしょう）で脱毛がどんどん広がっています。治療法は？

A 円形脱毛症の治療には塗り薬以外に局所免疫療法（きょくしょめんえきりょうほう）、ステロイド局所注射、ステロイド内服、ステロイドパルス療法、紫外線療法などがあります。年齢や、脱毛の進行期なのか症状固定期なのか、脱毛面積などによって治療法が異なります。

当院では、毎週水曜の午後の脱毛症外来で、その患者さんに合った治療を行っています。脱毛の専門外来のある皮膚科は東海地区には少ないため、遠方からも患者さんが来られます。外来での局所免疫療法やステロイド局所注射が主体ですが、進行期で重症の患者さんでは3日間の入院でステロイドミニパルス療法を行い、良好な治療成績をあげています。

前立腺がん、腎移植について教えてください

すごい!! 転移があってもあきらめない。手術、放射線、薬物療法で前立腺がん根治をめざします！　また、県下唯一の腎移植施設機能を維持します

わたしたちがお答えします。

泌尿器科
教授
古家 琢也

泌尿器科
准教授
中根 慶太

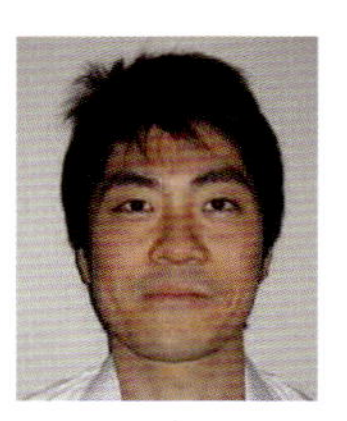

泌尿器科
講師
飯沼 光司

泌尿器科
助教
加藤 大貴

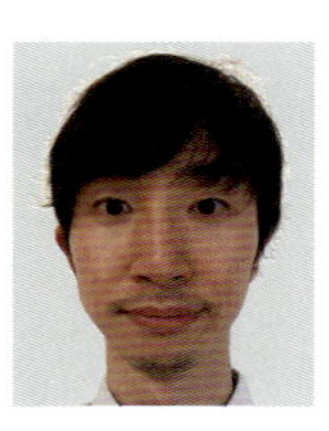

泌尿器科
助教
髙井 学

Q PSA値が高く、前立腺がんの疑いがあるといわれました。どうすればよいですか?

A　PSA（前立腺特異抗原）は前立腺がんの診断に必要な腫瘍マーカーです。正常値は4ng/mL以下です。PSA値が高くなるほど、前立腺がんと診断される確率が高くなります。PSA値が高い場合、確定診断のために前立腺生検（前立腺の組織検査）を行いますが、PSA値が4〜10ng/mLと比較的軽度な異常値の場合、前立腺生検でがんがみつかる確率は40〜50%とされています。

当院では、前立腺ＭＲＩを行い、MRI画像と超音波画像とを融合して行うMRI-経会陰超音波融合画像ガイド下前立腺生検を行っています。この方法を用いることで、通常よりも高いがん検出率（約70%）を得ることが可能となり（図1）、また不必要な検査をさけることができています。

Q 前立腺がんと診断されました。転移はないと聞いています。どのような治療がありますか?

A　「転移のない前立腺がん」には、がんが前立腺外に浸潤がない「早期の前立腺がん」と、転移はないものの、がんが前立腺外に浸潤している「局所進行前立腺がん」があります。早期の前立腺がんに対する治療には、積極的PSA監視療法、手術療法（前立腺全摘除術）、小線源療法、放射線外照射療法、ホルモン療法（内分泌療法）など複数の選択肢がありますが、当院ではこれらいずれの治療にも対応できます。

手術療法では、出血量が少なく、安全性が高いロボット支援下手術を行っています。手術療法の欠点として、術後におなかに力を入れたときに尿が漏れる腹圧性尿失禁があります。ロボット支援下手術では術後の尿禁制（尿が漏れないこと）の回復が早いとされています。当科での尿禁制獲得率（尿失禁が少なく、念のためにパッドを当てている状態）を表にお示しします。前立腺にか

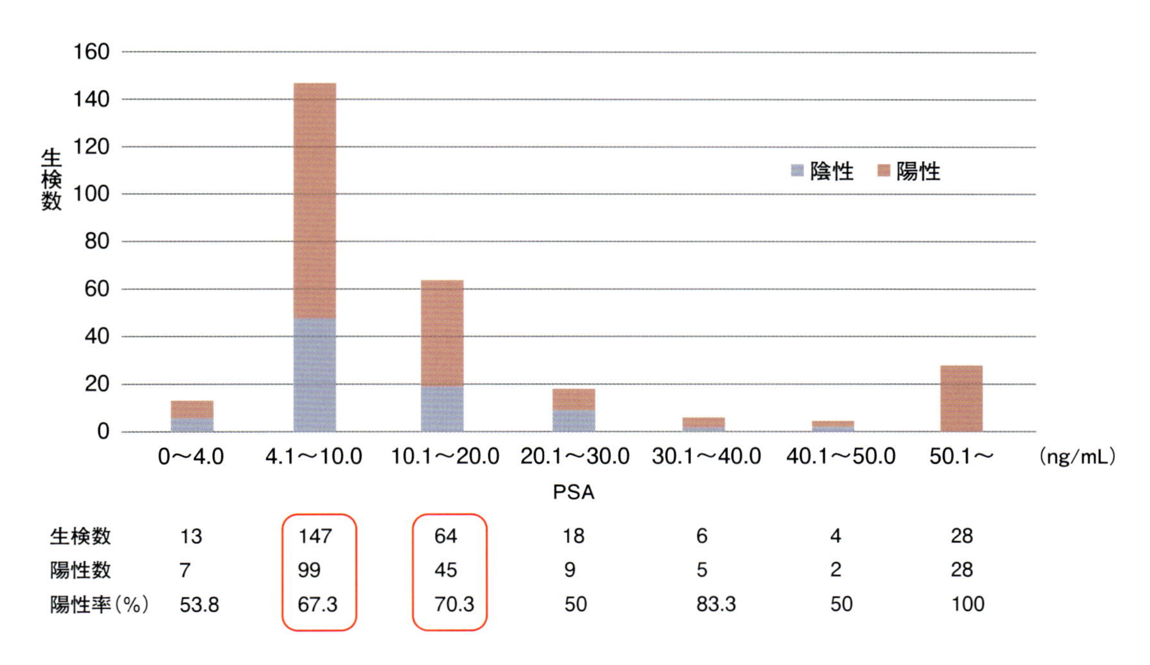

	0～4.0	4.1～10.0	10.1～20.0	20.1～30.0	30.1～40.0	40.1～50.0	50.1～
生検数	13	147	64	18	6	4	28
陽性数	7	99	45	9	5	2	28
陽性率(%)	53.8	67.3	70.3	50	83.3	50	100

図1　PSAとがん陽性率

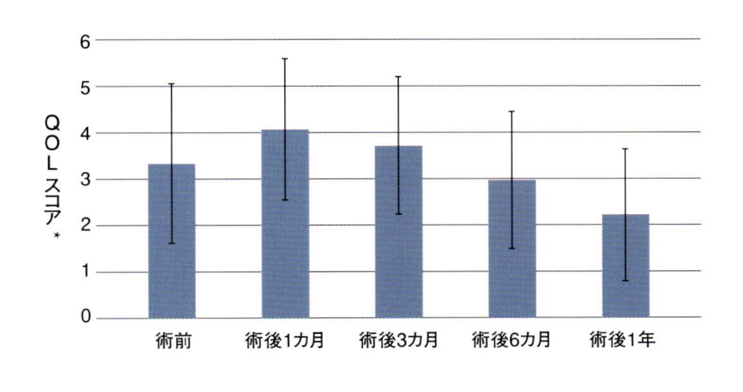

図2　IPSS-QOL

IPSS：国際前立腺症状スコア
*QOL スコア：点数が高いほど現在の排尿状態に不満を感じている状態

表　術後尿禁制獲得率

	術後１カ月	術後３カ月	術後６カ月	術後１年
術後尿禁制獲得率（%）	45	67	87	93

かわる排尿状態のQOL（キューオーエル）（生活の質）に関しては、図2のように術後一過性に低下しますが、術後6カ月以降で術前とほぼ同等以上となります。2021年3月より、手術用ロボット2台を運用する体制が整い、患者さんをお待たせする時間が短くなっています。

放射線を利用した治療には、放射線を前立腺内から照射する小線源療法と、体外から照射する外照射療法があり、小線源療法について、当院ではヨウ素125（I-125）を密封した線源を前立腺内に永久挿入する方法（I-125密封小線源永久挿入療法）を採用しています。一方、

外照射療法については、当院では、正確に照射範囲を決定できる強度変調放射線治療（IMRT）を行っています。

局所進行前立腺や、早期がんでも悪性度の高いがんの場合は、手術や放射線療法後に再発を起こしやすいといわれています。局所進行前立腺がんに対しては、薬物療法を併用しつつロボット手術や放射線療法を行い、根治をめざしています。

Q 前立腺がんと診断されました。骨に転移していると聞いています。どのような治療がありますか？

A 薬物療法が主体となりますが、転移数が少ない患者さんの場合、十分検討したうえで手術療法、放射線治療も複合的に用いて治療を行います。

転移のない前立腺がんと比べ、前立腺の近くのリンパ節や、肺や骨など他の臓器に転移がある前立腺がんは、根治が困難です。病状を改善し、病状の進行を遅くしてお元気でいる時間を長くすることを目的とした薬物療法が主体となります。

近年、転移数が少ない患者さんでは、転移があっても薬物療法に加えて原発巣である前立腺に対する局所的な治療も有効とする報告があり、当科でも薬物療法や手術療法、放射線治療を併用した治療で根治をめざしております。他院で転移があるから治療法がないといわれた場合、ぜひ当院にご相談ください。患者さんにあった治療を提示し、根治をめざすべく努力いたします。私たちは決してあきらめませんので、安心して治療をお任せいただければと思います。

Q どんな人が腎移植を受けられますか？

A 腎不全（じんふぜん）の治療には透析療法（とうせきりょうほう）と腎移植があります。腎移植は、腎不全で腎臓が機能しなくなった方に他の方の腎臓を移植し、その人の腎臓として働くようにさせる治療です。腎移植には健康な家族から提供を受ける「生体腎移植（せいたいじんいしょく）」と、亡くなられた方から提供していただく「献腎移植（けんじんいしょく）」があります。

まず生体腎移植では、原則的にはほとんどの

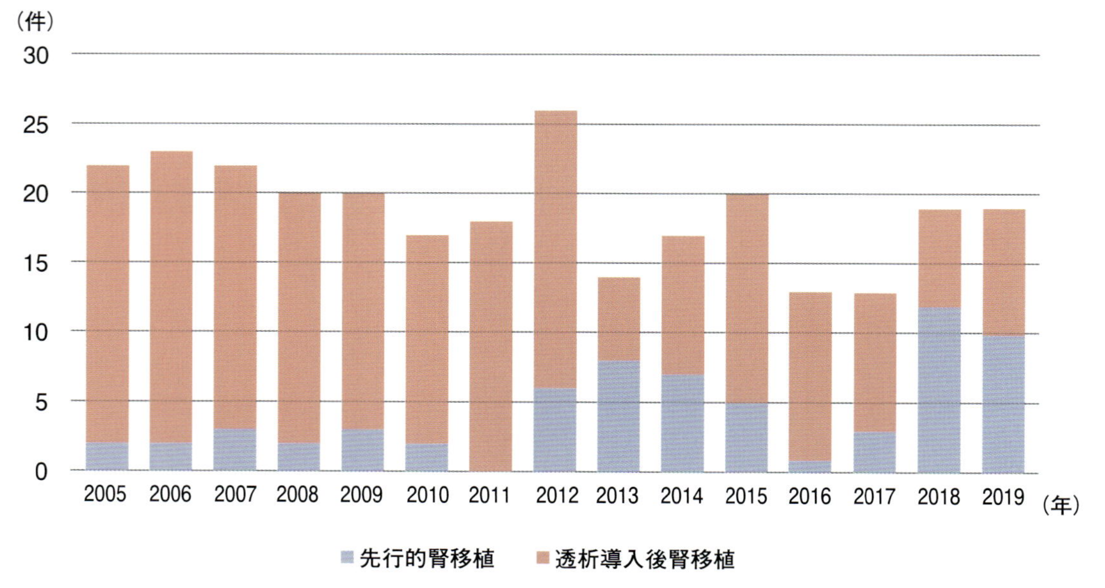

図３　当院における透析導入後腎移植数および先行的腎移植数

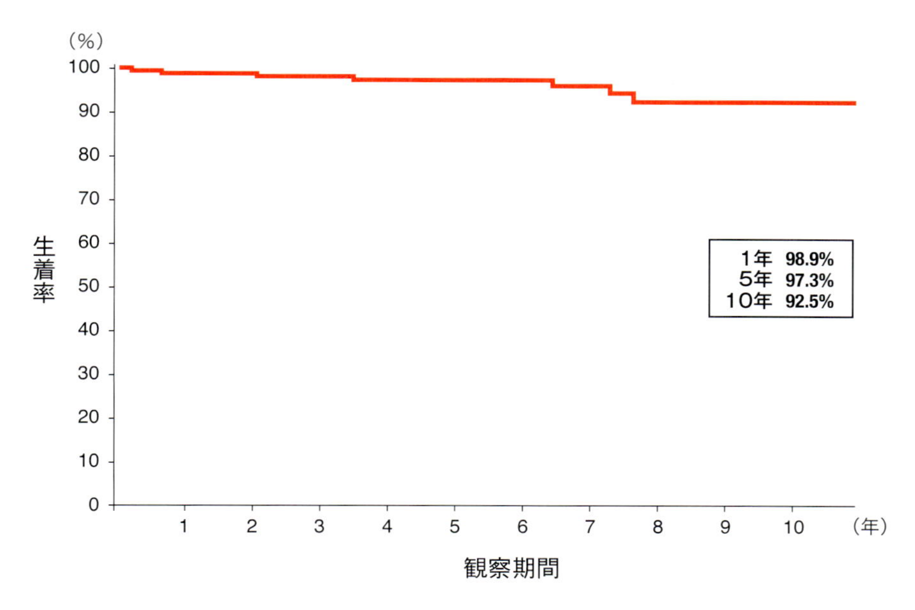

図4　当院における生体腎移植の移植腎生着率

腎不全患者さんに腎移植の適応がありますが、全身（活動性）感染症、活動性肝炎、悪性腫瘍（がん）の存在が移植の禁忌とされています。最近では、透析治療を始める前に生体腎移植を行う「先行的腎移植」が増えてきています。透析治療開始前に腎移植を行うほうが透析治療導入後に移植をするよりも成績が優れているとされており、全国的に広まっています。当院でも2005年から先行的腎移植を行っており、最近ではさらに増加傾向にあります（図3）。また、近年では拒絶反応をおさえる免疫抑制薬にも新しい強力な薬剤が普及しており、移植成績は飛躍的に向上しています。当院での移植腎の10年生着率は90%を超えており、腎移植した100人のうち90人以上の腎臓が10年機能していることになります（図4）。

生体腎移植はドナー（腎臓の提供者）とレシピエント（移植を受ける方）の血液型が異なっていても問題なく行うことが可能です。また、最近、夫婦間移植が増えてきており、免疫抑制薬の進歩によって、親子間移植や兄弟間移植に劣らない移植成績を得られるようになりました。移植を受ける年齢に関しては70歳くらいまでを1つの目安としている医療施設が多いですが、患者さんそれぞれの合併症の種類、程度によって、年齢的な制限は変わってきます。

当院にはレシピエント移植コーディネーターが在籍していますので、いつでも気軽に相談することができます。

献腎移植の場合の適応も原則として生体腎移植と同じですが、献腎移植を受けるには、事前に日本臓器移植ネットワークに登録し透析治療を継続しながら移植の機会を待つことになります。日本では、献腎移植希望者数に比べて献腎の提供数が少なく、登録から10年以上待たないと移植を受けることができないのが現状です。詳しい説明をお聞きになりたい方は、移植施設、日本臓器移植ネットワーク、岐阜県ジン・アイバンク協会にお問い合わせください。

うつ病、統合失調症はよくなりますか？

すごい!! 児童・思春期のお子さん（神経発達症など）から高齢者の方（認知症など）まで幅広く、すべての精神科の疾患の診断・治療に対応します

わたしたちがお答えします。

精神科　教授
塩入（しおいり） 俊樹（としき）

精神科　助教
杉山（すぎやま） 俊介（しゅんすけ）

Q わたしってもしかしてうつ病かも……うつ病について教えてください

A「仕事で上司に怒られた」、「試験に落ちた」、「恋人と別れた」などの理由で気分が落ち込み、やる気や元気がなくなってしまうことは誰もが経験するものです。このような気分の落ち込みと、うつ病の違いは何でしょうか。見分けるポイントの1つは、「気分の落ち込みがどのくらい長く続いているか」ということです。ちょっとした気分の落ち込みであれば2、3日もすれば回復しますが、うつ病は憂うつな気分がほとんど1日中、ほとんど毎日、2週間以上続きます。また、仕事や家事はおろか、友だちと遊びにいったり、趣味をしたり、新聞やテレビをみることすらできなくなります。このようにうつ病は、日常で経験する落ち込んだ気分とは質的にも量的にも明らかに異なります。

うつ病になりやすいタイプとして、典型的には、まじめで責任感が強い人が多いということがいわれていますが、どんな性格の人でもうつ病になる可能性があります。15人に1人は生涯に一度はうつ病にかかるといわれています。また、男性よりも女性のほうが3倍うつ病になりやすいとされています。年齢別では若年層（20〜30歳代）が多いですが、日本では中高年層（40〜60歳代）にも多いという特徴があります。

うつ病の症状は、こころとからだの両方に現れます。こころの症状で特に重要な症状が“抑（よく）うつ気分”と“興味・喜びの喪失”です。からだの症状では、不眠、疲労感、食欲不振、頭痛、めまいなど、いろいろな症状が現れます。うつ病患者さんが、からだの症状を訴えて内科などを受診し、いろいろな検査をしても原因がわからないということがよくあります。

うつ病の治療は、薬による治療と十分な休養が2本柱です。当科でも年間約500人のうつ病患者さんの治療に当たっています。精神科と聞くと少しためらわれる気持ちがあるかもしれませんが、基本的には内科などと同じような診察から治療までの流れですから、特別なものとして考える必要はありません。当科の特徴として、大学病院でありながら、軽症の患者さんから入院が必要な重症の患者さん、また子どもから高齢の方まで幅広く診察しています。さらに当科では、最重度のうつ病患者さんに対して行われる「修正型電

気けいれん療法」という特殊な治療を、麻酔科と連携して年間約300件行っており、患者さんの早期回復をめざしています。精神科病院への入院に抵抗のある休養目的のうつ病患者さんも随時対応しております。治療には少し時間がかかることもありますが、ゆっくりと休養をとり、薬による治療で少しずつよくなっていきます。

Q 統合失調症ってどんな病気？

A 統合失調症は特別な病気ではありません。統合失調症はうつ病と並んで代表的な精神疾患であり、およそ100人に1人がかかる頻度の高い病気です。発症は10歳代後半～30歳代が多く、発症の頻度に男性と女性で差はありません。

統合失調症の原因は今のところ明らかではありませんが、何らかの脳の機能異常と心理社会的なストレスなどの相互作用が関係すると考えられています。決して育て方や家庭環境が原因で病気になるわけではありません。

統合失調症は、思考や行動、感情を1つの目的に沿ってまとめていく能力、すなわち統合する能力が長期間にわたって低下する病気です。症状は多彩ですが、大きく分けて「陽性症状」、「陰性症状」、「認知機能障害」と呼ばれる症状があります。陽性症状には、他の人が経験していないような音や声が聞こえたり、ものが見えたりする「幻覚」や、真実ではないことを信じてしまう「妄想」などがあります。陰性症状とは、気力ややる気が欠落している状態です。人と話したくなくなったり、自分の外見をほとんど気にしなくなったりします。認知機能障害とは、集中力や学習に問題がある場合を指します。何かに集中できなくなったり、新しい情報を習得するのに困難を感じたりする症状です。陽性症状は発病後まもない急性期や再発のときにみられます。陰性症状や認知機能障害は発症したときは陽性症状に隠れてしまっていますが、発症したときから長期間みられる症状です。

Q 統合失調症はよくなりますか？

A 統合失調症の経過は人によってさまざまですが、よくなったり悪くなったりをくり返しながら徐々に回復していきます。多くの人が適切な治療によって、陽性症状、陰性症状、認知機能障害を改善することができます。焦らずゆっくり治療を続けることが大切です。

統合失調症の治療は薬物療法を中心として、心理的なサポートやリハビリテーションを組み合わせて行います。最近では、新しい薬が開発され、従来の薬では効果が乏しかった陰性症状や認知機能障害の改善効果も望め、また副作用の発現も少なくなっています。早期に適切な治療を行うことによって、今では多くの患者さんが回復し、社会復帰をしています。

当科では年間約400人の患者さんが治療を受けておられます。当科の特徴としては比較的若い患者さんが多く、再び社会参加ができるよう、さまざまな職種のスタッフがチームとなり、回復を支援しています。

また、いろいろな薬を使っても症状が改善しない患者さんに対しては、クロザピンという薬を使用して治療を行っています。クロザピンは統合失調症の薬で、最も効果が期待できますが、出現の頻度は低いですが無顆粒球症という重篤な副作用の出現の可能性があるため、内科と連携して治療ができる病院（県内では当院を含めて2施設）でのみ使用が許可されています。使用する際は、入院していただいてから投与を開始します。

Q パニック症（パニック障害）ってどんな病気？ 治療は？

A 青天の霹靂のごとく、突然、動悸、呼吸困難感、発汗のような身体症状が急激に出現し、そのために「死んでしまうのではないか」とまで恐怖してしまう“パニック発作”と、「また、発作が起こったらどうしよう」という“心配（予期不安）”が生じるものです。

治療法には、大きく分けて、「薬物療法」と「認知・行動療法」の2つがあります。

薬物療法で用いる主な薬には、抗うつ薬と抗不安薬があります。抗うつ薬はその名の通り、うつ病の治療薬ですが、不安にも効果があるためパニック症にも使用されます。

認知･行動療法は、大きく5つからなっています。具体的には、①心理教育、②継続的なパニック症状の観察、③不安をおさえる技術の習得、④認知再構成、⑤実地（さけている場所）での曝露（曝露療法）です。これらを適切に用いて治療を行っていきます。

Q 不眠症ってどんな病気？ 治療は？

A 不眠症の定義は、“1日〇時間以下の睡眠”というように、睡眠時間で決めることはできません。「睡眠障害国際分類 第2版」では、「睡眠の開始と持続、一定した睡眠時間帯、あるいは眠りの質にくり返し障害が認められ、眠る時間や機会が適当であるにもかかわらず、こうした障害がくり返し発生して、その結果、何らかの昼間の弊害がもたらされる状態」とされています。平たくいうと、「眠るためによい環境にもかかわらず、**寝つけない、途中で起きる、いつも眠れる時間帯が一定でない、熟睡できない**といった状態がくり返され、仕事や学業に著しい支障をきたしている状態で、通常1カ月以上持続するもの」といえます。

では、不眠症になったら、どうしたらいいのでしょうか。すぐに睡眠薬（睡眠導入剤）を飲まないといけないのでしょうか。答えは、「ノー」です。日本睡眠学会の診療ガイドラインでは、睡眠薬を使う前に睡眠衛生指導をするように求めています。同学会による「睡眠障害対処12の指針」がありますので、参考にしていただきたいと思います。

Q 強迫症（強迫性障害）ってどんな病気？ 治療は？

A 強迫症とは、「自分の手が汚いのではないか」あるいは「玄関の鍵を閉め忘れたのではないか」という自分の意志とは関係のない考え（強迫観念）が頭のなかに何度も浮かんできて、そのために手洗いや確認といった「強迫行為」を何回もくり返してしまう、「わかっちゃいるけど、止められない」病気です。実は、強迫観念･行為にはいろいろあります。たとえば、“書類の数字が合っているかどうか不安で、何度もチェックをくり返して、いつまで経っても仕事が終わらない”、“車を運転していて、道路のちょっとした段差や凸凹を通ったときに、身体に弱い振動が伝わると、「何か人をひいたかも知れない」という考えが浮かんできて、ブレーキをかけ車を止めて、いちいち確認しにいく。そのために、2km離れたコンビニへ行くのにも1、2時間はゆうにかかってしまう”、あるいは“商店街を歩いていても、人とすれ違うときに、相手を転ばせてけがをさせたのではないかという考えが浮かんでくる”等々、多種多様です。

主な治療法には、「薬物療法」と「認知・行動療法」があります。一般に薬物療法では、「選択的セロトニン再取り込み阻害薬」（英語で

selective serotonin reuptake inhibitorの頭文字からSSRI（エスエスアールアイ）と呼ばれている抗うつ薬です。セロトニンは身体のなかにあるものですが、人間の運動や行動に関与するドパミンという物質の暴走を間接的におさえ、心のバランスを整える神経伝達物質です。認知・行動療法では、認知、つまり、考え方を変えて、行動を変えていく、あるいはその逆に、まず行動を変えることでゆがんだ考えを修正する、といった治療法です。

Q 神経発達症（発達障害）ってどんな病気？　治療は？

A そもそも、子どもたちの心の発達・成長には「個人差」があります。「みんな違って、みんないい」のです。ですから、神経発達症の診断はとてもむずかしいのです。

生来の発達におけるアンバランスさが著しく強い場合、成長過程において長期間にわたり何らかの支障（社会的不適応状態）をきたすことがあります。つまり、学校や家庭など、複数の場において、教育やしつけのうえでさまざまな障害が継続的に生じ、周囲や本人が“非常に困っている状態”になります。たとえば、授業中じっとしていられない、常に身体の一部を動かしている、忘れ物が多い、よく物をなくす、提出物の期限を守れない、学習の段取りがよくない、友だちや先生とコミュニケーションがうまくいかない（一方的にしゃべる、思いつきを言動に移す、集中して話が聞けない）、その場の空気を読めない（他人の気持ちが理解できない）、特定の勉強だけが苦手、などです。この場合に、神経発達症である可能性がはじめて出てきます。くり返しますが、“この子、ちょっと変わっている”といった程度では、そもそも正常の発達が凸凹ですから、正常な成長の一過程のことが多いのです。

神経発達症と診断されたからといって必ずしもすぐに治療が始まるわけではありません。子どもの場合、個々の発達にそもそも凸凹があるのが普通ですから、そのお子さんの心の発達・成長を温かい支援の目で周囲の人たちが見守っていく姿勢が最も大切です。社会適応上、重大かつ継続的な問題が生じる場合、治療が必要となります。治療の両輪は、「薬物療法」とそれ以外の「心理・社会的アプローチ」です。

子どものこんな症状……よくなりますか？

すごい!! 子どもの総合診療に加え、免疫・アレルギー疾患、血液・固形腫瘍、神経疾患、内分泌代謝疾患、新生児などの専門的な医療を提供しています

わたしたちがお答えします。

小児科 教授
新生児集中治療部部長
大西 秀典

小児科 准教授
新生児集中治療部副部長
川本 典生

小児科 臨床准教授
小関 道夫

小児科 併任講師
久保田 一生

小児科 併任講師
笹井 英雄

新生児集中治療部臨床講師
大塚 博樹

Q 原因不明の発熱をくり返しています。治る方法はありませんか？

A 小児期の発熱の原因は多くが感染症によるものですが、そのなかには、病原体を身体のなかから排除するための免疫機能に何らかの異常が起こっていることが原因の場合があります。原因を突き止めることで治療方法がみつかることがあります。発熱が普通の感染症以外の疾患（①～②）と関連しているケースの原因や治療法について簡単にご説明しましょう。

①副鼻腔炎、気管支炎、肺炎をくり返している

身体の免疫機能が低下する病気の可能性があります。「原発性免疫不全症」と呼ばれる疾患が乳幼児期にみつかることがあります（時に成人期に発症するまれな例もあります）。診断のために、血液検査で免疫グロブリンの数や血球数、リンパ球の種類の検査を行います。場合によっては遺伝子検査を行うことがあります。病気の種類を調べて最適な治療法（抗菌薬の予防内服やガンマグロブリン製剤の投与、造血幹細胞移植など）を行います。

②発熱や関節炎、原因不明の皮疹をくり返している

身体の免疫機能が過剰に働いている病気の可能性があります。大きく分けて、「膠原病」や「リウマチ性疾患」と呼ばれる病気、「自己炎症性疾患」と呼ばれる病気、この2つが知られています。前者は何らかのきっかけで血液のなかに自分の身体を攻撃してしまう、「自己抗体」と呼ばれるものが発生してしまい、炎症が起こります。若年性特発性関節炎や全身性エリテマトーデスが、小児期には比較的多くみつかります。一方で、自己炎症性疾患は、遺伝的な素因が原因で炎症が発生する病気です。診断のために、血液検査で炎症反応や自己抗体、遺伝子の検査を行います。このタイプの疾患では治療にステロイド薬を長期に使用することが多いですが、その際に副作用が問題になります。ステロイドの副作用を回避するため、病気の種類に応じて免疫抑制薬や分子標的治療薬を併用した治療を行っています。

Q 1歳6カ月の男児で低血糖発作をくり返していますが、原因がはっきりしません。診断はつきますか？

A 低血糖をきたす疾患はたくさんあり、診断を確定するためには内分泌系の問題なのか、代謝系の問題なのか、両面からの検討が必要です。当科では内分泌と代謝の両方の専門家がおり、その診断や治療に適しております。低血糖の診断では、食後何時間くらいで低血糖をきたすのか？　低血糖時にホルモンなどがどのように反応しているのか？　などから低血糖が病的なものかを鑑別していきます。**図1**は代謝からみた鑑別診断フローチャートです。検査値は患児の状態や補液などの治療介入でも刻々と変化していくため、発作時に採取した血液や尿による検査が非常に重要です。症例によっては安全に注意しながら空腹負荷試験などを行うこともあります。また、複数の関連遺伝子をまとめて検査できる遺伝子パネル検査なども活用することで、従来は診断がむずかしかった病気についても診断が可能になってきています。当科では、小児の糖尿病を含む内分泌疾患、非常に臨床像が幅広い先天代謝異常症の診断、治療を精力的に行っています。正確な診断をつけることで患者さんのより適切な医学管理が可能となります。

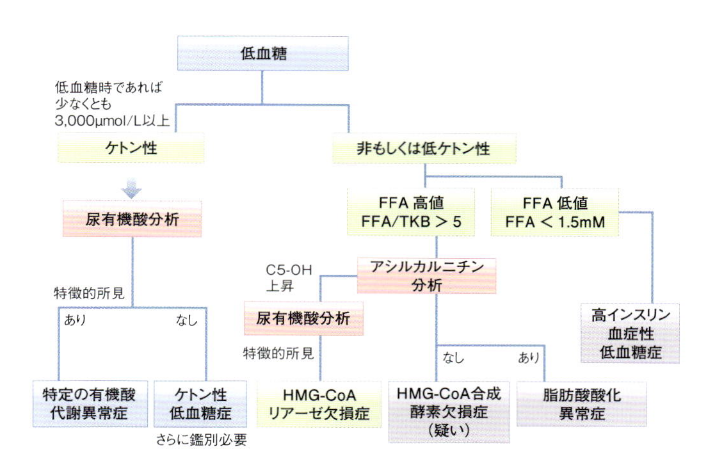

図1　代謝からみた鑑別診断フローチャート

〔出典：先天性ケトン体代謝異常症　診断治療指針：厚生労働科学研究費補助金　難治性疾患克服研究事業先天性ケトン体代謝異常症の発症形態と患者数の把握、診断治療指針に関する研究（平成22〜23年度）班〕

Q 食物アレルギーがあるのですが、どのように対処したらよいですか？

A 食物アレルギーとは、食べ物によって、免疫の働きを介して生体にとって不利益な症状がひき起こされる現象のことです。患者さんによってさまざまですが、特定の食べ物を食べると、肌が痒くなったり、呼吸が苦しくなったりといった症状が起こります。特に「アナフィラキシーショック」と呼ばれる最も強いアレルギー反応は、生命に危険を及ぼすこともあり注意が必要です（**図2**）。

食物アレルギーの対処は、正しい診断に基づく必要最小限の除去が基本です。不必要な食物の除去は、食生活の幅が狭まるというだけでなく、栄養バランスが崩れることで、発育や発達に影響を及ぼす場合もあります。したがって、食物アレルギーの患者さんがさまざまな食品を食べていけるようにサポートさせていただいています。さらに、食物アレルギーの発症リスクの高いアトピー性皮膚炎の患者さんについて、早期の離乳食の摂取でアレルギーを予防する取り組みが近年広がりつつあり、当院でもさまざまな対応を行っています。

乳幼児で食物アレルギーの患者さんに多く合併するアトピー性皮膚炎についても、適切な治療をしないと、低タンパク血症をひき起こしたりといった問題が生じます。当院ではアトピー性皮膚炎の患者さんの治療を、特に軟膏の塗り方などを一緒に練習する「教育入院」も含めて、積極的に行っています。そのほかにも、気管支喘息領域では、分子標的治療薬による治療が普及してきているので、治療の幅が広がってきています。“アレルギー

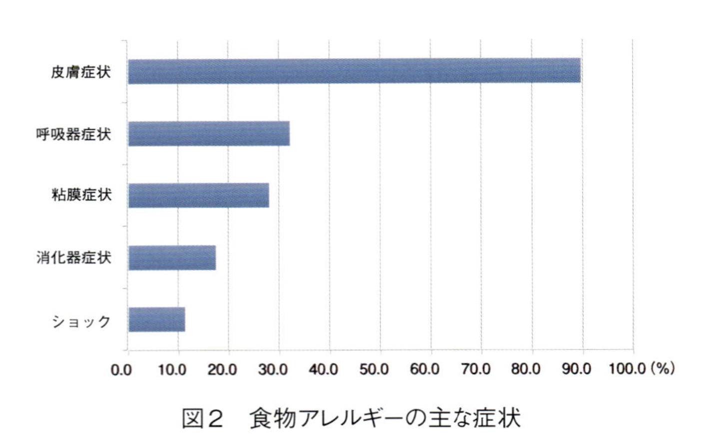

図2　食物アレルギーの主な症状

〔資料：厚生労働科学研究費補助金　免疫アレルギー疾患等予防・治療研究事業食物アレルギーの発症・重症化に関する研究（平成20年度）班〕

患者さんを総合的に診療する”という姿勢でさまざまなアレルギー疾患の患者さんを診療しています。

Q 顔に大きな「いちご状血管腫」があります。早く小さくする方法はあるの?

A いちご状血管腫は生後1カ月頃から徐々に大きくなる良性の腫瘍です。将来的には消えるといわれていますが、目をおおってしまい弱視を起こす場合や気道を閉塞するような重症の場合は、緊急で治療が必要です。それだけでなく、顔面の病変や大きな腫瘤となっている病変は、瘢痕を残す可能性があり、将来的に外観上の問題となります。

最近「プロプラノロール療法」と呼ばれる新しい薬物療法が発見され、日本でも2016年に保険適用が承認されました。これまでの治療法と比較して明らかに早く小さくなり、副作用も少ないため、安全性が高い治療法です。**写真1**は顔面に多発した血管腫がプロプラノロール投与後2カ月で明らかに縮小した例で、**写真2**は巨大なおでこの血管腫がプロプラノロール投与後6カ月で劇的に縮小した例です（2例とも患者さんのご家族から掲載の同意を得ています）。

また、主に小児に発生し、2015年に国の指定難病となったリンパ管腫やリンパ管腫症／ゴーハム病という脈管異常は、非常に難治で、有効な治療法がありません。当科ではこれらの難病に対する薬物療法に力を入れています。最近では、シロリムスという免疫抑制薬による医師主導治験を岐阜大学小児科が主幹で実施し、高い治療効果が示されました。その結果をもとに、2021年9月に保険承認されました。

Q 小児がんは治りますか?

A 小児がんで最も多いものは「白血病」で、次いで「脳腫瘍」、「神経芽腫」などです。なかには治りにくい病気もありますが、医学の進歩で治癒率は著明に向上してきています。

当科は、日本全国のがん専門病院でつくられている日本小児がんグループ（Japan Children's Cancer Group：JCCG）に所属し、最先端の治療法を行っています。また、最新のがんゲノム医療であるがん遺伝子パネル検査も積極的に実施し、難治性がんの治療に役立てています。

思春期・若年成人期（adolescent and young adult：AYA、「アヤ期」と呼びます）は、進学、就職、結婚、出産など人生のターニングポイントがあり、この時期に病気になった患者さんにはさまざまな支援が必要とされます。当科ではAYA期の患者さんの診療にも対応できるようにしています。

Q てんかんとは何ですか? てんかんは治りますか?

A てんかんとは、てんかん発作をくり返す脳の慢性の病気で、赤ちゃんから大人まですべての年齢で発症します。100人に1人程度の割合で発病するといわれているので、日本全国にはおよそ100万人の患者さんがいると考えられます。

写真１　顔面に多発した血管腫に対するプロプラノロール療法（３カ月）

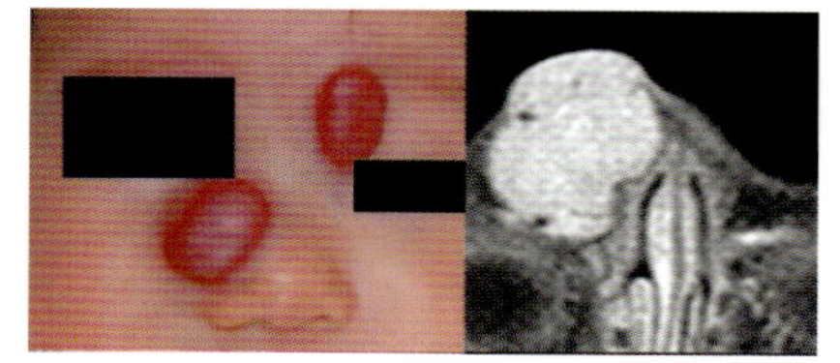

(a)治療前

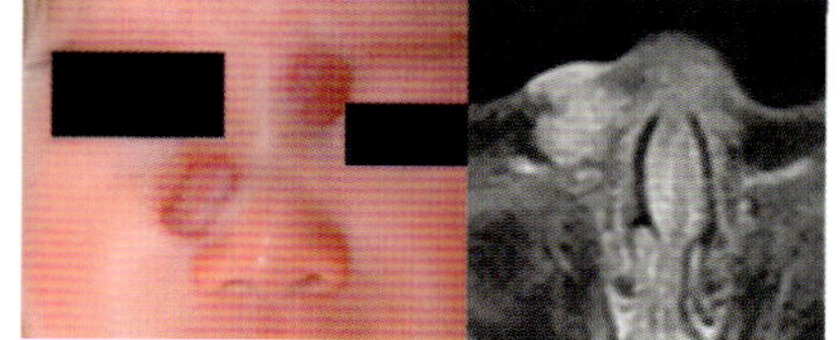

(b)治療後

写真２　前額部にできた血管腫に対するプロプラノロール療法（６カ月）

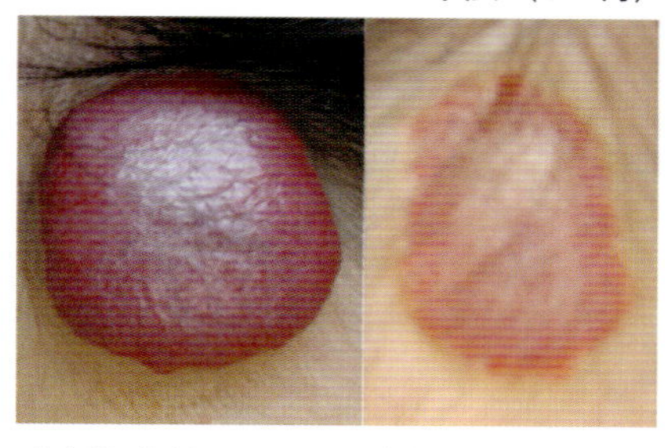

(a)治療前　(b)治療後

てんかん発作は、普段は規則正しいリズムで電気的に活動している大脳の神経細胞の活動に激しい電気的な乱れが生じることで起こります。突然脳が激しく興奮するために、発作は突然起こり、手足が突っ張ったり、意識がなくなったりするなどの身体症状のほか、意識の変化、行動や感覚の変化など、さまざまな症状がみられます。

てんかんは治療可能な病気です。てんかんのある人のうち70〜80%は抗てんかん薬の服用などで発作を抑制することができます。てんかんを診断し治療していくために詳細な問診と検査を行います。検査には脳波検査（のうはけんさ）、MRI（エムアールアイ）やCT（シーティー）などの画像検査があります。脳波検査では、頭全体に電極をつけて脳から生じる電気的な活動を記録します。また、ビデオ脳波同時記録を行うことで発作を起こしたときの様子を調べることもできます。

Q どんな赤ちゃんが入院しているのですか？

A 新生児集中治療部では主に妊娠30週以降で出生された新生児（しんせいじ）の治療を行っています。早産児（そうざんじ）や低出生体重児、呼吸障害、感染症、代謝性（たいしゃせい）疾患、先天異常などの疾患のある児、母体に妊娠高血圧症、糖尿病、膠原病、血液疾患や精神疾患などの合併症がある場合や、高齢妊娠などのハイリスク妊娠で出生された児の管理を行っています（写真３）。子癇発作（しかんほっさ）や常位胎盤早期剝離（じょういたいばんそうきはくり）など母体の緊急事態による分娩への対応や、産院で出生され異常を認めた児の新生児搬送にも対応しており、岐阜圏域の搬送受入病院として地域医療に貢献しています。岐阜県内の新生児マススクリーニング検査で異常を指摘された児が紹介され入院することも多く、先天性代謝異常症の診断・治療を行っています。2021年に地域周産期母子医療センターの認定を受けており、今後は手術を要する小児外科症例も受け入れていく予定です。

写真３　新生児集中治療部

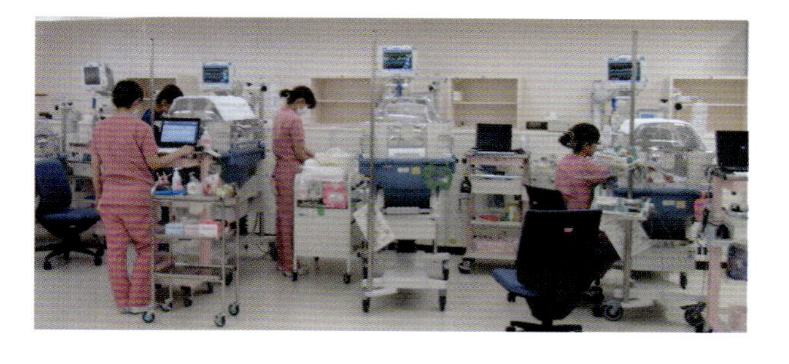

Q 赤ちゃんと面会はできますか？

A 面会は朝９時半から夜21時までできます。産婦人科病棟のすぐ隣にあるので出産後のお母さんが歩いてこられますし、車いすでも面会することができます。赤ちゃんの状態が落ち着いていれば抱っこしたり、授乳や沐浴もできます。母児の触れ合いをできるだけ大切にする努力を重ねています。感染症の流行状況により面会の制限などがある場合がありますので詳しくはおたずねください。

放射線科・部の検査や治療とは？ 画像診断とは？　教えてください

すごい!! 最先端の機器をそろえ、高度な画像診断および低侵襲かつ高精度な放射線治療・画像下治療（IVR）を行っています

わたしたちがお答えします。

放射線科　教授
放射線部　部長
高次画像診断センター
センター長
松尾 政之

放射線科　准教授
放射線部　副部長
熊野 智康

放射線科　准教授
加藤 博基

放射線科　特任准教授
高次画像診断センター
副センター長
金子 揚

放射線部
診療放射線技師長
井上 康弘

Q 健康診断で異常を指摘されました。精密検査について教えてください

A 異常を指摘された検査の種類や結果に応じて精密検査の内容が変わります。4つのケース（①～④）でご説明します。

①胸部単純写真での異常

肺野、肺門縦隔、胸壁、心大血管などの異常を確認する必要があるため、精密検査として胸部CTを追加することが多いです（写真1）。当院には3台のマルチスライスCT（256列dual energy CTが1台、64列マルチスライスCTが2台）が導入されています（2021年4月現在）。肺野に病変が発見された場合、スライス厚が0.625mmもしくは1.25mmの高分解能CT（High-Resolution Computed Tomography：HRCT）で病変の形態や内部性状を判定し、放射線診断専門医が良悪性診断や質的診断を行います。

②腹部超音波検査での異常

精密検査として、上腹部（肝胆膵領域）ではCTまたはMRI、骨盤部（泌尿生殖器領域）ではMRIを追加することが多いです。当院には4台のMRI（3テスラ装置が2台、1.5テスラ装置が2台）が導入されています（2021年4月現在）。MRIは放射線被ばくがなく、MR胆管膵管撮影（Magnetic Resonance Cholangiopancreatography：MRCP）（写真2）、MR尿路撮影（Magnetic Resonance Urography：MRU）などの特殊検査も可能であるため、CTよりも多くの情報を得られることがあります。

③便潜血検査および消化管造影検査での異常

精密検査として消化管内視鏡検査を追加することが多いですが、当院では高性能CTを用いた大腸CT（CT Colonography：CTC）を行っています（写真3）。CTCの長所は、検査時の苦痛が少ない、安全で検査時間が短い、消化管以外の腹部病変も検出できることなどです。一方で、CTCは小さい病変や平坦な病変の検出能が内視鏡検査と比べて劣るため、光学医療診療部と連携して患者さんごとに適切な検査を選択

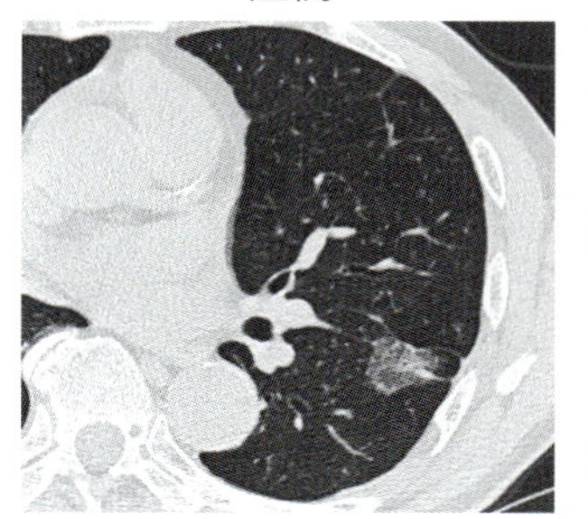
写真1　胸部CT：肺腺がん症例

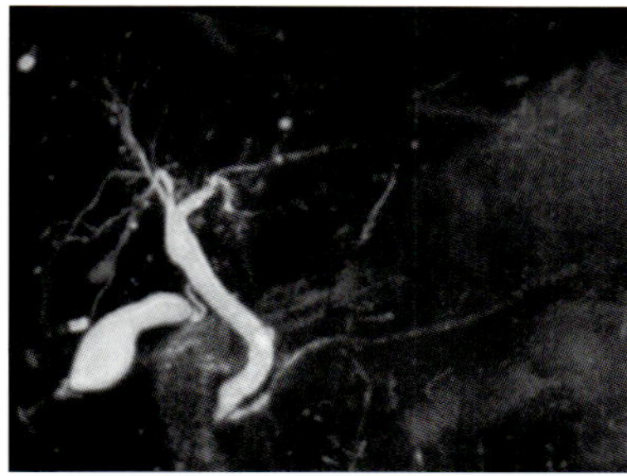
写真2　MRCP

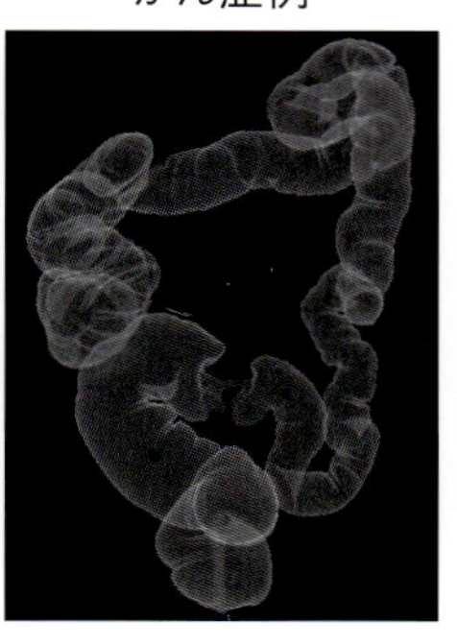
写真3　CTC：結腸がん症例

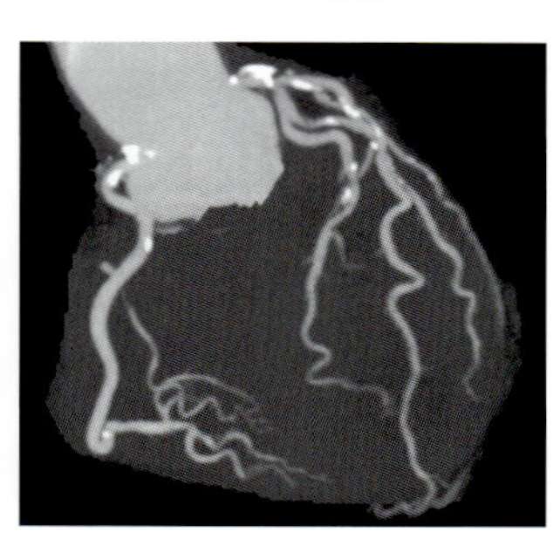
写真4　冠動脈CT

しています。

④心電図検査での異常

精密検査として冠動脈造影検査（血管造影）を追加することが多いですが、当院では高性能CTを用いた冠動脈CTを行っています（**写真4**）。冠動脈CTの長所は、検査時の苦痛が少ない、安全で検査時間が短い、心臓以外の胸部病変も検出できることです。冠動脈CTは陰性的中率が高く、冠動脈CTで冠動脈に狭窄がないと判定されれば高い確率で冠動脈狭窄が否定できます。当院では冠動脈CTを含めたすべてのCT検査を、一定の画質を担保したうえで、放射線被ばくを可能な限り低減して撮影しています。

Q がんといわれました。がんの広がりはどのように診断しますか？

A がんはリンパ節や他臓器に転移することがあり、転移の場所や数によって適切な治療法が変わるため、治療前に転移を正確に診断して病期を判定する必要があります。当科では最新の画像診断装置を駆使して、転移の画像診断を行っています。主な3つの検査（①〜③）についてご説明します。

①CT検査

CTは転移巣を検出するために最も広く行われる画像診断検査です。当院で稼働しているマルチスライスCTは、5〜10秒ほど息を止める間に、胸部から骨盤部までの全身を撮像することができるため（**写真5**）、広範囲の転移巣を検索するのに有用です。また、高性能CTから得られるボリュームデータを用いて多断面再構成画像を作成し、さまざまな角度から病変検出および質的診断を行っています。

②MRI検査

MRIは高い組織コントラストで異なる組織を分離することに優れ、特に脳や骨、肝臓における転移巣を検出するのに有用です（**写真6**）。MRIでは、1回の検査でさまざまな撮像が行われ、多くの情報を得ることができますが、画像の解釈には専門的な知識が必要となるため、当院では放射線診断専門医がMRI画像を詳細に評価しています。当院に導入された最新鋭のMRI装置は画質が大幅に改善したうえに、患者さんが快適にMRI検査を受けられるように工夫されています。たとえば、検査室の天井は空模様の壁紙で広々とした空間が演出され、検査中に動画を見ることもできます。

③RI検査または核医学検査

放射性同位元素〔ラジオアイソトープ（radioisotope：RI）〕を含む薬剤を静脈注射、または内服すると、薬剤が目的臓器に

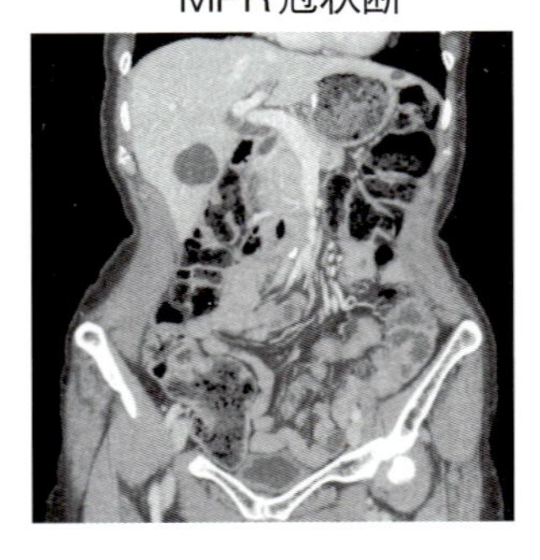
写真５　腹部−骨盤部造影CT：MPR冠状断

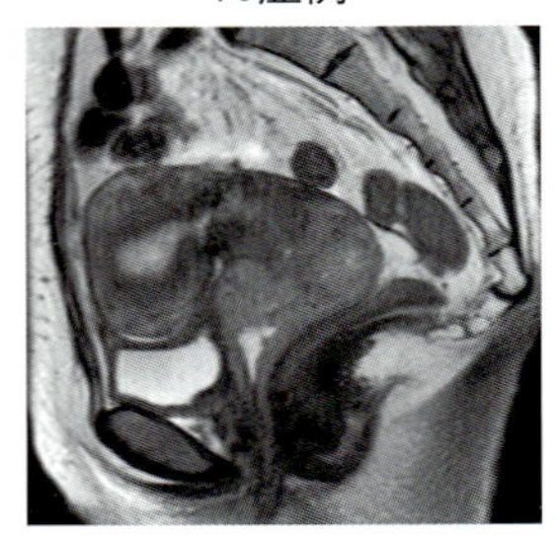
写真６　骨盤MRI：子宮頸がん症例

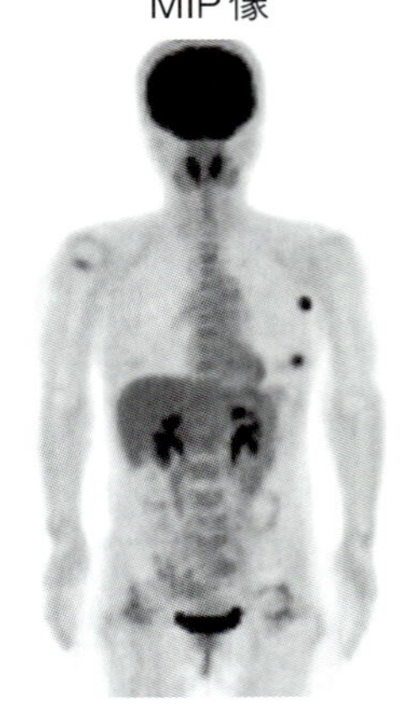
写真７　FDG-PET：MIP像

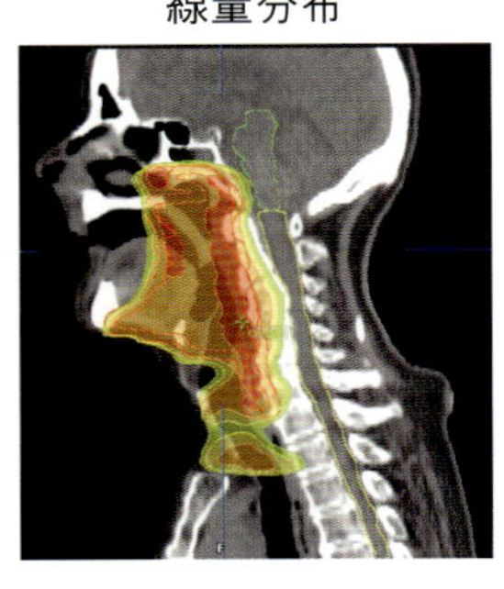
写真８　頭頸部がん：線量分布

集積します。その薬剤から放出される微量な放射線（主にγ線）を専用の装置（「ガンマカメラ」といいます）で検出することによって、臓器の機能や血流を評価することができます。当院ではこれまでに多くのＦＤG-PET検査が行われ（**写真7**）、がん患者さんの転移巣を検出するのに役立っています。また、乳がんなどの患者さんにはセンチネルリンパ節シンチグラフィを積極的に行い、リンパ節転移を正確に診断できるように努めています。

Q がんの場合、手術以外に放射線治療や内用療法もあるって聞いたけど……

A がんの治療は、手術・薬物療法（化学療法など）・放射線治療の３本柱を中心に行われており、当科では放射線治療を担当しています。近年は治療技術の進歩に伴い、正常組織に照射する放射線を最小限におさえつつ、がんに多くの放射線を照射することが可能となり、がん治療における役割も大きくなっています。当院では、患者さんの状態に応じて適切な照射方法を選択しており、「定位放射線照射」や「強度変調放射線治療」と呼ばれる高精度治療も積極的に行っています。また、密封された放射性同位元素（RI）を体内に挿入して放射線を照射する密封小線源療法や、経口や注射で非密封のRIを投与する内用療法も数多く施行しています。

放射線科・部のスタッフは、安全で効果的な治療を提供するため、近年の技術進歩を適切に活用しながら、綿密な治療計画に基づいた治療を行うべく日々努力しています。また、患者さんの置かれた状況のなかで最適な治療を受けていただけるよう、各診療科や各部門と密に連携して診療を行っています。

ここで、代表的な部位別に放射線治療の役割をお示しします。

頭頸部がん：放射線治療単独あるいは薬物療法との併用で、発声、咀嚼、嚥下などの機能や容姿などの形態を温存して治療することが可能な場合があります。また、手術を受けた場合も再発予防効果を期待して行われることもあります。いずれの場合も強度変調放射線治療により副作用の軽減が期待できます（**写真8**）。

食道がん：手術や内視鏡治療など他の治療が困難な方やそれらを希望されない方は、放射線治療により根治や症状緩和を期待できる場合があります。

肺がん：手術が困難な進行がん、あるいは高齢や合併症で手術困難な方では、放射線治療と薬物療法を併用することで根治や症状緩和を期待できる場合があります。早期がんでは、定位放射線照射によって高い治療効果が期

写真９　肺がん：線量分布

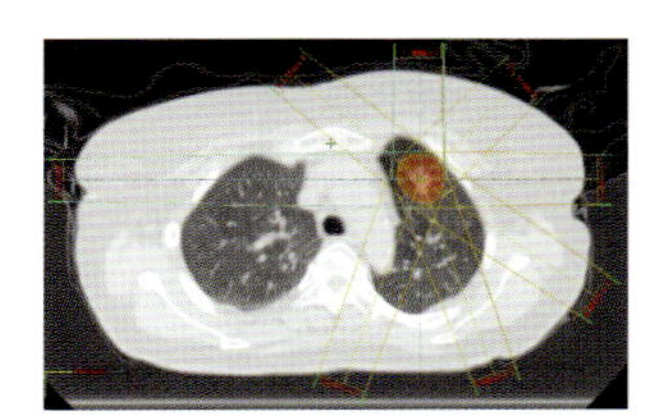

写真１０　前立腺がん：線量分布

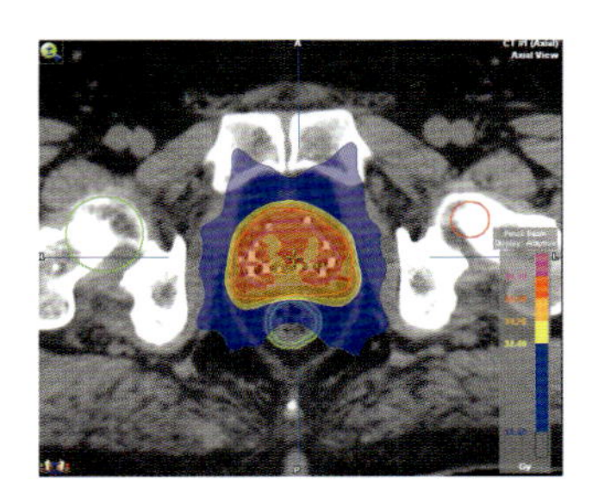

写真１１　甲状腺がん：治療後シンチグラフィと治療病室

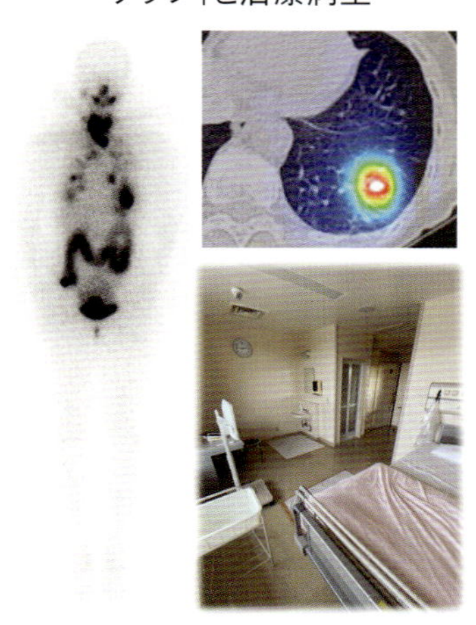

待できます（写真９）。

乳がん：手術後の再発予防効果を期待して広く行われています。

子宮頸がん：手術が適さない場合には、放射線治療単独あるいは化学療法との併用で行われます。一般的な外部照射に加え密封小線源療法を併用することで、高い治療効果を期待できる場合があります。また、手術後の再発予防効果を期待して行う場合もあります。

前立腺がん：転移がみられない場合には、密封小線源療法や強度変調放射線治療などを用いることで高い治療効果が期待できます（写真１０）。

甲状腺がん：当院では岐阜県で唯一となる「非密封RI治療病室」を整備して、2019年から高線量の放射性ヨウ素内用療法を開始しました。甲状腺がん術後の再発予防から遠隔転移に対する治療など、幅広い適応があります（写真１１）。

Q　IVR（アイブイアール）って何ですか？

A　当科では画像診断や放射線治療のほかに、画像下治療（インターベンショナルラジオロジー：IVR）を担当しています。IVRとは、管腔臓器（かんくうぞうき）を介して、あるいは穿刺（せんし）により体内に器具を挿入し、画像誘導下に外科手術をしないで、できる限り身体に傷を残さずに病気を治療する方法です。実際に医療器具を体内に挿入する際にできる傷は、数mm程度と小さく、器具を抜いたあとは縫う必要もないため（絆創膏（ばんそうこう）を貼る程度）、治療後の傷もほとんど残りません。

IVRの技術を用いて治療できる領域は非常に幅広いです。人間の体内には10万kmに及ぶ血管と多くの管（消化管や尿管など）が張り巡らされていますが、IVRではこの“管（くだ）”を超音波やCT、造影剤などを用いて身体の外から観察しながらカテーテル（血管内に挿入するチューブ）や針を進め、目的とする病気に治療を施すことが可能となります。身体への負担は小さくても、IVRで対応できる病気の範囲は広くなっているのです。

具体的には血管の詰まりを解除したり、血管をたどって肝臓などの臓器に発生した病気に向かう血管にカテーテルを進めて抗がん剤を注入したり、がんの成長に必要な血液を届かないようにしたりするなど、カテーテルを利用したがん治療法などが挙げられます。これらの治療は前述の放射線治療と組み合わせることで、より効果を発揮する場合があります（頭頸部がんに対する放射線治療併用動注化学療法）。

IVRが役立つのは血管内からの治療だけではありません。がん患者さんの苦痛を取り除いたり、術後の合併症から早期に回復できるようサポートしたりすることもあります。がん患者さんのなかには胸やおなかに水（胸水（きょうすい）、腹水（ふくすい））がたまってしま

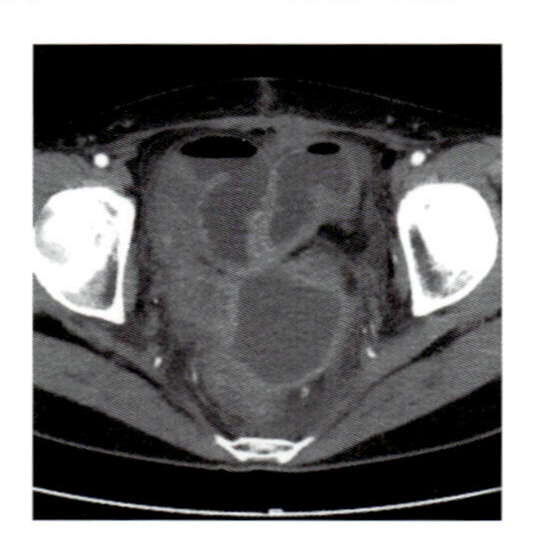
写真12　ドレナージ術前：造影CT

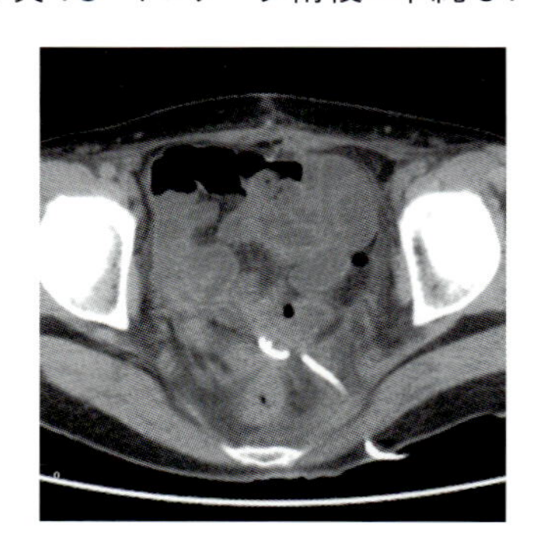
写真13　ドレナージ術後：単純CT

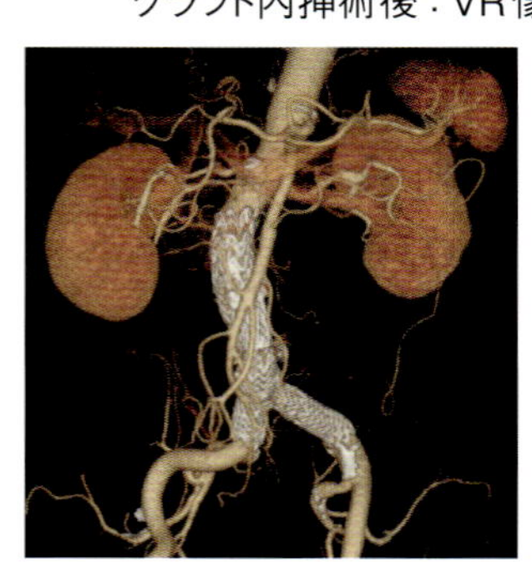
写真14　腹部大動脈瘤に対するステントグラフト内挿術後：VR像

い、苦痛につながることがありますが、IVRの手技を利用してこれらを体外に排出できるように処置することがあります。手術後に腹腔内に膿（膿瘍）がたまってしまった場合には、抗菌薬を用いた治療はもちろん行われますが、身体の外から管を挿入し、たまった膿を身体の外へ排出できるようにすることで早期に改善させることができます（**写真12、13**）。このように身体のなかにある不要かつ悪影響を及ぼす貯留物を身体の外に排泄させる治療法を「ドレナージ術」と呼びますが、IVRの技術が役に立つ治療の1つです。

当科ではこれらの手技を含め、救命の必要な患者さんの止血術や破裂の危険がある胸部・腹部大動脈瘤に対するステントグラフト内挿術（**写真14**）なども含めたIVR治療を他診療科と協力して年間400件ほど行っています。新たに導入される「Hybrid手術室」（IVRに必要な透視装置を備えた手術室）では、より安全で迅速なステントグラフト内挿術が可能となるほか、IVRの技術を他科の手術技術と組み合わせた最先端の治療を行うことが可能になります。

Q 高次画像診断センターの取り組みとは何ですか？

A 先進的な画像診断の拠点として、多列検出器CT、高磁場MRI、PET-CT、血管造影、核医学検査、乳房診断装置などの放射線部に設置された高性能診断装置を用いた精度の高い画像診断を提供することで地域医療連携に貢献しています。

医療連携センター内の地域医療連携室を介して、近隣の医療機関からも画像診断をご依頼いただけます。通常の予定検査に加え、至急検査にも対応し、短時間で画像診断報告書を配信することが可能です。依頼方法は当院のホームページ内で紹介しています（ホームページアドレス：https://www.hosp.gifu-u.ac.jp/iryorenkei/yoyaku.html）。

また、画像診断教育として放射線科医だけでなく、他診療科医師、研修医、医学生などを対象とし、画像診断とIVRに関する教育を行っています（**写真15**）。インターネットを利用したビデオ会議システムを用いて、関連病院を結び、毎日のカンファレンスを通して皆で画像診断に関する知識を深め、岐阜県の医療の質が向上するように努めています。

Q 放射線部はどのような部門ですか？

A 放射線部は、各診療科から依頼されるさまざまな画像検査や放射線治療を行う重要な部門です。画像検査には、一般撮影（X線、骨密度測定）、乳房撮影、MRI、CT、血管造影、核医学（RI）、透視撮影など多くの種類が

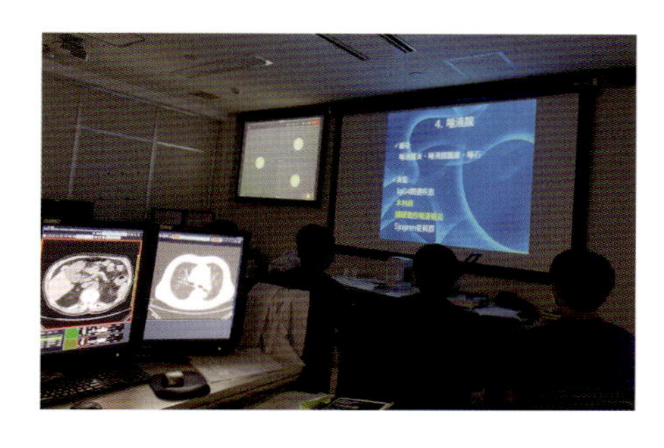
写真15　画像診断教育の様子

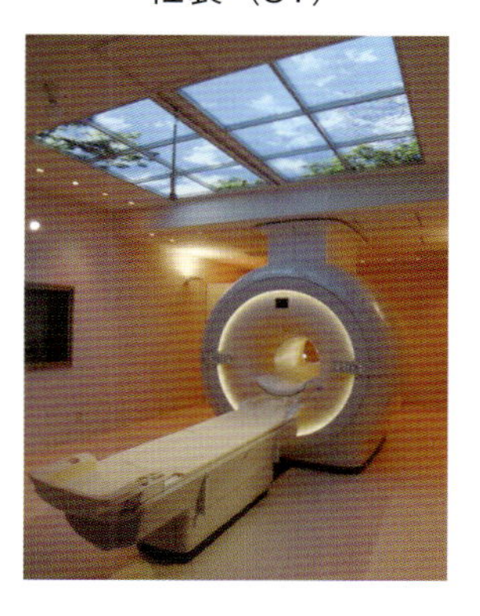
写真16　MRI装置　PHILIPS社製（3T）

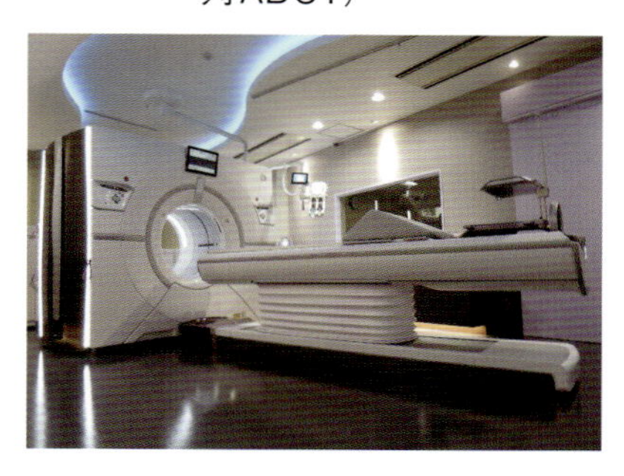
写真17　CT装置　GE社製（256列ADCT）

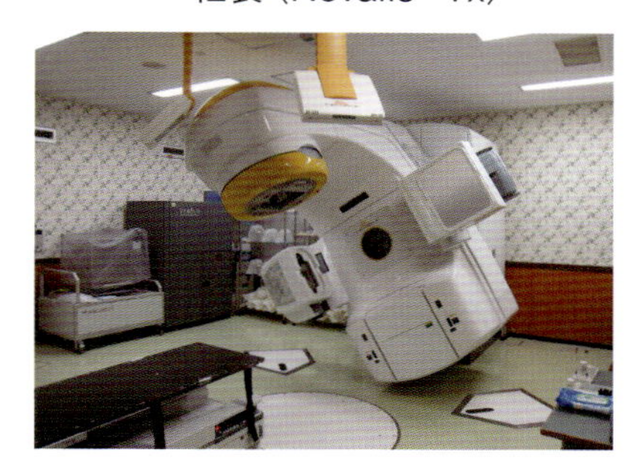
写真18　放射線治療装置　BrainLab社製（Novalis® Tx）

ありますが、放射線部はそのすべてを担っています。放射線科をはじめとする各診療科医師、診療放射線技師、放射線部看護師、技能補佐員、事務員が協力し、患者さんによりよい検査や治療を提供できるよう日々の診療に従事しています。

一般撮影部門では、胸部・腹部や全身の骨はもちろん、アキレス腱や筋肉・脂肪（軟部組織）の撮影もしています。5部屋の撮影室を稼働し、待ち時間の短い検査をめざしています。また、骨密度測定では、通常の骨密度の測定に骨の構造解析を加えることにより、骨折のリスク評価も行っています。

乳房撮影部門では、乳房専用の断層撮像装置（トモシンセシス）が稼働しています。この装置は乳腺組織の生検も可能となっており、診断能の向上に役立っています。

MRI部門では、4台の高磁場装置（3T、1.5T各2台）が稼働しています。狭い場所で長い時間じっとしていなければならないMRI検査を少しでも快適に受けていただけるよう、大型モニターの映像を検査中に鑑賞できるAmbient Experienceシステムを導入している検査室も稼働しています（**写真16**）。

血管造影部門では、多職種（医師・看護師・診療放射線技師・臨床工学技士）が連携し、心筋梗塞や脳出血、腫瘍、血管損傷などに対するカテーテル（細い管）を使用した検査や治療を行っています。

CT部門では、3台のCT装置〔256列AD（Area Detector）CT･1台、64列MD（Multi-Detector row）CT・2台〕が稼働しています。最新の256列ADCTは2021年より深層学習を用いた人工知能画像再構成システムを導入し、より質の高い画像の提供が可能となっています（**写真17**）。

核医学（RI）部門では、アイソトープを用いた各種シンチ検査やPET-CT検査を行っています。また、当院は岐阜県内唯一の甲状腺ヨウ素内用療法の入院治療ができる施設です。

放射線治療部門は2台のリニアック装置を有し、高度にコンピュータ制御された治療計画によりがんに対してピンポイントな放射線治療を行っています（**写真18**）。このほかにも子宮頸がんに対する腔内照射（Remote After Loading System：RALS）、前立腺がんに対するヨウ素125シード線源永久刺入による前立腺がん密封小線源療法を行っています。

麻酔科疼痛治療科では何をしているの？

すごい!! 最新の知識・技術と最良の機器をそろえ、手術後の長期予後も視野に入れた麻酔管理を、また、ペイン外来では最先端の痛み治療を行っています

わたしたちがお答えします。

麻酔科疼痛治療科
教授
飯田 宏樹

麻酔科疼痛治療科
准教授
田辺 久美子

麻酔科疼痛治療科
講師
山口 忍

麻酔科疼痛治療科
講師
福岡 尚和

麻酔科疼痛治療科
助教
吉村 文貴

Q 麻酔科って何しているの？

A 当院の麻酔科では手術時の麻酔、痛み治療（ペインクリニック）、緩和医療、禁煙外来を担当しています。

【麻酔編】

Q 術中麻酔管理、周術期医療の現状を教えてください

A 近年、新しい麻酔薬や生体監視モニタリング装置、麻酔関連器具すべての面において麻酔科学はめざましい進歩を遂げています。

気道管理においては、特に挿管困難時には従来の気管支ファイバースコープを用いた挿管に加え、先端に取り付けられたCCDカメラで声帯を観察しながら気管挿管が可能なビデオ喉頭鏡が普及しており、気道確保の安全性は確実に向上しています。さらに、このビデオ喉頭鏡は従来の喉頭鏡と比べて、患者の口腔内を直接のぞき込む必要がないことから、医療従事者の新型コロナウイルス感染リスクを軽減してくれる一面ももっています。現在、当院ではすべての手術室にビデオ喉頭鏡を配備し、医療安全の向上に努めています。

術中の麻酔管理においては、短時間作用性の麻酔薬、およびオピオイド鎮痛薬により、手術中安定した麻酔深度が維持でき、投与終了後には速やかな覚醒が得られます。オピオイド鎮痛薬の全身投与だけでなく、硬膜外麻酔をはじめとした区域麻酔も含め、鎮痛を意識した麻酔管理が重視されていますが、特に超音波を用いた末梢神経ブロックを積極的に取り入れ、併存症や常用薬の問題から硬膜外麻酔が行えない患者さんでも良好な鎮痛が得られるようにしています。また、全室に筋弛緩モニターを配備し、筋弛緩レベルをモニタリングすることで筋弛緩残存による術後合併症のリスク軽減に努めています。

患者さんの予後には、適切な麻酔深度が関連することも示唆されており、中枢神経系の電気活動を分析する脳波モニターが麻酔深度を評価するために広く使用されるようになっています。さらに、術前から始まる早期回復・早期退院への工夫、悪心・嘔吐や苦痛の少ない術後回復への取り組みなども含めた、周術期医療の質向上をめざして麻酔科医は日々診療に当たっています。

Q ハイリスクの患者さんや高難度手術を安全に管理するための環境は？

A ハイリスク症例に関しては「周術期外来」と呼ばれる専門外来を設け、専門医による詳細な術前診察を行うことを基本とし、必要に応じて科内のカンファレンスで麻酔計画の検討、さらには主治医、集中治療医、コメディカル、倫理委員らとの多職種合同カンファレンスを行い、安全に手術が行えるよう麻酔計画を立てています。

現在は、さまざまなモニタリングの進歩により、麻酔管理の安全性が向上し、外科手術の質の向上にも貢献しています。たとえば、３D経食道心エコーの活用により手術操作と関係なく連続的に心機能が評価でき、心室壁の運動異常を観察することで、心電図変化と併せてより鋭敏な心筋虚血の診断も可能です。心臓血管外科手術においては、弁置換・形成術後の弁機能評価も行っています。また、脳神経外科手術、脊椎外科手術では、運動神経をリアルタイムにモニタリングできる運動野誘発電位（MEP）を積極的に用いたり、甲状腺手術では、声帯麻痺の予防目的のために特別な気管チューブを用いて反回神経モニタリングを行ったりしています。

厳重な循環管理が必要な患者さんには、従来の観血的動脈圧測定と同程度の負担でモニタリングが可能な非侵襲的心拍出量測定および循環血液量測定装置を用いることで、安全な循環管理をより低侵襲に行っています。

これらの医療機器を駆使することで、客観的情報に基づいた患者さんの正確な全身評価が可能になり、超高齢者や高難度の手術であっても安全な手術が提供できる環境が整っています。

【ペインクリニック編】

Q ペインクリニックではどのような治療を行っているの？

A ペインクリニックとは、有害な痛みを緩和するための治療を、通常の薬物療法などに加えて、インターベンション（侵襲的治療）を駆使して行う部門です。専門的な知識と技術をもとに、症状などから痛みの原因を診断し、適切な検査や治療を行います。患者さんのQOL（生活の質）の維持と向上を目標に治療内容を選択していきます。

①痛みの種類とその発生メカニズムは？

私たちの経験する“痛み”は、主として「侵害受容性疼痛」と、「神経障害性疼痛」とに分けられます。神経障害性疼痛の性質をもつ痛みは一般的に難治性であることが多く、ペインクリニックで治療を受ける患者さんも神経障害性疼痛をもっている方が多いです。

神経障害性疼痛は、痛みを伝える神経系（体性感覚系）の損傷や疾患の結果、痛みを伝える機構に障害が発生し、そのために起こってくる痛みと考えられています。アロディニア（触れると痛みを感じる）や痛覚過敏を特徴として、“針で刺されるような”あるいは“電気が走るような”痛みとして表現されます。神経障害性疼痛の原因となる疾患は、帯状疱疹に関連する痛み、糖尿病性神経障害、脳卒中後の四肢の痛み、首、腰のヘルニアや脊柱管狭窄症による痛みなどが代表的なものです。

ほかにも、手術を受けたあとに、傷や周辺部の痛みが長期間にわたり続く「遷延性術後痛」も神経障害性疼痛に分類されます。遷延性術後痛の発生頻度は手術により異なりますが、手術患者さん全体の10～50%と考えられています。大手術でなくても、強い痛みが残っている可能性は十分にあります。日本での大規模なデータはまだありませんが、日本でも毎年約8万人の術後患者さんが、日常生活に支障をきたす遷延性術後痛を発症していると推定されています。

②神経障害性疼痛の治療は?

神経障害性疼痛は、単一の方法のみでは治療が困難なことが多いため、いくつかの治療を組み合わせる必要があります。ペインクリニックでは主に、薬物療法とインターベンションを中心として治療に取り組んでいます。

【薬物療法】

一般的な鎮痛薬のほか、神経障害性疼痛に有効であるとされている抗うつ薬、抗けいれん薬、オピオイド性鎮痛薬などを用います。最近は、国内で神経障害性疼痛などの難治性慢性疼痛に対して保険適用がある薬物が増えました。患者さん一人ひとりの痛みの性質や副作用を考慮しながら調整を行っています。

【インターベンション】

・神経ブロック

非常に多くの種類があり、対象となる疾患によって行うブロックが異なります。たとえば、腰椎椎間板ヘルニアや腰部脊柱管狭窄症による坐骨神経痛に対する神経根ブロックや、三叉神経痛に対する三叉神経ブロック(**写真1**)です。神経ブロックは、外来処置室で行う比較的簡単なものから、手術室でX線透視装置を用いて行うものまでさまざまです。また最近では、神経ブロックの安全性をより高めるために、X線透視装置に加えて超音波装置を積極的に用いています。神経ブロックでは、局所麻酔薬やステロイド製剤を用いるだけでなく、高周波熱凝固法(Radiofrequency Thermocoagulation:RF)を用いることがあります。これは高周波エネルギーを用いて遮断したい神経を熱凝固することにより、神経の伝達機能を長期的に遮断する治療手段であり、安全性の高い治療法です。

写真1 三叉神経ブロック(上顎神経ブロック)のX線透視画像

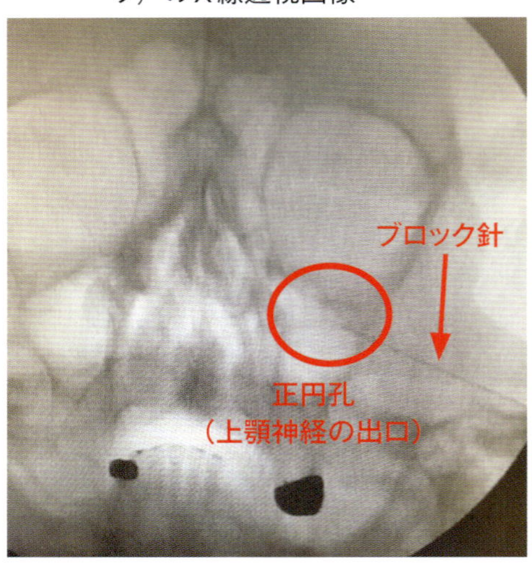

・刺激鎮痛療法(脊髄電気刺激療法など)

脊髄電気刺激(Spinal Cord Stimulation)療法がその代表的なものであり、体内に埋め込まれた機器から、脊髄に留置されたカテーテルに微弱な電気を流して痛みの緩和をはかる治療法です。鎮痛機序としては、脊髄刺激により脊髄後角での抑制性神経伝達物質の増加が起こり、神経の異常な興奮性が抑制されると考えられています。適応疾患としては、各種脊椎疾患に伴う痛み、脊椎術後痛症候群のほか、末梢血流障害(ASO、糖尿病、バージャー病など)にも用いられています。手術適応のない脊柱管狭窄症なども対象となることがあります。

【新しい治療法】

・パルス高周波法(Pulsed Radiofrequency:P-RF)

高周波電流を42℃以下で間欠的に通電し電場を発生させ、神経に影響を与えることによって除痛を得る治療手段です。神経を破壊しないため、RFと比較して知覚低下・筋力低下をきたしにくいので、運動神経を含んだ下肢の神経への治療などに用いることができます(**写真2**)。作用機序としては、針先に生じる電場が鎮痛効果に関与するとされ、脊髄後角における慢性疼痛の

写真2　X線透視下腰部神経根ブロック

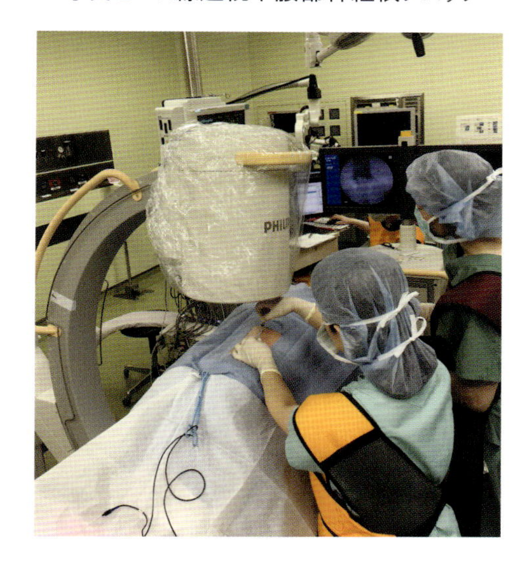

長期増強の拮抗作用、炎症性サイトカインの抑制作用などが報告されており、一種の刺激鎮痛法と考えられています。

・腰椎椎間板内高周波治療（Disc FX®）

腰椎椎間板ヘルニアや、椎間板性腰痛に伴う腰痛や下肢の痛みに対して行う治療法です。専用の針を背中から椎間板に挿入し、ラジオ波による椎間板髄核の焼灼を行うことで痛みを緩和します。手術を希望されない方の代替治療として期待されています。

【緩和ケア編】

Q　がん治療中なので緩和ケアを受けるのはまだ早いと思うのですが……。

A　緩和ケア＝終末期医療と誤解されている方も多いと思いますが、基本的な緩和ケアは病気の診断時から受けるものです。治療に伴うつらい症状、たとえば手術後の痛み、化学療法や放射線療法の副作用などがあれば、それを和らげることでがん治療を継続することを可能にし、生命予後の改善に直接つながります。実際、早期からの緩和ケアがQOLを向上させ、従来の治療のみ行った場合と比べて生存期間も延長するという報告があります。また、がんに向き合う本人だけでなく、支えるご家族の悩みも緩和チームが一緒に考え解決していきます。外来治療中でも入院中でも、より困った状況になれば専門的な緩和ケアをいつでも受けることができます。当院では在宅医療を行う施設との連携も推し進めており、かかりつけ医と協力して自宅でも病院でも切れめのないケアを提供できるようめざしています。

【禁煙外来】

Q　手術をすることになりました。タバコを吸っていたらダメですか？

A　喫煙が健康被害を与えることはかなり知られてきました。実は手術の際にも、患者さんご本人や同居者が喫煙している方では、そうではない方と比べて手術成績が悪く、合併症も多いことがわかってきました。また、喫煙は手術後の痛みも含めて痛み治療にも悪影響を及ぼすことが知られています。手術前に限らず禁煙はさまざまなところですすめられていると思います。喫煙がやめられないのはニコチン依存症という病気です。禁煙したいけれども自分ひとりで禁煙する自信がない方には、禁煙外来の受診をおすすめします。禁煙外来では、禁煙補助薬の使用やカウンセリングによって禁煙の達成とその継続を支援しています。最近では電子タバコ（ニコチンは含まれない）や加熱式タバコ（ニコチンが含まれる）に変えられる方も増えていますが、両方とも有害物質が発生することが報告されています。加熱式タバコの使用者も禁煙外来を受診していただけます。

普通の歯医者さんと何が違うの？

すごい!! 食べる喜びを永遠に！ 低侵襲な先端医療により口腔疾患に対して高度医療を提供し、健康長寿延伸に貢献します

わたしたちがお答えします。

歯科口腔外科
教授
山田 陽一

歯科口腔外科
講師
畠山 大二郎

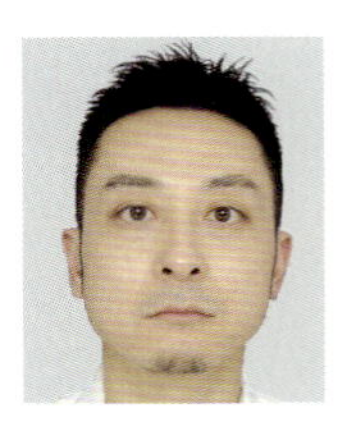

歯科口腔外科
講師
飯田 一規

Q 歯科口腔外科の取り組みについて教えてください

A 当科は、岐阜市および岐阜県における口腔疾患の二次、三次医療機関として、歯・顎（あご）・口腔（こうくう）（口のなか）に生じるさまざまな疾患を対象とした治療を行っています。また、それぞれの疾病（しっぺい）を抱える方々の口腔機能管理などを、豊富な病院機能を活用して、より安全・安心な医療を展開します。主なものとして、口腔に生じる腫瘍（しゅよう）（良性／悪性腫瘍：舌がん・歯肉（しにく）がんなど）の治療、歯を失った口腔機能回復のための骨造成（こつぞうせい）・インプラント治療、かみ合わせ（受け口など顎変形症（がくへんけいしょう））の外科的治療、口腔乾燥症や舌痛症（ぜっつうしょう）（舌・口腔粘膜のヒリヒリ感・灼熱感が生じる疾患）に悩んでいる方の治療などを行っています。また、診断・治療にかかわる機材を投入し、清潔度と質の高い口腔医療を提供しています。そして、将来展望として、GMP（ジーエムピー）規格に準拠するCPC（シーピーシー）（細胞治療施設）を活用した細胞による口腔粘膜・顎骨（がくこつ）の再建（再生治療）など、先進的医療を積極的に進めるよう構築中です。

Q なかなか治らない口内炎は口腔がんなの？

A 口のなかにできる病変は、自分の目で容易に見ることができ、手で触れることができるため、本来は気がつきやすいものですが、実際には早くに気がついていても、放置してしまい病気を進行させてしまっている場合が多く見受けられます。良性の病気であれば致命的となることはありませんが、がんの場合には放置することにより重篤な事態となってしまう場合もあります。口腔にできるがんは、初期の段階では、白斑（はくはん）、びらん、潰瘍（かいよう）、腫瘤（しゅりゅう）（いぼ）などの姿で現れ、硬結（こうけつ）を触れるようになってきます。一見すると、単なる口内炎、歯周炎（ししゅうえん）、虫歯や入れ歯でできた傷のようにも見えますが、2～3週間程度経過を観察しても治癒が得られない場合には注意が必要となります。

写真1はさまざまなタイプの初期の口腔がんで、白斑・びらん・潰瘍を呈し、口内炎・歯周病・義歯の傷のようにもみえます。

写真1　初期の口腔がん（上段左2枚：舌がん、上段右1枚と下段：歯肉がん）

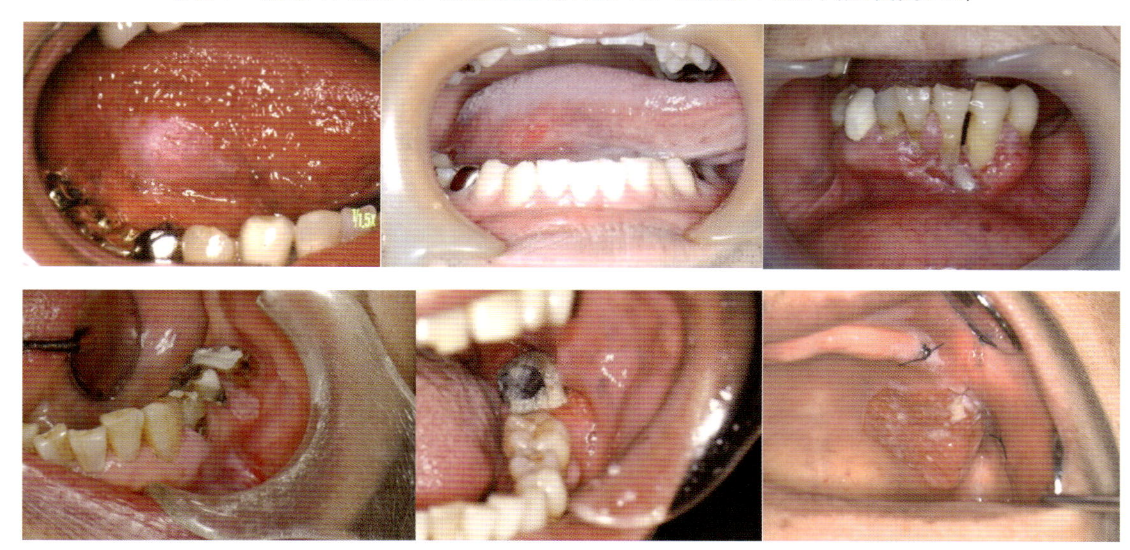

写真2　インプラント治療のためのシミュレーション

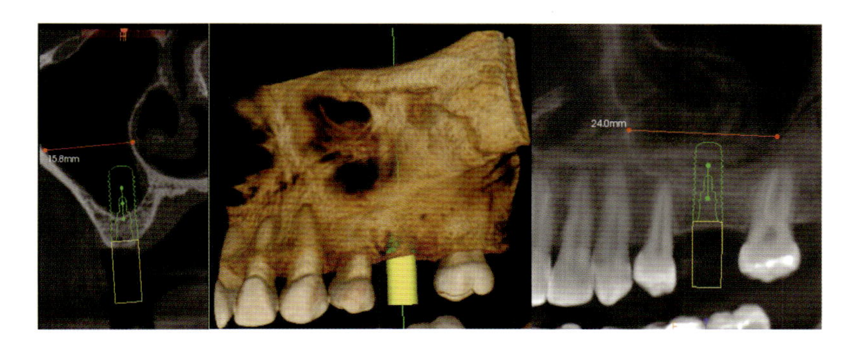

Q インプラント（人工歯根）治療で大事なことは？

A インプラント治療とは、歯の抜けたところにインプラント（人工歯根）を埋め込み、それを土台に人工の歯をつくる方法です。埋め込まれたインプラントは、骨と結合し強固に固定されるため、噛む力や外観も天然の歯とほとんど変わりません。近年のインプラント体の材質の向上などによって信頼性の高い治療となっています。よい状態の顎の骨に埋めるのが重要で、そのため精密な診断が必要となります。時には、骨を移植したり、上顎洞粘膜をもち上げたりする工夫が必要な場合もあります（写真2のようなシミュレーションが大変重要です）。基本的に、保険診療ではない自費診療ですが、当院では2012年4月から「広範囲顎骨支持型補綴装置」として顎骨欠損が大きい場合（外傷・腫瘍切除後などでかみ合わせ回復の困難な例）に保険診療で行うことが可能になっています。

Q かみ合わせがおかしいのは顎変形症でしょうか？

A 顎変形症とは顎骨（上顎骨と下顎骨の両方、またはいずれか一方）の変形を伴ったかみ合わせの異常を示す疾患で、通常の歯並びの治療（歯科矯正治療）だけではよいか

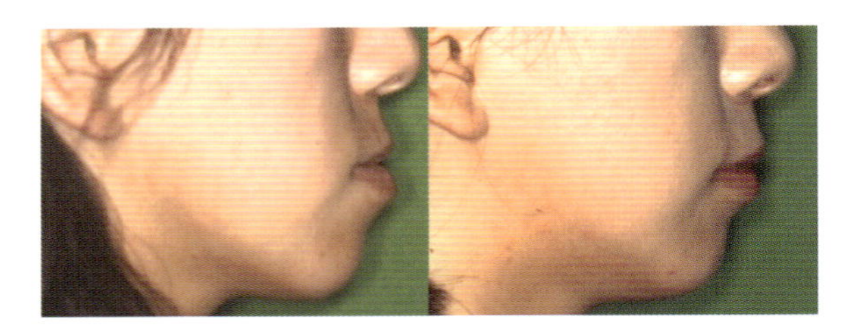

写真3　下顎前突の術前（左）と術後（右）

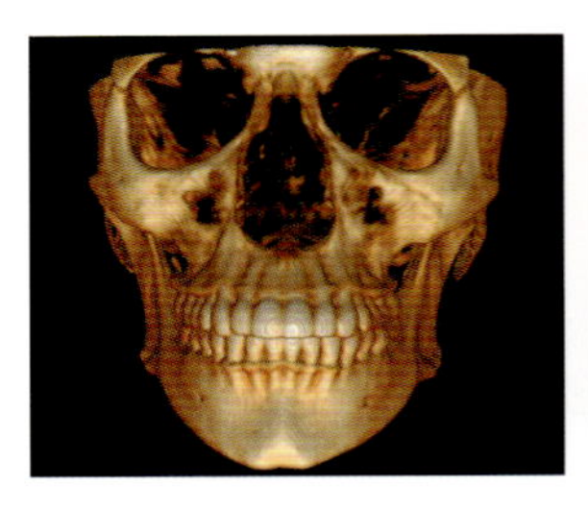
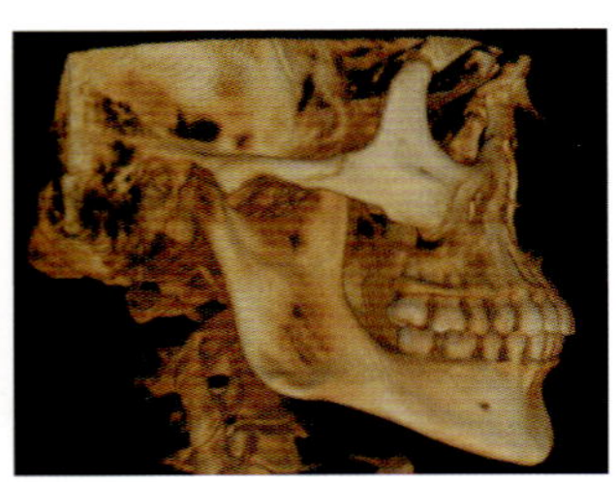

写真4　デンタルCT画像

み合わせが得られない場合に、口腔内からの手術（外科的咬合改善術）を行います。下顎前突（受け口）、上顎前突、小下顎症などが対象となります（写真3）。この治療・手術は、術前の歯科矯正治療も含め健康保険の範囲で行うことができる場合もあり、基本的な手技がほぼ完成した治療法です。

たとえば、受け口が口腔内手術（下顎骨短縮術）により正常なかみ合わせとなり、顔貌と咬合機能の改善が得られます。

Q 歯科用コンピュータ断層撮影装置（デンタルCT）とは?

A 歯科用コンピュータ断層撮影装置は、「デンタルCT」や「コーンビームCT（CBCT）」とも呼ばれ、歯や顎骨を撮影するためのX線画像診断装置です。当科のデンタルCT撮影装置は、最小0.09mmのスライス幅が可能で、撮影範囲も最大で17×13.5cmとデンタルCTのなかでも広範囲の撮影が可能です。被ばく量も少なく短時間（12～25秒）で撮影できます。撮影した画像は画像処理ソフトによって3D構築が可能であり、構築した3D画像を自由にスライスすることも可能です。したがって、①デンタルインプラント埋入のためのシミュレーション、②埋伏歯の三次元的位置関係の確認、③嚢胞などの顎骨病変の確認ができます。写真4のように顎口腔の様子を立体的に診ることができます。

Q 超音波ボーンサージェリーシステムとは?

A 当科では超音波ボーンサージェリーシステムを導入しています。このシステムの特徴は三次元超音波振動により硬組織を切削することです。口のなかには重要な神経や血管（軟組織）が多く存在しますが、従来は切削器具としてドリルを使用することが多く、軟組織を巻き込む危険性がありました。超音波による切削は高速で振動幅が少ないという特性により、骨などの硬組織は切れても、血管、神経などの軟組織を傷つけることが少なく、従来のドリルを使用する切削よりも安全であるといえます。また、従来の切削器具よりも摩擦による発熱や出血が少なく、術後の疼痛や腫脹も少ない利点があります。さらに、微細振動による硬組織の切削という特性から、精密な手技が必要とされるインプラント治療（前述）やマイクロスコープを用いた歯根端切除術などの手術において威力を発揮します。

Q 再生医療とは?

A 再生医療は細胞、栄養因子、足場の3要素により、体の組織を再生させる医療のことです。京都大学iPS（人工多能性幹細胞）研究所の山中伸弥教授が、万能細胞（iPS

細胞）を発見し、ノーベル賞を受賞したことでご存じの方も多いと思います。

ヒトの体は60兆個の細胞からできているといわれています。この細胞の力で組織を再生するという、新しく期待されている先進的医療です。口腔外科分野では顎の骨などを再生することをめざしています。特に、抜いた歯のなかに存在する歯の神経（歯髄）から歯髄幹細胞を取り出し、培養という操作によって増やし、骨をつくる細胞へと変化させることにより、負担なく骨をつくる新しい技術を開発しています。この再生医療により、今まで侵襲の大きかった健常な自分の骨をとったり、動物などから作製した人工材料を使用したりすることなく、歯周病やインプラントを可能とする質のよい骨の再生が可能となってきており、新しい治療法によるパラダイムシフトが起ころうとしています。

Q スタンダードプリコーションとは?—以前、新聞報道で、歯科診療を行う多くの現場で歯を削る器具が使い回されているとありましたが、大丈夫なの?

A 当科では、すべての歯の切削器具は、滅菌された器具を、患者さんごとに交換して使用しております。また、これらの器具以外も、基本的には同様に処置して使用しております。さらに、院内感染を予防すべく、厚生労働省の指針や米国疾病管理予防センター（CDC）のガイドラインを参考にして、感染症の有無、病態、感染経路などにかかわらず、すべての患者さんにおいて予防策を行う「標準予防策（スタンダードプリコーション）」を徹底しておりますので、安心して治療を受けていただくことができます。

Q 親知らずは抜く必要がありますか?

A 一般的には、親知らずは「智歯」と呼ばれていますが、正確には第三大臼歯と名づけられています。この智歯は、最も遅く形成されて萌出してくるため、萌出する余地（場所）がなくほとんどは正常に生えず、感染巣を形成し痛みや腫れを生じたり、口臭や前の歯の齲蝕の原因になったりします。顎が小さくなってきている現代人の宿命のような疾患です。治療としては抜歯がなされますが、精度の高い画像診断と低侵襲の処置が重要です。また、問題のない智歯はすぐ抜歯するのではなく、保存することもあります。さらに、当科では単に抜歯するだけではなく、抜去後の歯から歯髄幹細胞を樹立し、写真5のようなiPS細胞の誘導やリソースバンクを構築中でもあります。

写真5　iPS細胞の誘導

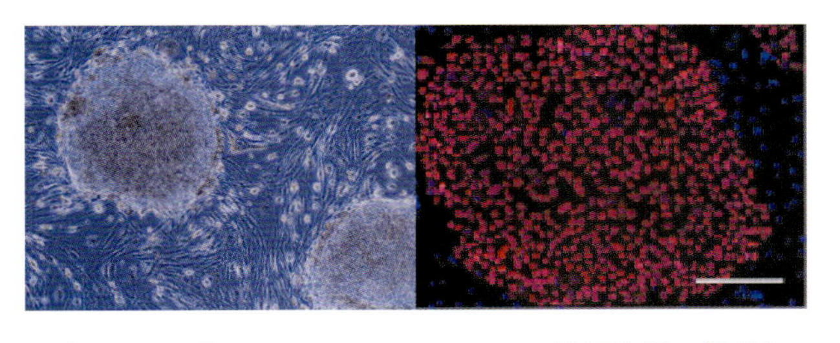

〔画像の一部はメーカーパンフレットより許可を得て掲載〕

高次救命治療センター・救急科について教えてください

すごい!! ドクターヘリや救急車で運ばれてきた患者さんに、退院までしっかりと決定的な治療を行います。東海地方ナンバーワンの救急医療施設です

わたしたちがお答えします。

高次救命治療センター
センター長　教授
小倉 真治

高次救命治療センター
臨床講師
三宅 喬人

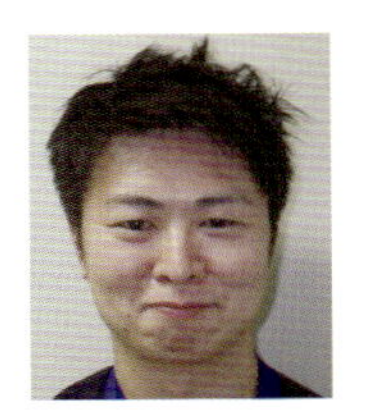

高次救命治療センター
臨床講師
福田 哲也

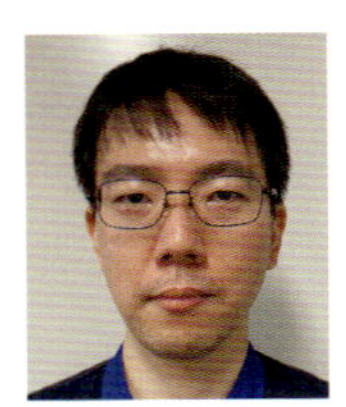

高次救命治療センター
臨床講師
北川 雄一郎

【集中治療部門】

ICUにはどんな患者さんが入っているのですか？

A ICUとはIntensive Care Unitの略で、日本語では集中治療室を意味しており、一般的に重症の患者さんを対象とした部署です。主に、①大手術後の患者さん、②一般病棟で急に容態が悪くなった（急変した）患者さんが入室しています。

当院では高次救命治療センター病棟部門の一部門として「集中治療部門」があり、主に大きな手術後の患者さんの全身管理を行ったり、院内の一般病棟から容態が悪くなった（急変した）患者さんを入室させて治療を行ったりしていますので、「院内ICU」と呼ばれています。院内ICUは当院の3階にあり、現在は先に述べたような患者さんを対象に6床で運用しています。6床のうち2床は個室で、残り4床はカーテンで仕切られたスペースでの運用となっていますが、各スペースは十分な広さが確保されています（**写真1**）。

当センター集中治療部門の最大の特徴は、スタッフであるICU専属医師が24時間、365日必ずICU内に常駐しており、各診療科と協力のうえ、患者さんの治療に当たっていることです。ICU専属医師たちは日本集中治療医学会専門医を中心に構成されており、当院は同学会専門医研修施設として認定されていますので、質の高い集中治療を提供しています。

ICU専属医師は、院内ICUにおける感染管理、栄養管理、リハビリテーションなどを多職種（看護師、薬剤師、管理栄養士、理学療法士、臨床工学技士など）と協力しながら、チーム医療を実践しているというところも特徴の1つです。

院内ICUは重症の患者さんを対象としていますので、血圧や呼吸が不安定になった患者さんや臓器不全（腎臓や肝臓や意識などが悪くなった状態）のある患者さんが多く入室しています。そのため、院内ICU入室後は厳重な呼吸循環監視モニターのもと、必要に応じて人工呼吸器、心臓・肺を助ける人工心肺装置（**写真1**）、腎臓のサポートとしての血液浄化装置（人工腎臓）（**写真2**）などさまざまな機器を使用して、スタッフが全力で患者さんの治療に当たっています。

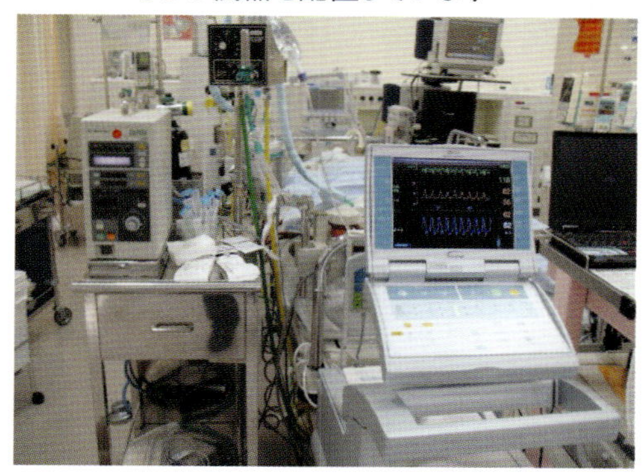
写真１　広いスペースに人工心肺装置などさまざまな機器を配置しています

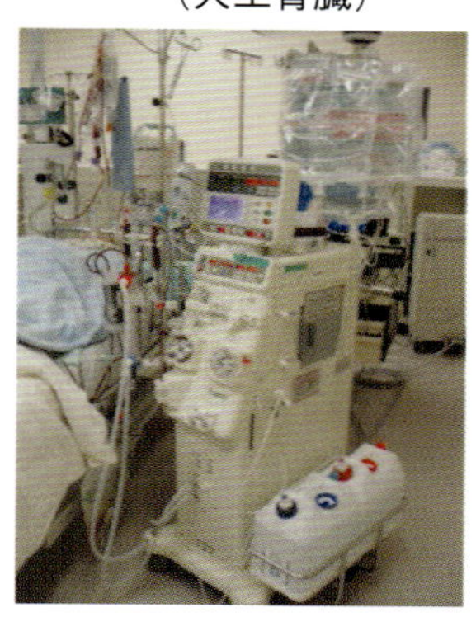
写真２　血液浄化装置（人工腎臓）

【ドクターヘリ部門】

Q ドクターヘリはどんなときに飛ぶのですか?

A ドクターヘリ（写真３）は、119番通報の内容や救急隊が観察した結果から、重症であり、早く医師・看護師に診てもらったほうがよいと判断されたときに、消防機関から要請があり、飛んでいきます。ドクターヘリで搬送される患者さんの多くは、大きなけがを負ったり、心臓の病気や脳卒中を患ったりしています。また、これらのけがや病気のときに、最も有用であるといわれています。

基本的には、岐阜県内唯一の基地病院である、当院から飛んでいきますが、複数の要請が重なった場合、複数の患者さんが同じ事故で発生した場合、地理的に有利と考えられる場合には、近くの県から飛んできてもらうこともあります。

そのほか、より高度な治療や特殊な治療が必要となり、急いで搬送する必要がある場合に、ドクターヘリでの転院搬送を行うことがあります。

ドクターヘリは、夜間や曇り・雨などの悪天候のときは飛行することができません。そのようなときには、救急車での搬送を行ってもらいます。

当院には、屋上と地上にヘリポート（写真４、５）があり、複数のヘリコプターが着陸することもできます。

Q ドクターヘリには何人乗れるのですか?

A ドクターヘリに乗ることができる人数は1名、患者さんだけです。

ドクターヘリは、医師、看護師、操縦士、整備士の４人が乗った状態で、飛び立ちます。追加として乗ることができる人数は、患者さん１名のみですが、患者さんが小さなお子さんで、ご家族がいないと泣いてしまったり、暴れてしまったりして危ないときなどには、ご家族１名も一緒に乗ってもらいます。この判断はドクターヘリのスタッフで行いますので、希望はお聞きすることができません。

【救急部門】

Q 岐阜大学病院の救命救急について教えてください

A 当センターの救急部門は、2006年２月から中部地区で２番目に、岐阜県で唯一の高度救命救急センター（全国で42施設）として認定されています。

当センターでは救急科指導医６名（岐阜県内に８名）、救急専門医24名（岐阜県内に70名）を含む28名のスタッフで治療に当たり、岐阜県内の救急医療の「最後の砦（とりで）」として、24時間365

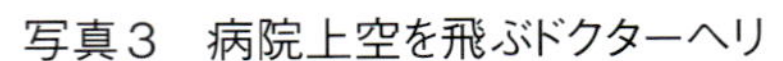
写真３　病院上空を飛ぶドクターヘリ

写真４　ヘリポートに駐機するドクターヘリ

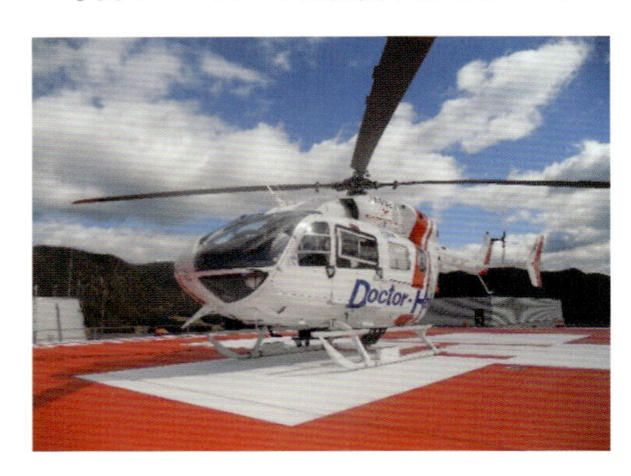

写真５　虹を背景として未来を夢みるドクターヘリ

日体制で重症患者さんの治療を行っています。

2020年に当院を救急受診された方は4,151名で、そのうち救急車で来院された方は1,446名です。救急車の搬送台数からいうと、県内の他の救命救急センターをもつ病院などではもっと多い施設もありますが、当院は重症の患者さんの割合が大変高く、他の救命救急センター、病院で対応不可能な患者さんの転院が多いのも特徴です。特に、2011年２月から岐阜県ドクターヘリの運航を開始してからは、岐阜県全域をカバーできるようになり、県内中の病院や現場から当院へ重症の患者さんがヘリ搬送されています。

救急車、ドクターヘリで現場から直接搬送される患者さんには、一刻一秒を争う最重症の方が多く、知識・スキル・経験をもった救急科指導医・専門医を中心としたスタッフ、重症の患者さんの対応に習熟した救急看護認定看護師、集中ケア認定看護師を中心とした看護師、さらには臨床工学技士、薬剤師、リハビリチームなど、多職種で対応しています。“救命の連鎖”という言葉がありますが、病院でも、「病院前救護」「救

写真６　乗用車同士の交通事故

写真７　東日本大震災に出動したドクターヘリ

急外来」「集中治療管理」「早期リハビリテーション」の連鎖がつながることで患者さんの救命率が向上します。当院には、たとえば、こんな患者さんが運ばれてきます。

【症例１】多数傷病者の交通事故症例

乗用車同士の交通事故（写真６）。合計６名の傷病者あり。119番通報とともにドクターヘリ要請となった。フライトチームによる現場でのトリアージの結果、49歳男性が最も重症と判断され、腹腔内出血による緊急手術が必要と判断、当院へ搬送となった。搬送前に現場から院内初療チームに連絡が入り、さらに待機中の外傷外科チームにも連絡された。病院到着時にもショック状態であり、初療室ですぐに緊急開腹止血術を施行された。その後集中治療管理を行い、社会復帰した。

【症例２】川で溺れた！

17歳男性。川で遊んでいて溺れてしまった。すぐに友人が救出し、近くにいた人々により心肺蘇生が行われた。ドクターヘリも出動したが、フライトチーム接触時には心拍再開している状態であった。しかし、呼吸状態が非常に悪く、現場で人工呼吸器管理が必要と判断された。初療チームに連絡が入り、当院到着後、早急に検査を終えて集中治療室に入室した。人工呼吸器管理を行ったが、呼吸状態が改善せず、体外式膜型人工肺（ECMO）治療も開始された。その後、集中治療管理を行い、呼吸状態が改善、人工呼吸器からも離脱し、後遺症なく社会復帰した。

このような一刻一秒を争う最重症の患者さんの命を助けるためには、いかに早く根本的な治療が行われるかが重要です。ドクターヘリはドラマなどでは現場で治療することに注目されがちですが、実際にはそれよりも、いかに早く正確な情報をチーム全体で共有して早期治療につなげるかが大切です。特に、先述の【症例２】については、すぐに救助、心肺蘇生を開始した方々の存在が非常に重要であり、そこから始まる、まさに“救命の連鎖”によって救命することができた症例だと思います。

また、当センターでは、岐阜県メディカルコントロール医師が岐阜県内の救急隊員、救命士の教育や体制の構築、指導を日々行っていて、岐阜地域だけではなく岐阜県全体の救急医療の向上をめざして活動しています。岐阜県内の災害医療についても当センターが中心的に活動しています。普段から県内で行われるさまざまなトレーニングコースを運営し、県内の災害医療に関係する医療従事者の教育を行っています。実際に災害が発生した場合は、たとえば東日本大震災の際にはドクターヘリを災害派遣して活動（写真７）、熊本地震の際にもDMAT（災害時派遣医療チーム）を派遣するなど、積極的な貢献を行っています。

病理診断科って何をするところ？

すごい!! 形態診断から最先端のゲノム診断まで、診断のことはすべてお任せください。さらに東海地区唯一の病理外来でセカンドオピニオンも聞けます

病理診断科・病理部
教授
宮﨑 龍彦

Q 病理診断科って？何をしているの？

A 病理は縁の下の力もちです。

当科の医師が患者さんと直接接する機会はほとんどなく、多くの皆さんは病理って何をするところ？ という疑問をおもちだと思います。

病理診断とは、臨床医が採取した患者さんの身体の一部から顕微鏡標本を作製し、形態学的な特徴や特徴的な分子の同定などを通して病気の最終診断をつける作業です。ここでいう「身体の一部」とは、手術で大きく切除してきた臓器全体のこともありますし、生検で採取してきたわずかな組織のこともあります。また、脱落してきた細胞を対象に良悪性のスクリーニングを行う細胞診という手法もあります。さらに、最近では「がんゲノム診断」といって、がん細胞から「どの遺伝子が壊れてがんになったのか」を明らかにして、その遺伝子変異に特異的に効く薬剤を明らかにする診療行為にも大きく寄与しています（図）。

病理診断は医師が行う医療行為として規定されており、病理診断科は内科・外科と並んで基本的な19診療科の1つに数えられています。病理診断、細胞診断、がんゲノム診断を専門とする専門医の制度も定められています。

Q 病理診断には費用がかかるの？

A 病理形態学的診断は、最も安価に最終診断に行き着く手段です。

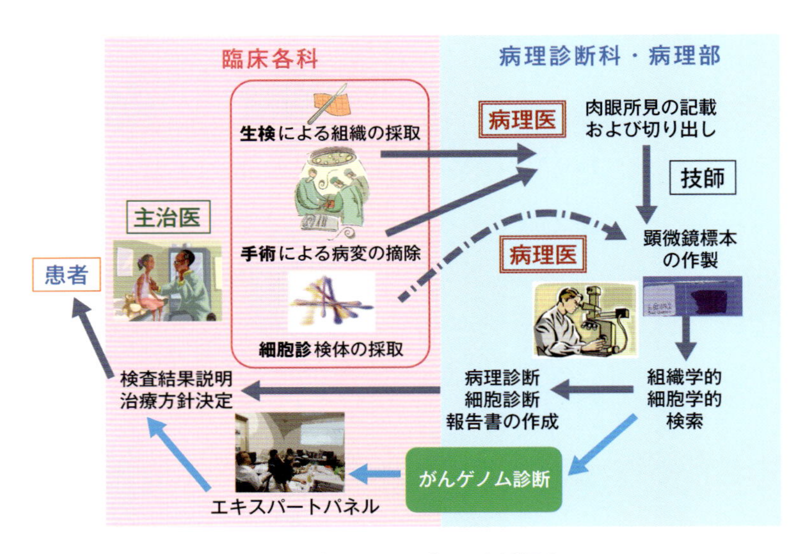

図 医療における病理診断過程

病理診断では、まず採取された組織の肉眼所見を詳細に観察し、病変がどこにあるか、どのような病変であるのかを見極めて、診断に必要な部分を切り出し、それを数ミクロンの薄さに切ってスライドガラスにはり付け、種々の染色を行って標本とし、これを病理医が観察して診断を下します。当院は、病理診断の専門家（病理専門医）11名を擁しています。

Q どのくらいの精度で病気をみつけられるの？

A 最新の技術によるさらに精度の高い診断を行っています。

一般的な染色による形態診断には限界があります。そこで、分子生物学的な手法を用いてさらに診断精度を高めています。

まずは免疫組織化学染色です。これは、組織標本上に特定の物質が存在するのかどうか、どれぐらいの量が存在するのかを確認する方法で、病理診断では日常的に使われています。当科では免疫組織化学染色の自動化を進めており、自動免疫染色装置3台がフル稼働し、年間1万件を超える免疫組織化学染色を行って、より質の高い診断に生かしています（**写真1**）。

また、病気に特異的な遺伝子の鋳型（mRNA）が細胞内にあるかどうかを調べる*In situ* ハイブリダイゼーションという方法も常時行っています。

さらに、パラフィン包埋組織からDNAやRNAを抽出して特定の病気、特に、がんに特異的な遺伝子の変化（変異や多型）、病気に特異的なmRNAがどれだけあるのかを定性的・定量的に評価する方法を行うためのマクロディセクション装置、高速遠心機、サーマルサイクラー、DNA抽出装置、電気泳動装置、泳動撮影装置など、先進的な機器・システムも稼働しています（**写真2**）。

Q 最近聞くようになった「がんゲノム医療」とも関係があるの？

A 近年、当院では、がん細胞からDNA・RNAを抽出して発がんに関係する遺伝子の変化を網羅的に解析して、その遺伝子の変化をターゲットとした治療薬をみつけ出す「がん遺伝子パネル検査」を展開しています。このようなゲノム医療は、病理診断に用いた病理標本を使って行います。そのため、病理部では病理検体作製や保管の精度管理にはじまり、遺伝子異常の解読、各分野の専門家が集まって治療方針を決定する「エキスパートパネル」の運営に至るまで、がんゲノム医療にも大きく貢献しています。新設された「分子病理専門医制度」の第1回試験に4名の合格者を出し、2021年4月からは、分子病理専門医4名体制で業務に当たっています。

写真1　全自動免疫染色装置

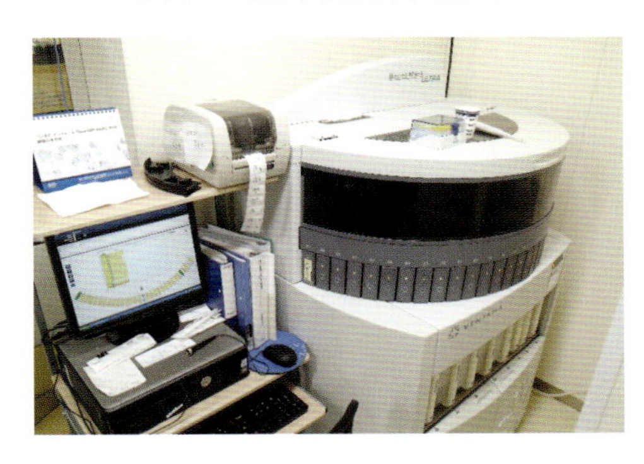

写真2　がんゲノム診断のためのマクロディセクション装置

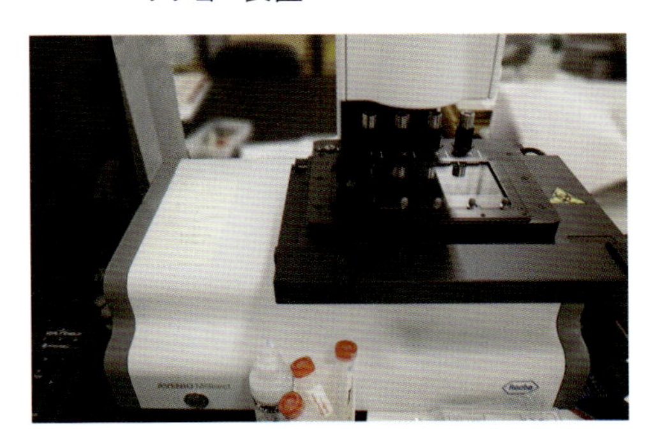

セカンドオピニオンをお願いしたいのですが……

A 当科では他院で診断された病理診断結果に対するセカンドオピニオンにも対応しています。

外来枠を設け、病理医との面談を希望する患者さんが病理診断の中身について詳細な説明を受けたり、セカンドオピニオンを聞いたりすることができるようになっています。このセカンドオピニオン外来は、週1回、月曜日の午後に枠を設けています。この外来は保険診療外となりますので、別途経費が必要です。

また、他院の病理診断結果のセカンドオピニオンを受けたいけれど、わざわざ病理医のむずかしい話を聞くのも……と思われる方は、前医の標本を借り出して各診療科の医師に預託(よたく)してください。それらの標本を当科の専門医が再検討し、診断核心の部分の顕微鏡写真を添えて担当医師に報告しますので、受診している診療科の医師から病理診断のセカンドオピニオンを聞くこともできます。

病理診断のセカンドオピニオンに当たって、病理形態のみでは診断が困難な場合、前医標本から免疫組織化学染色をはじめ、先進的な分子病理学的検索を当科で行って詳細に解析し、より精度の高い診断結果を提供しています。

他院で診断を受けた病理標本をもとに、先進的な治療のためのコンパニオン診断を当院で行って、治療適応を明らかにし、当院での先進的な治療を実施することも行っています。そのために、前述のがんゲノムパネル検査まで行うこともあります。たとえば、**写真3**に示すように乳がん(腺がん)の症例の病理標本(a)を用いて、HER2の免疫組織化学染色(b)と*HER2*遺伝子に対する「ダブル*In situ*ハイブリダイゼーション」(Dual Color in situ Hybridization:DISH)を行い、*HER2*遺伝子の増幅を解析してハーセプチン®という分子標的薬(ぶんしひょうてきやく)による治療の適否を明らかにするというようなことも、当院のみでなく、他院で採取された標本に対しても行っています。

ほかにも、腫瘍(しゅよう)に特異的な特定の遺伝子の相互転座(そうごてんざ)(別の染色体上の遺伝子と切れてつながってしまうこと)を証明して診断を確定することもセカンドオピニオンの一環として行っています(**写真4**)。

ほかにはどんなことに取り組んでいるの?

A 病理形態所見の電子化と関連病院とのネットワーク構築に注力しています。

重要な所見については、デジタル顕微鏡カメラによって病変組織の決定的な部位を撮影するなど、病理形態所見を電子化してカルテ上で共有

写真3 乳がんの*HER2*解析の例

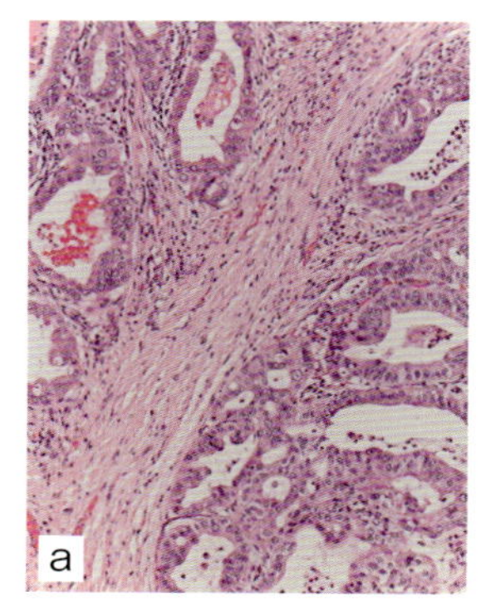

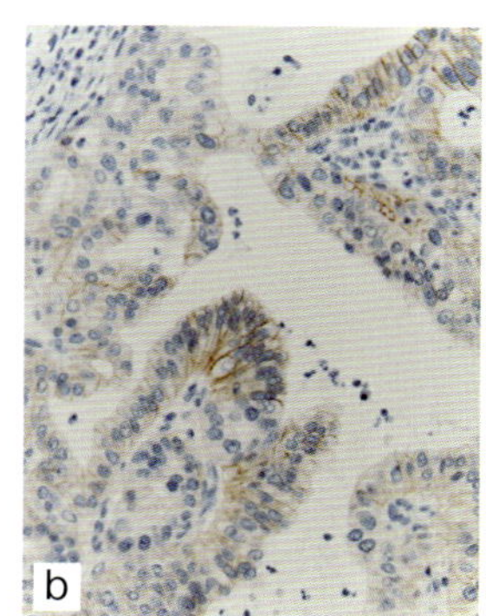

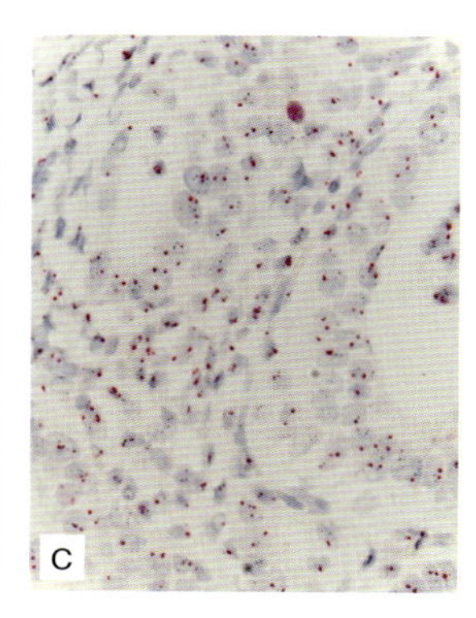

写真4 腫瘍特異的な遺伝子異常解析の例

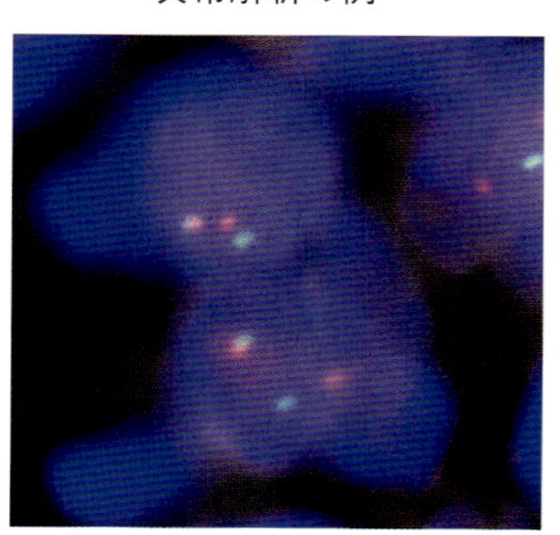

することを実践しています。また、バーチャルスライドシステム（詳細な顕微鏡画像を網羅的に撮影してソフトウエアであたかも本物の顕微鏡を観察しているように表示できる装置。グーグルアースを標本上で行ったと想像してください）を駆使して重要な組織標本をまるごと電子化し、臨床とのカンファレンスや研究会、学会、教育用に役立てています。さらに、最近では関連病院にもバーチャルスライドシステムを導入してもらい、ネットワークで当科とつないで、術中迅速診断をカバーしたり、コンサルテーション（むずかしい診断の助言）をリアルタイムで行ったりすることができるようになりました。

Q 教育病院としての役割はどう果たしているの？

A 当科では若手医師のリクルート・育成にも力を注いでおり、教育活動として臨床実習の指導、研修医の専門家研修を分担し、さらに病理専攻医（病理専門医をめざす若手医師）の教育に、岐阜県で中心的な役割を果たしています。若手育成のための環境も整い、4Kの解像度をもつデジタル顕微鏡カメラと60インチの4Kディスプレイを組み合わせた最新のカンファレンスシステムを稼働させ、その画像をPC上でシェアしてリモートでもカンファレンスに参加できるようにして、大学の医師のみならず、関連病院の医師の教育にも寄与しています。現在、病理専門医をめざす若手医師11名が研鑽を積んでいます（写真5）。

さらに臨床検査技師の育成、細胞診スクリーナーの育成にも力を入れており、臨床検査技師9名はすべて細胞検査士資格を取得しています。また、認定病理検査技師の資格も複数の技師が取得しています。日本臨床細胞学会東海連合会、岐阜県臨床細胞学会の事務局も引き受け、常に人と情報が流れるようになっています。

また、病理診断の精度管理にも積極的に取り組み、国際規格ISO15189を取得するとともにUSCAP（The United States and Canadian Academy of Pathology, 米国・カナダ病理学会）からも認定検査室として評価されています。

このようにアクティビティが高い状態を維持しており、若手医師が増えてカンファレンス室は顕微鏡の部屋とリモート参加の部屋、2つでやっと収まるかといった状態になっています。このような雰囲気のおかげか、毎年複数の病理診断学を志す若手が病理の戸をたたいてくれるようになっています。今後も東海地区における病理医の育成に中核的な役割を果たすことができそうです。

写真5 カンファレンス（勉強会）の1コマ

左：10人用ディスカッション顕微鏡と4Kモニターで顕微鏡像を共有

リハビリテーションについて教えてください

すごい!! さまざまな分野のリハビリテーションを行い、高度な医療・手術や高次救命後の早期リハビリテーションで、早期回復をめざしています

わたしたちがお答えします。

リハビリテーション科　教授
リハビリテーション部　部長
秋山（あきやま） 治彦（はるひこ）

リハビリテーション科　特任准教授
リハビリテーション部　副部長
青木（あおき） 隆明（たかあき）

Q 何のリハビリテーションを行っているのですか？

A リハビリテーションには精神的なものや社会的なものもありますが、当院では、主に脳血管・運動器・呼吸器・がん・心臓のリハビリテーションを行っています。

現在、早期リハビリテーションの効果が注目されています。手術前や手術後、発症後など早期からリハビリテーションをすることで、回復も早く、自分の力でできる日常生活動作の範囲が拡大します。年齢は関係なく、早期から個人に応じたリハビリテーション処方・プログラムをすることで、より効果があがります。

Q リハビリテーション部はどんなところですか？

A 当院リハビリテーション部では、日常のリハビリテーション外来から入院患者さんのリハビリテーションまで、主に急性期のリハビリテーションを幅広く行っています。医師2名、理学療法士22名、作業療法士4名、言語聴覚士5名、技能助手1名の計34名が、特に脳血管・骨関節・神経筋疾患・呼吸器・心臓・内部障害・がんなどの患者さんのリハビリテーションに力を入れています。がん患者さんも快適に過ごせるように、日常生活動作に関連した機能を高めることが大切です。人工肛門を閉じたあとの便漏れはなかなか相談しにくいことですが、骨盤底筋（こつばんていきん）を訓練することで、徐々に軽減していきます。

また、障がい者スポーツのメディカルチェック協力医療機関の指定も受けており、日本代表選手を含めた選手のケアを行っています。

Q スポーツリハビリテーションとは何をするの？

A 整形外科のスポーツ外来には膝（ひざ）や肩のスポーツ障害の患者さんが多数来院されます。手術的な治療とともに、前後のリハビリテーションは必ず行われます。スポーツ復帰を果たし、再度障害を起こさないようにするためのリハビリテーションで、フォームの修正なども大切です。

Q 装具って何ですか？

日常生活動作を補助する道具です。動作の妨げにならず、効果的に作用することが大切です。装具は短下肢装具をはじめ、長下肢装具、義足、義手、体幹装具など、適応や装着時期を考慮しすすめていきます。また、靴装具やインソールによる外反扁平足・外反母趾・脂肪褥炎・足底腱膜炎などの加療にも義肢装具士と調整し作成します。

写真１　長下肢装具の開発

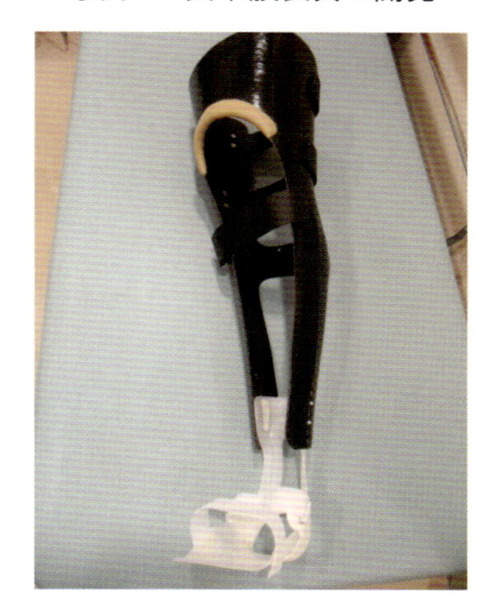

Q 評価・研究もしているの？

当院では有効なリハビリテーションをするための解析研究を行っています。

①VICON装置による動作解析

リハビリテーション訓練室の一部に設置したVICON動作解析器・床反力計による測定とAnyBody™による解析を含め、変形性股関節・変形性膝関節・肩関節障害・小児疾患などの動作解析を定期的に行い、リハビリテーションに必要な訓練の評価として利用し、訓練効果の向上に努めています。またスポーツ障害に対しても動作解析を行い、成績の向上・再度けがをしないように評価指導しています。

②Wiiボードを用いた床反力・平衡機能評価

Wiiボードによる平衡機能の検査・評価について、岐阜県情報技術研究所との共同研究として、ソフト開発に取り組んでいます。バランス圧ボードを利用して、平衡機能・筋力のバランスを測定・評価し、転倒しやすさを推測するもので、特に高齢者の筋力強化や歩行矯正に取り入れています。ロコモティブシンドローム（運動器症候群）を早くからみつける活動も院外医療施設で行っています。

写真２　立ち上がり装具の研究

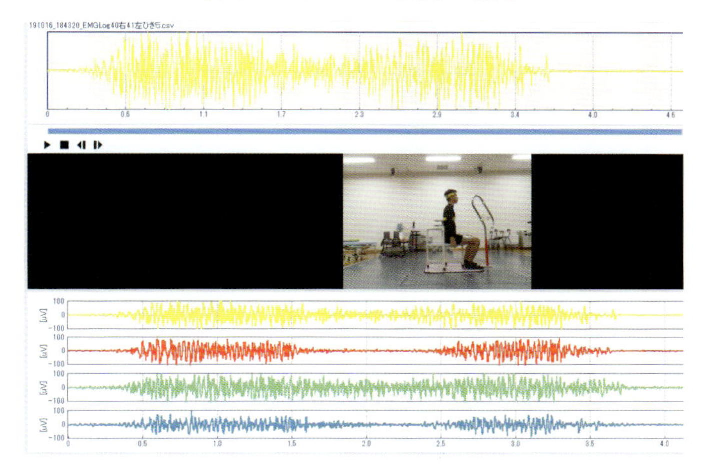

③サルコペニアの評価

関節リウマチやがん患者さんなどの栄養状態・骨粗鬆症の状態を計測把握して、リハビリテーションする際に栄養が十分であるか、筋量がどの程度かを把握し、訓練方法を検討し、主治医・栄養士と相談し、補助食品を追加するなど、リハビリテーションに必要な栄養についても配慮しています。

④装具の開発

急性期に効果的に利用できる長下肢装具（写真１）の開発研究や、速圧トレーニングの効果についての研究、高齢者の立ち上がり動作を解析し、より効果的に立ち上がるための手すりの評価を行い、引き型手すりの効果について実証しました（写真２）。

検査部について教えてください

すごい!! 病気を診断し、適切な治療を行うために欠かせない臨床検査。検査部は、高品質な臨床検査で患者さんの命を守ります

わたしたちがお答えします。

検査部　部長
教授
大倉 宏之

検査部　副部長
臨床講師
渡邉 崇量

Q どのようなところですか？

A 検査部は患者さんの検体（血液や尿、その他体液）に含まれているさまざまな物質を専用の分析装置で測定する「検体検査部門」と、心電図や超音波検査、脳波検査など、患者さん自身の身体を直接検査する「生理検査部門」とに大別されます。また、検査部では2018年に国際標準化機構が認定するISO15189を取得しました。これは臨床検査の質と技術的能力が、国際的に保証されていることを表しています。

Q 細かく分けるとどういった検査部門があるの？特徴は？

A 「生化学免疫」、「血液」、「一般」の各検査部門は、同一の検査機器を2台ずつ併用（ミラーリング）し、24時間“検査を止めない”バックアップ体制で、休日平日を問わず、緊急検査をリアルタイムで受け入れています。また、ISO15189で保証された、常に精度の高い検査結果を提供しています（写真1）。

「微生物検査部門」では感染症を起こす細菌、ウイルス、真菌（カビ類）、原虫などを検出することが主な業務です。当検査室では患者さんの検体（血液、喀痰、尿、便、膿など）から塗抹鏡検、培養検査、同定検査、薬剤感受性検査などを行います（写真2）。ISO15189認証はもとより、日本臨床微生物学会が認定する臨床微生物検査技師が、患者さんからいただいた貴重な検体で的確に病原微生物を検出します。

また、検査業務だけでなく、感染対策チーム（ICT）、抗菌薬適正使用支援チーム（AST）の一員として薬剤耐性菌の動向提供や病棟ラウンドを実施し、感染対策にも取り組んでいます。

「生理検査部門」では、身体の働きに関するさまざまな情報を画像や波形にして調べています。主に循環器領域、呼吸器領域、脳神経領域、耳鼻科領域などの検査が行われており、各分野に専門的な資格を有する技師が配置されています。特に、超音波検査では、心臓、血管、腹部、表在、関節など、超音波が使用できるすべての部位で検査が可能です。もちろん生理検査室（写真3）でもISO15189認証も取得しています。

このように、当院検査部ではより高度で精確かつ専門的な医療情報を提供することができ、病気の診断や治療を受ける患者さんに対しても、大きなメリットにつながると確信しています。

写真１　採血室からの自動搬送ユニットと各種の自動分析装置

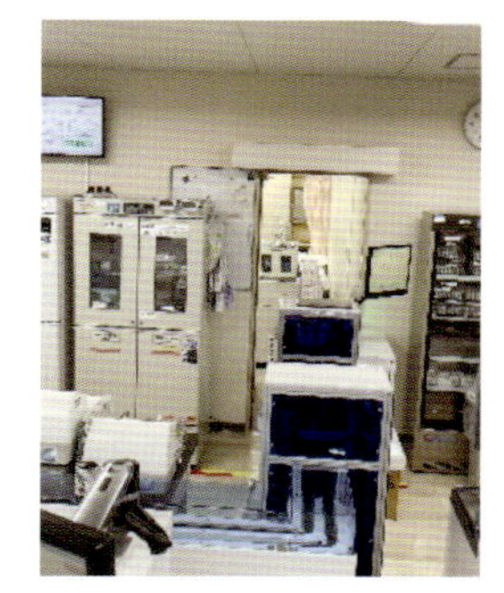

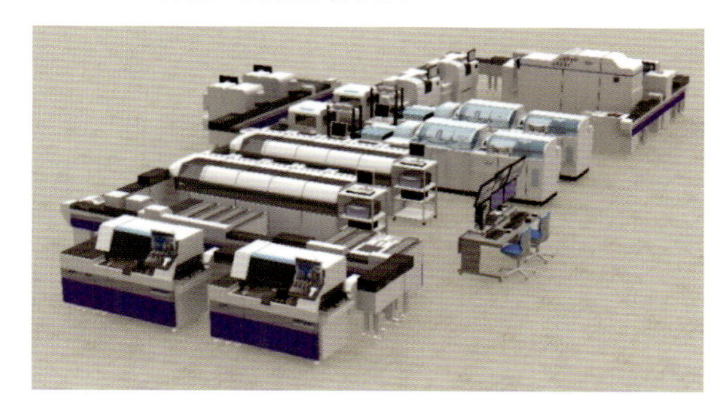

写真２　微生物検査室

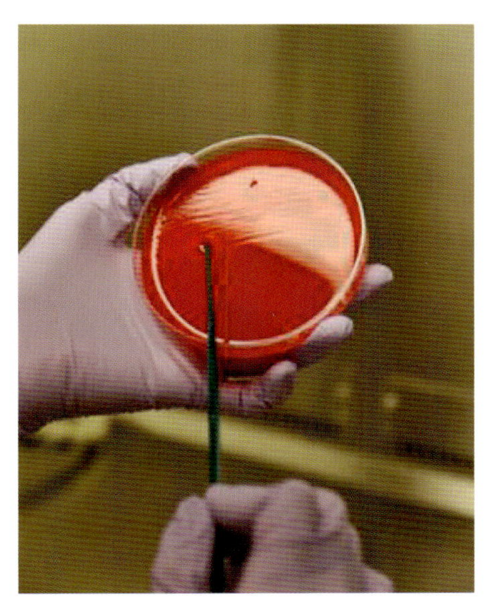

写真３　生理検査室待合

手術部の役割について教えてください

すごい!!
悪性腫瘍手術や心大血管手術など高い専門性と高次救命センターなど緊急性を要する手術に常に備え、大学病院としての使命を支えています

わたしたちがお答えします。

手術部　部長
教授
飯田 宏樹（いいだ ひろき）

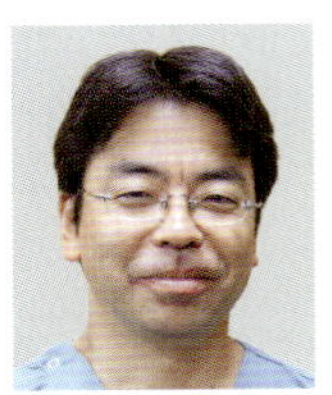

手術部　副部長
准教授
長瀬 清（ながせ きよし）

Q 手術医療に対してどのような質的向上への仕組みや取り組みがされていますか?

A 当院は、がんや心大血管疾患に代表される専門性が高い手術だけでなく、緊急性を伴う外傷手術など、あらゆる手術に即対応できる体制を院内すべての部署の協力を得て構築しています。

①手術医療の質を向上させる仕組みづくり

手術医療の質向上に取り組んでいます。手術医療は不確実性を伴うため、最善の手順を積み重ねる仕組みが求められます。私たちはチーム医療により多職種の専門性を生かす仕組みや、目標を共有し協働できる手術室をめざします。

②手術医療の医療安全を確保し、安心して患者さんが手術を受けられる取り組み

医療安全はすべてに優先されるという組織文化を頑（かたく）なに守っています。ルールを遵守（じゅんしゅ）し、さまざまな事例を共有し、再発防止策など医療安全に取り組んでいます。

③手術医療の透明性を通じ、わかりやすい手術医療の提供

手術を受ける患者さんは、手術後の痛み、失う機能に伴う悲しみ、もとの生活に戻るまでの不安など多くの心配を抱えています。また、専門的な言葉が多く、手術医療の理解も困難を伴います。私たちは病状や治療法の丁寧な説明だけでなく、患者さんの意思や家族の希望に沿った意思決定支援を大切にします。

④新手術棟を建築します

2022（令和4）年度に新手術棟がオープンします。ハイブリッド手術や内視鏡手術をはじめ、最新機能が装備され、さまざまな新しい手術医療が提供できるようになります。手術までの待ち日数も短縮できると考えています。

私たちは、外科医、麻酔科医、手術部看護師、臨床工学技士など多くの職種が1つのチームとして手術医療の質向上・安全確保のために努力を重ねています。

材料部では何をしているのですか?

すごい!! 病院内のあらゆる再利用可能な治療検査器具の滅菌消毒、ならびに消耗物品の調達分配を担当しています

わたしたちがお答えします。

材料部 部長
教授
土井 潔

材料部 副部長
助教
吉田 明弘

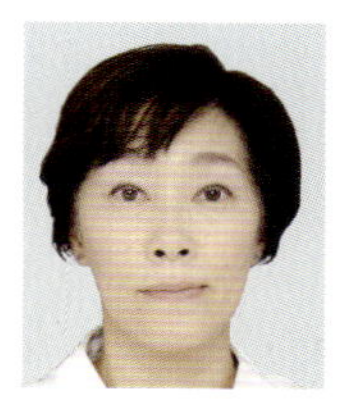

材料部
看護師長
村瀬 妙子

Q 材料部の役割について教えてください

A 材料部の役割は大きく分けて2つあります。1つは病院内で使用するさまざまな医療器材の洗浄・滅菌です。もう1つは使い捨て医療材料の選定と在庫物流管理です。

病院内で使用する医療器材・材料は膨大な数であるため、それらを安全かつ適切に運用するうえで材料部の役割は非常に重要といえます。

①医療器材の洗浄・滅菌とは?

病院内で使用されたすべての医療器材は、材料部に回収されたあとに洗浄・組立・滅菌・保管され、その後、病院内の各部署にまた配布されていきます。洗浄・組立・滅菌の一連の工程には数時間が必要で、材料部にある洗浄・滅菌機は1日中休むことなく動き続けています。

医療器材のなかには手術室で使用する金属製のハサミや鑷子(せっし)などの器具だけでなく、検査室で使用する内視鏡(ないしきょう)なども含まれています。近年普及している内視鏡下手術やロボット手術では非常に精密な手術器具を多く使用しており、これらの手術器具の内部の複雑なつなぎ目のなかまで完全に洗浄するために、当院では最高水準の洗浄機を使用しています。金属製の器具の滅菌には高圧蒸気を用いたオートクレーブで行いますが、内視鏡など熱に弱い器材の滅菌にはガスを用いた滅菌法で行います。洗浄・滅菌が完全に行われているか、毎日厳重な検査を行っており、幸いこれまでに不具合が生じたことはありません。

②医療材料の選定と在庫物流管理とは?

病院内では手袋・ガウンなど非常に多くの医療材料があり、その多くが現在では使い捨てです。当院では全国の大学病院と共同で品質の良い医療材料を開発し、多くの場面で使用しています。この試みは品質の面だけでなく、増え続ける医療材料のコストダウンをはかる面からも役立っています。また、新型コロナウイルス流行時のように、全国的に感染防御用の資材(手袋・ガウンなど)が不足した場合には、材料部が中心となり医療材料の確保や病院内への供給に努めています。

さらに当院では大学附属病院という性格上、先進的な医療を行う場面が多くあります。そのため最新の治療用カテーテルなどを、その安全性や経済性の側面から病院内での使用を評価する委員会を毎月開催しています。

輸血、造血幹細胞移植について教えてください

すごい!! 全身状態が良好な患者さんに対しては、当院では安全性の高い自己血輸血とフィブリン糊作成を積極的に行っています

わたしたちがお答えします。

輸血部　部長
教授
清水 雅仁

輸血部
臨床講師
中村 信彦

Q 輸血にはどのような種類と方法がありますか?

A ①輸血の種類とは?

輸血製剤には、赤血球製剤、血小板製剤、血漿製剤などがあります。赤血球は酸素を運ぶ役割を、血小板は出血を止める役割をもつ細胞です。血漿中には、血小板とともに止血に働く凝固因子などが含まれます。赤血球などの細胞成分や凝固因子などのタンパク質成分が減少したときや機能が低下したときに、その成分を補充し症状の改善をはかる目的で輸血を行います。

②輸血の方法とは?

同種血輸血と自己血輸血の2種類があります。

【同種血輸血】

献血者から採血した血液からつくられた血液製剤を使用します。近年、格段の安全対策の推進により減少しているとはいえ、原材料に由来するウイルスなどの感染や同種免疫による副作用のリスクがあることから、その使用には特段の注意を払う必要があります。

【自己血輸血】

患者さん本人から採血した血液を使用するため、免疫反応やウイルス感染がありません。院内での実施管理体制が適正に確立している場合は、最も安全性の高い輸血方法です。

全身状態が良好な患者さんで、出血することが予想される手術が適応となります。緊急手術は適応になりません。細菌に感染している患者さんや発熱のある患者さん、貧血がある（ヘモグロビン値11 g/dL未満）患者さんからは採血できません。1回に最大400 mL採血します。採血は成分採血室のリクライニングベッドで行います（**写真**）。採血自体は20分程度で終わりますが、点滴や安静の時間も含めると1時間程度かかります。たとえば、採血スケジュール800 mLを貯血する場合は、手術の2～3週前から1回に400 mLずつを2回採血します。採血して貧血になった分を回復させるために、鉄剤を内服していただきます。鉄剤だけでは不十分と判断した場合には、エリスロポエチンという造血ホルモン剤の注射も行います。また、「フィブリン糊」とも呼ばれる生体接着剤を自己血から作成し、術後の創部修復に役立てています。

写真　成分採血室

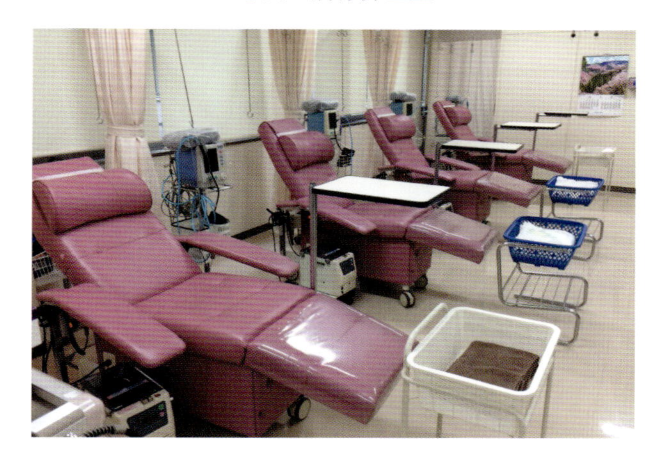

当院では自己血輸血とフィブリン糊作成を積極的に行っており、2020年の自己血採取が652件、フィブリン糊作成が315件でした。

Q 造血幹細胞移植について教えてください

A ①造血幹細胞とは?

造血幹細胞とは、赤血球（体内に酸素を運ぶ細胞）・白血球（病原体から身体を守る細胞）・血小板（出血を止める細胞）のもとになる細胞のことです。造血幹細胞は、「骨髄」と呼ばれる骨の中心部分にあります。造血幹細胞は再生能力があり、一生なくなりません。

②造血幹細胞移植とは?～自家移植と同種移植～

造血幹細胞移植とは、白血病などを治すため、造血幹細胞が含まれる血液を移植する治療法です。移植する血液が患者さん自身のものなら「自家造血幹細胞移植（自家移植）」、他人のものなら「同種造血幹細胞移植（同種移植）」といいます。血液をもらう相手を「ドナー」、血液をもらう患者さんを「レシピエント」といいます。

患者さんはまず、がんや白血病細胞を壊し尽くすために、「前処置」と呼ばれる抗がん剤治療や放射線治療を受けます。前処置では、正常の血液細胞もなくなってしまうため、前処置後に幹細胞移植を行い血球の回復をサポートします。「自家移植」では、前もって患者さん自身の造血幹細胞を凍結保存しておきます。「同種移植」では、造血幹細胞をドナーさんからいただきます（骨髄バンクを利用したり、ご家族に協力をお願いしたりします）。造血幹細胞が白血球や赤血球、血小板を再び造り始めることを「生着」といいます。同種移植では、生着したあとにドナーさん由来のリンパ球がわずかに残ったがんを攻撃することで、自家移植よりも強い治療効果が得られます。しかし、免疫反応が強すぎると患者さん自身が攻撃を受け（「GVHD」といいます）、致命的となることもあります。同種移植は最強の治療効果を得られる一方で副作用も強いので、適応については慎重に検討する必要があります。

③造血幹細胞に用いる細胞の種類による分類とは?

【骨髄移植】

ドナーさんに全身麻酔をして、骨盤を形成する大きな骨＝腸骨（腰の骨）に直接針を刺して骨髄液を採取します。手術室で行います。

【末梢血幹細胞移植】

ドナーさんに白血球を増やす薬（G-CSF）を4～6日間連続で注射し、末梢血中に造血幹細胞を誘導して血液成分分離装置で採取します。成分採血室で行います。

【臍帯血移植】

臍帯血は、お母さんと赤ちゃんを結ぶ臍帯と胎盤のなかに含まれる血液です。その血液中には造血幹細胞がたくさん含まれています。臍帯血バンクで凍結保存されています。

当院には末梢血幹細胞採取を行う設備があります。2020年に行われた末梢血幹細胞採取は23件でした。また、提供を受けた骨髄移植の投与前の細胞処理や臍帯血の凍結保存も行っています。

Q34 岐阜大学病院の電子カルテシステムはどのようにすごいの?

すごい!! 長年の経験に裏打ちされた当院の電子カルテを通して、患者さんの大切な医療情報を安全に保管し、良質な高度医療の提供を可能にします

わたしたちがお答えします。

医療情報部　部長
矢部(やべ) 大介(だいすけ)

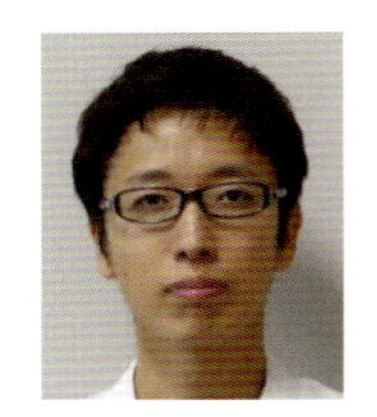

医療情報部　副部長
森(もり) 龍太郎(りゅうたろう)

Q 岐阜大学病院の電子カルテってすごいの?

A 当院の電子カルテのすごいところをご説明しましょう。

①患者さんの情報はずっと大切に保管しています

当院の電子カルテには2004年6月以降の診察内容・画像検査・血液検査結果などすべてが残っていますので、10年以上前に受診された方でも過去のデータと比較することができます。

②大規模災害が発生しても安心です

大きな地震が起こると患者さんのデータがなくなってしまうことがありますが、当院なら安心です。電子カルテの情報は毎日バックアップセンターに送られており、地震などの大規模災害が起こっても、患者さんの診療情報は守られます。

③当院はかかりつけ医とつながっています

かかりつけ医の先生や患者さん本人が検査や治療内容を確認したい場合があると思います。当院は「ミナミねっと」によるインターネット接続で地域の病院や診療所との間で情報を共有できるシステムをもっています。

④コロナ禍でも安心して受診いただけます

コロナ禍でも安心でできるようにオンライン診療やオンラインセカンドオピニオンにも対応しています。さらに、治験や臨床研究のために、電子カルテデータをインターネット経由で遠隔からもモニタリングできますので、安心でスピーディーに研究を進めることができます。

Q 医療情報部は何をする部署ですか?

A 診療記録を意味する「カルテ」とはドイツ語の"Karte"に由来する語です。「医師法施行規則」で記載が義務付けられている事項は、①診療を受けた者の住所、氏名、性別および年齢、②病名および主要症状、③治療方法(処方および処置)、④診療の年月日のみですが、近年は行政や裁判所での証拠資料としての重要性が増大し、看護記録、リハビリテーション記録、栄養記録、検査結果、診断書、レセプト情報なども診療記録としてみなされるようになり、情報量は肥大化し管理がむずかしくなりました。

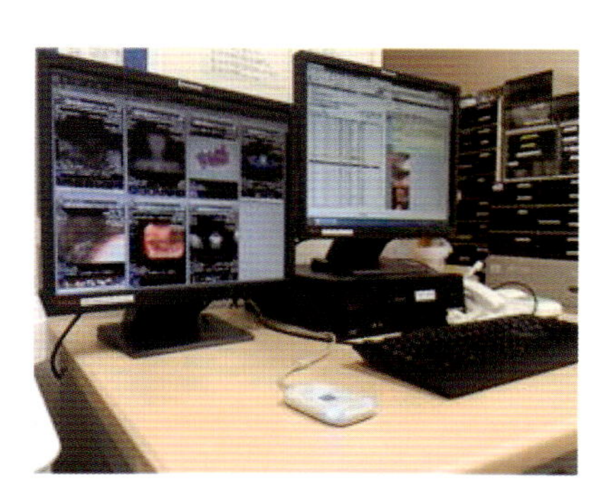

（a）電子カルテはデータ閲覧が容易

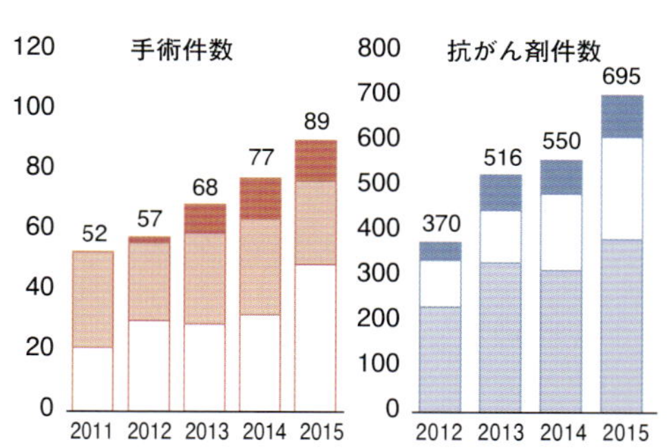

（b）電子カルテは集計・解析が容易

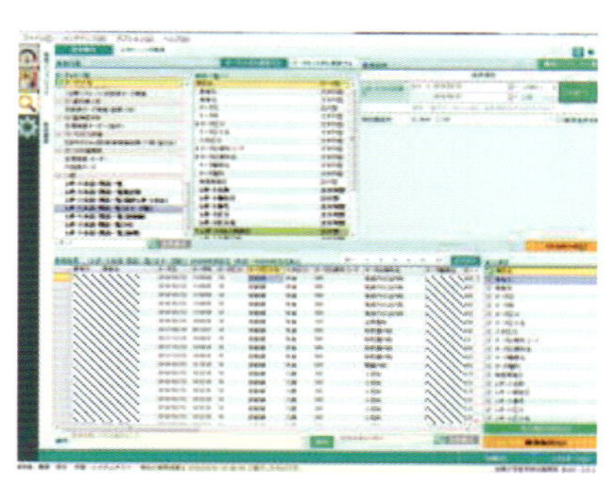

（c）DWH操作画面。DWHにより患者横断的にあらゆるシステムからデータを抽出・解析が可能

図　電子カルテの利点

しかしその情報を、以前のように紙ではなく、コンピュータを使用することで保管が楽になりました。この流れを受けて医療分野にもコンピュータの導入が進み、電子化のガイドラインで必要とうたわれる情報の「真正性」「保存性」「見読性」が満たされるようになりました。私たち医療情報部は、24時間365日、経営企画課医療情報係と協力して電子カルテシステムの維持やメンテナンスを行い、必要に応じて新たな提案や構築を行っています。

Q 岐阜大学病院の電子カルテ端末からいつでも、どこでも情報にアクセスできますか？

A 当院は1,500台以上の電子カルテ端末が設置され、どの端末からも容易に患者さんの記録を閲覧することができ、手書き文字よりも格段に読みやすく、データ消失の報告はほぼ皆無です。一方、電子カルテの最大の利点は、データ抽出のたやすさだと思われます。膨大な数の患者さんについて、紙カルテを倉庫から1冊ずつ出して、欲しい情報を収集し解析することはほぼ不可能だと思われます。しかし、電子カルテのデータウェアハウス（DWH）という機能を使用すれば、患者横断的にあらゆるシステムからデータを抽出し解析することが可能です。

データ抽出が容易になれば、診療や経営の分析が容易になり、学術的な考察も可能となることから、電子カルテの導入は医療や医学の発展に寄与すると考えられます（図）。

Q まさに世界レベルのシステムですね?!

A 当院の電子カルテシステムは、世界初の光ファイバーネットワークを2004年6月の病院新築移転に合わせて運用を開始しました。医療は多職種の医療従事者がお互いに情報を共有しながら診療を行うため、診療記録をリアルタイムに共有できるように高速な院内ネットワークが構築されています。多職種で患者さんを診ることによって、医療安全を確保しているのです。また、画像診断における見落としがないような運営を行っています。さらに、インターネットに接続し、「ミナミねっと」上にてかかりつけ医や地域の病院と情報を共有できるようになっています。

全患者さんの診療記録は遠く離れたバックアップセンターに毎日電子的に転送されています。たとえ、当院が地震などの自然災害で被災したとしても、すべての患者さんのカルテは復元できる状態にあります。

消化管の内視鏡診療について教えてください

すごい!! いわゆる胃カメラ・大腸カメラといった内視鏡検査、治療は県下有数の実績を誇ります。さらに小腸の検査治療など希少な疾患にも対応します

わたしたちがお答えします。

光学医療診療部　部長
教授
清水 雅仁

光学医療診療部　副部長
准教授
末次 淳

光学医療診療部
講師
井深 貴士

消化器内科
臨床講師
久保田 全哉

Q どのような部門ですか?

A 消化器領域と呼吸器領域において「内視鏡」を用いた検査・治療を行っています。私たち消化器内科医は、消化器（消化管、胆膵）のがん、炎症性腸疾患（Q47を参照ください）など、近年増加傾向にある各種疾患に対して、最新の内視鏡機器を用いて診療しています。

上部消化管（食道・胃・十二指腸）には上部消化管内視鏡検査（胃カメラ）を、下部消化管（大腸）には下部消化管内視鏡検査（大腸カメラ）を実施します。検査室は光学医療診療部内に6ブースあり、数多くの検査を同時に行っています。2019年には上部消化管内視鏡検査を約5,600件、下部消化管内視鏡検査を約3,400件、実施しています。

Q 食道・胃・大腸の早期がんに対する内視鏡治療、ESDとはどんな治療?

A リンパ節への転移のない早期のがん（図1）は、内視鏡で切除することで治療できます。がんが再発することのないよう切除するには、がんを取り残すことなく、ひとまとめで切り取ること（「一括切除」といいます）が重要です。そこで開発されたのが、内視鏡的粘膜下層剥離術（ESD）という治療法です。ESDは、導入されて約15年が経過し早期がんの標準的な治療法となりました。ESDの普及により、以前であれば外科手術を受けていた早期がんの患者さんが、内視鏡だけで治療することができるようになりました（写真1）。

ESDでは、食道がん、胃がんの場合で術後1週間の入院、大腸がんの場合で術後3日間の入院を基本にしています。

2019年の1年間に当院で実施したESDは、食道44件、胃156件、大腸168件でした。2018年のデータでは、胃ESDは東海4県の医療機関で3番目に多く、大腸ESDは東海4県で最多、日本全国では9番目に多い治療件数でした（週刊朝日MOOK『手術数でわかるいい病院2020』朝日新聞出版）。当院の光学医療診療部は、豊富なESDの実績件数を誇ります。

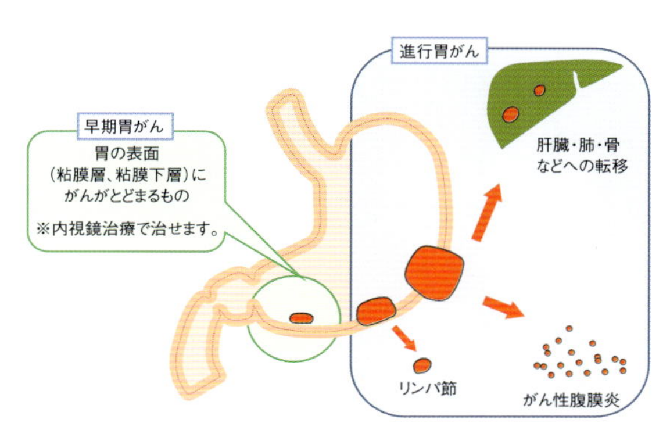

図1　胃がんの進み方

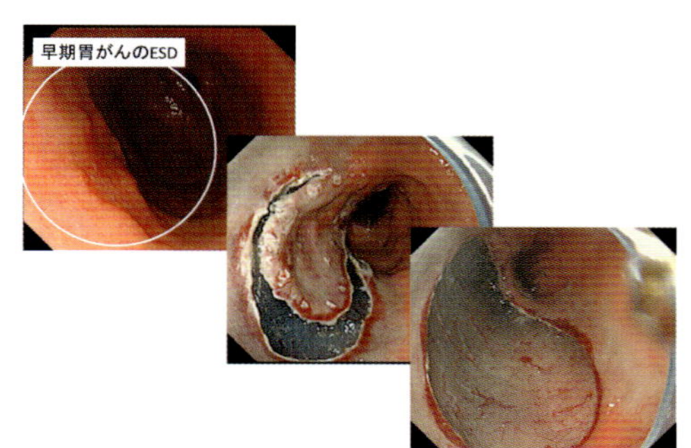

写真1　早期胃がんのESD

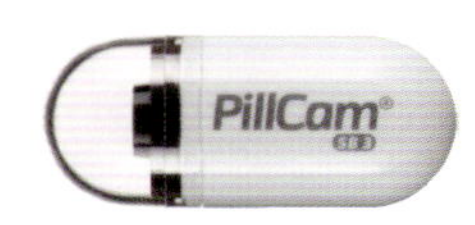

写真2　小腸カプセル内視鏡

写真3　ダブルバルーン小腸内視鏡のシステム

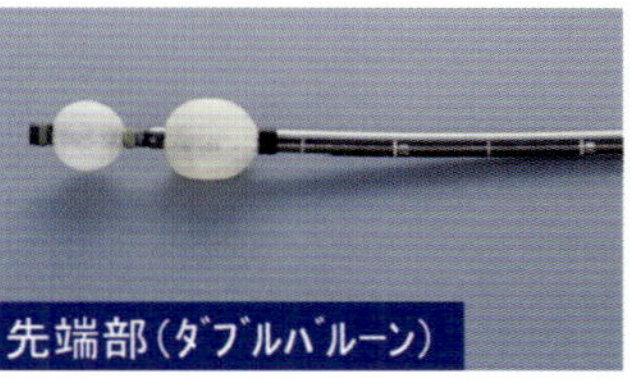

（a）先端部（ダブルバルーン）（b）小腸内視鏡

小腸の内視鏡検査とは？

A 小腸は、食道や胃や大腸に比べて病気が少ない臓器ですが、出血（血管の異常、粘膜の障害、潰瘍）、腫瘍（ポリープ、がん、悪性リンパ腫）、炎症（クローン病やベーチェット病）などの病気がみられます。

21世紀になって小腸を観察することができる内視鏡が開発されました。1つはカプセル内視鏡（コヴィディエンジャパン社）（写真2）で、もう1つはダブルバルーン内視鏡（富士フイルム社）（写真3）です。当院ではこの2つの機器をそろえ、正確な診断と治療を行っています。小腸カプセル内視鏡検査は外来で可能な検査です。ダブルバルーン内視鏡検査には1泊から2泊の検査入院が必要です。2019年にはカプセル内視鏡を46件、バルーン内視鏡を70件行っています。

岐阜大学病院ならではの最新の検査機器はありますか？

A 小腸内視鏡に加え、次のものがあります。

・最新の内視鏡光源装置の導入

2021年3月より、最新のオリンパス社製内視鏡光源装置「EVIS X1」を導入しました。5つのLEDを使用した光源装置で、従来と比較して早期がんなど病変の発見、診断、治療において、より診療のレベルが向上することが期待されます。

・食道がんに対する光線力学療法（Photodynamic Therapy：PDT）

放射線治療後の再発食道がんに対する治療法で、当院では2017年より導入しています。この治療を実施できる施設は少なく、2021年3月現在、岐阜県内では当院だけです。光感受性物質の注射と内視鏡によるレーザー照射の組み合わせによる治療で、身体への負担が少ない新しい内視鏡治療です。

・機能性食道疾患（食道運動障害、胃食道逆流症など）に対する検査

食道に対する検査として、上部消化管内視鏡検査・造影検査に加えて、食道内圧検査、食道24時間pHモニタリング検査が実施可能です。

食道内圧検査では、多チャンネル食道内圧測定システム（high-resolution manometry）を導入しています。食道運動の詳細について検査し、診断、治療に結び付けることが可能です。

また、難治性の胃食道逆流症（逆流性食道炎）に対して実施する食道24時間pHモニタリング検査は、鼻から細いセンサーを胃内に挿入・留置して、食道および胃内のpHを持続的に測定することにより病態を判断し、治療を行うことを可能とする機器です。

医療連携センターについて教えてください

すごい!!
当院と緊密な医療連携をはかっていただける地域連携機関（かかりつけ医）が数多く登録されています!

わたしたちがお答えします。

医療連携センター　センター長
教授
清水 雅仁（しみず まさひと）

医療連携センター　副センター長
臨床教授
堀川 幸男（ほりかわ ゆきお）

Q 岐阜大学病院を受診したいのですが

A まずは地域の医院・診療所（かかりつけ医）を受診してください。そこで岐阜大学病院を受診する必要があると判断された場合、かかりつけ医から診察の予約申し込みをしていただき、紹介状を持参のうえ当院を受診してください。

【医療機関の方へのお願い】

医療連携センターでは紹介患者さんの予約受付を行っております。

当院へ患者さんを紹介予約する際には、当センターWebサイトに掲載しております診療科外来担当医師一覧（PDFファイル）を参考にしていただき、「紹介連絡・予約申込票」（当センターHPよりダウンロード可）に必要事項を記載のうえ、診療情報提供書（紹介状）と併せてFAXしてください。**迅速が売りの「医療連携専用枠」も用意しています。土曜午前でも大丈夫です。**原則、FAX着信後30分以内に予約の回答をFAXで折り返しいたします。

なお、紹介状がない場合、紹介状なし患者負担金「選定療養費」として別途ご負担いただくことになります。紹介状なし患者負担金「選定療養費」とは、医療機関の機能分担の推進を目的として厚生労働省により制定された制度です。当院は特定機能病院として、地域の医院・診療所（かかりつけ医）からの診療情報提供書（紹介状）を持参していただくことを原則としています。できるだけ近隣の「かかりつけ医」を受診していただきますようご理解とご協力をお願いします。

また、紹介状のほかに、お薬手帳、介護保険・在宅療養に関する情報をおもちの方は、当院受診時にご用意ください。

医療連携センター（予約）
TEL：058-230-7033（直通） FAX：058-230-7035 受付時間：平日　午前8時30分〜午後5時 HPアドレス：https://www.hosp.gifu-u.ac.jp/iryorenkei/index.html

Q 退院はスムーズにできますか？

A 当センターでは「入院前からの退院支援」をモットーに、急性期治療（病状が不安定な状態から治療によりある程度安定した状態になるまでの治療）を終えた患者さんが、退院前の生活に戻れるよう支援を行っています。

自宅のトイレが和式で、座り立ちの動きが大変……。入浴を自分ひとりでするのは不安……。食事が経管（けいかん）栄養（管で注入する方法）となって、家でできるだろうか……。

このようなお悩みはありませんか？

患者さんが病気や障害を抱えながらも、住み慣れた地域でその人らしい生活をしていただくため、お話をうかがい、一緒に考え、患者さんの退院に向けて必要なお手伝いをいたします。

ご自宅など住み慣れた環境での医療を希望される場合や、生活上での困ったことに対して必要な支援を受けられるよう、病棟看護師、医療連携センター看護師、ソーシャルワーカーが地域の医療関係者と連携して支援していきます。

医療連携センター（相談）
TEL：058-230-7049（直通） 受付時間：平日　午前9時〜午後5時 HPアドレス：https://www.hosp.gifu-u.ac.jp/iryorenkei/soudan.html

さらに、**患者さん目線で、ベストな支援をめざし**て、2023（令和5）年には医療連携センター・入院センター・術前管理センターが統合され「**総合患者サポートセンター**」として生まれ変わります（図）。

(a) 待合コーナー

(b) 相談室

図　総合患者サポートセンター（完成イメージ図）

ICT・NST・PUT・RSTの取り組みを教えてください

すごい!!

岐阜大学医学部附属病院における高度医療をサポートするため、目的に合わせ、さまざまな職種で構成されたチームをつくり、活動しています

わたしたちがお答えします。

生体支援センター
センター長
馬場 尚志

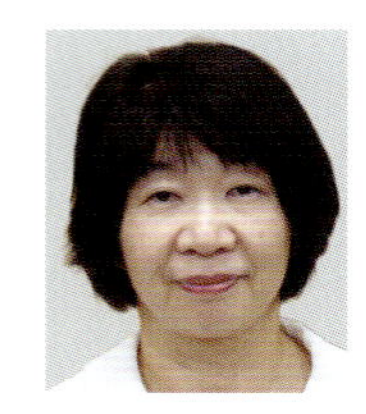

ICT/AST
感染管理認定看護師
土屋 麻由美

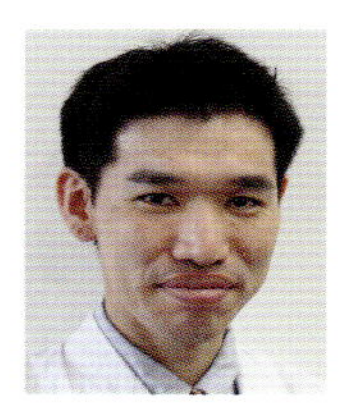

ICT/AST
薬剤師
丹羽 隆

ICT/AST
臨床検査技師
米玉利 準

NST
消化器内科
華井 竜徳

NST 栄養管理室
管理栄養士
西村 佳代子

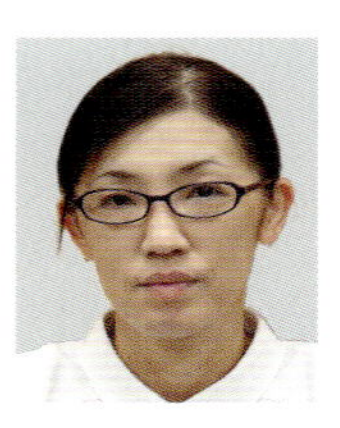

NST 摂食・嚥下
障害認定看護師
古市 ふみよ

PUT
皮膚科
周 円

PUT 皮膚・排泄
ケア認定看護師
石川 りえ

RST/ICT
高次救命治療センター
吉田 省造

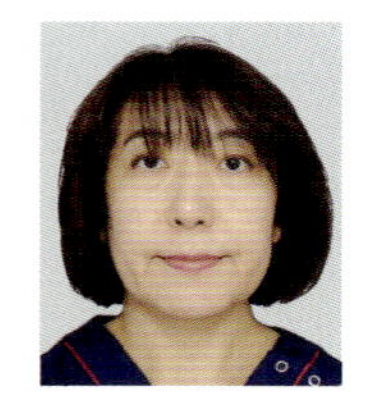

RST
集中ケア認定看護師
杉原 博子

ICT/AST：Infection Control Team/Antimicrobial Stewardship Team（感染対策チーム/抗菌薬適正使用支援チーム）　NST：Nutrition Support Team（栄養管理チーム）　PUT：Pressure Ulcer Care Team（褥瘡対策チーム）　RST：Respiration Support Team（呼吸療法支援チーム）

Q 高度医療を支えるためには、なぜ感染対策が重要なの？

A 手術や抗がん剤、免疫抑制薬など、医療の大きな進歩により、多くの病気が治療可能になってきました。しかし、これら高度な医療の多くは、患者さんの体力・免疫力を低下させ、感染症への抵抗力を下げる負の側面もあわせもっています。また、インフルエンザや新型コロナウイルス感染症などは健康な方でも罹患し、さまざまな問題をひき起こしますが、基礎疾患をもつ方にはより大きな脅威となり、患者さんに安全・安心な医療を提供するには、適切な感染対策が不可欠です。ICT（感染対策チーム）は、院内だけでなく、他の医療施設から相談を受けるなど、さまざまな活動を展開しています。また、県や保健所など行政機関とも連携し、一般社会を含む岐阜県全体の感染症対策に貢献しています。

Q 対策だけでなく感染症の診療支援もしているの？

A 感染症診療において抗菌薬適正使用は重要です。AST（抗菌薬適正使用支援チーム）は、院内全体の適切な感染症診療の推進および薬剤耐性菌抑制のため積極的に活動しています。具体的には、各診療科の医師からの相談を受けるとともに、病院内で使用されている注射用抗菌薬すべてについて薬剤選択、用法・用量、投与期間の適切さを毎日チェックし、各診療科の診療を支援しています。わが国では、このような取り組みをしている病院はごく一部であり、先進的な体制として評価されています。

Q NST(エヌエスティー)とは何ですか?

A NSTとは、Nutrition(栄養)Support(サポート)Team(チーム)の頭文字をとった「栄養管理士チーム」の略語です。医師・看護師・薬剤師・管理栄養士からなるメンバーで構成され、それぞれの専門的な知識を持ち寄り、患者さん一人ひとりの栄養状態を評価し、適切な栄養管理を行います。

NSTの役割は、

①栄養状態の評価・判定
②最適な栄養補給方法を提案
③栄養管理に伴う合併症の予防および早期発見
④患者さんのQOL(キューオーエル)(生活の質)の向上
⑤在院日数の短縮、医療費の削減

です。栄養管理でお困りの際は、ぜひ当センターNSTにご相談ください。

Q 褥瘡(じょくそう)の動向と取り組みについて教えてください

A 日本褥瘡学会では、褥瘡の実態と動向を明らかにするために実態調査を行っています。2016年度の全国の大学病院における調査結果は、褥瘡有病率1.58%、推定発生率0.94%でした。当院の2020年度の褥瘡有病率、推定発生率は0.93%、0.8%であり年々減少しています。当院の褥瘡対策は、日常生活自立度判定と褥瘡リスクアセスメントスケール(K式スケール)での評価を行い、その結果に基づき、予防ケアを計画し実施しています。

当院の褥瘡管理者およびPUT(ピーユーティー)(褥瘡対策チーム)は、病棟の医療スタッフと協働し、褥瘡発生リスクのある患者さんや褥瘡発生患者さんに対して適宜ラウンドを行っています。褥瘡発生リスクのある患者さんに対しては褥瘡予防計画を検討し、褥瘡発生患者さんに対しては適宜関連診療科(皮膚科)と連携し、適切な支援と管理を行っています。褥瘡予防においては、「褥瘡対策マニュアル」やケア手順の作成、体圧分散用具(たいあつぶんさんようぐ)の整備、e(イー)ラーニングや講義、演習による看護師教育の継続、看護実践では記録や技術の監査などによって、標準的なケア介入ができるように努力しています。

Q RST(アールエスティー)とは何ですか?

A RST(Respiratory Support Team)とは、日本語で「呼吸療法支援チーム」を意味します。呼吸療法は、酸素療法・人工呼吸療法・呼吸リハビリテーションなど、医療のなかでも最も基本的、かつ重要な治療法の1つです。すべての診療科で実施されますし、全医療従事者が関与します。そのため、適正に実施するには、チーム医療が必要です。RSTのメンバーには、当院高次救命治療センターの医師・呼吸器科医師・看護師・臨床工学技士・理学療法士らが、所属しています。定期活動として、週1回の病棟回診(人工呼吸器装着患者さんなど)と、年4回の呼吸療法に関連した院内セミナーを実施しています。呼吸療法に関連する問題などには、随時対応しています。病棟回診を通じて、医療安全関連でも、人工呼吸関連のインシデントの減少に寄与しています。

新規の酸素療法機器も続々と導入されており、呼吸療法を適切に実施するため、RSTの重要度は年々増しています。

がんセンターについて教えてください

すごい!!

がんに対する高度な専門医療や先進的研究開発、教育部門を統括し、がん診療連携拠点病院として、地域医療機関との連携を推進しています

わたしたちがお答えします。

がんセンターは、がん診療にかかわるすべてを統括する岐阜大学医学部附属病院の組織で、9部門、および2センターから成り立っています。

センター長　教授
森重 健一郎

副センター長　教授
二村 学

副センター長　准教授
牧山 明資

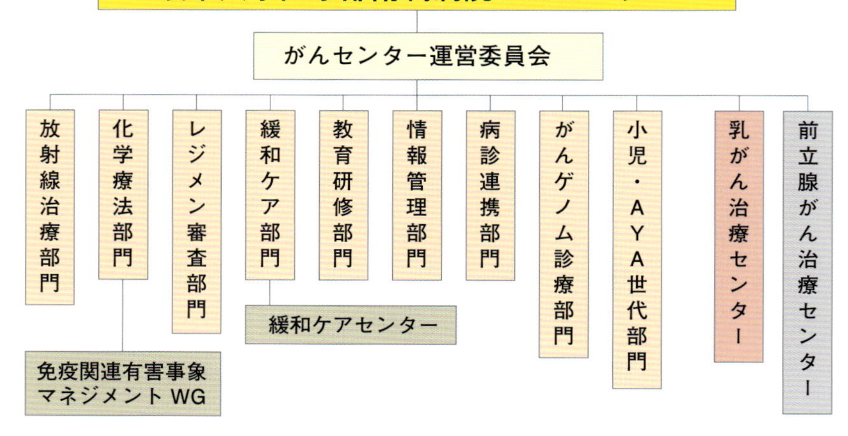

がんセンターの特徴は?

A　がんは日本人の死因の1位で、今や国民の約半数が何らかのがんに罹患し、約3割の方ががんで亡くなられます。当院ではがん治療の3本柱である手術療法・放射線療法・薬物療法について、各診療科の専門家ならびに多職種によるチーム医療を心がけ、横断的にがん診断・がん治療に取り組んでいます。がんセンターは診断から終末期に至るまで、患者本位のがん診療を実践しており、がんにかかわるすべての内容を統括する組織です。全国各地にあるがんセンターと異なり、総合病院の強みである心肺・糖尿病代謝・神経疾患など他の疾患を抱えているがん患者さんに対して、幅広いマネジメントができることも、当院がんセンターの大きな特徴といえます。

当センターには、組織図に示すように9部門が設置されており、がん診療の向上、がん患者さんへのフォロー、がん診療にかかわるスタッフの育成、がん研究の推進に努めています。さらに当院のがん診療の機能強化として、2021年4月から新たに、乳がん治療センター、前立腺がん治療センターが創設されました。

国が示した「がん対策推進基本計画」に基づき、集学的治療、チーム医療、ゲノム医療、治験など新規治療の推進や開発に努めつつ、が

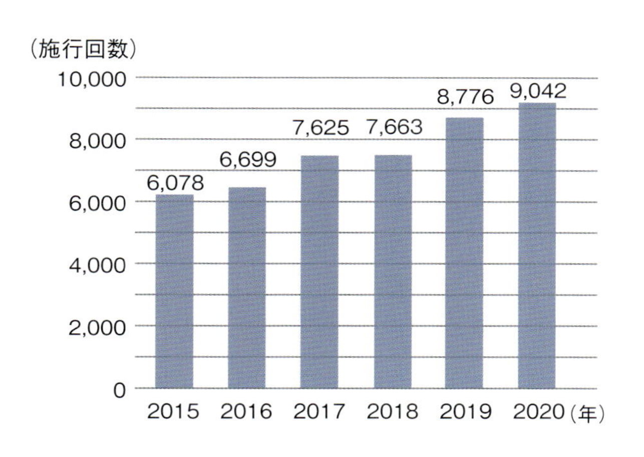

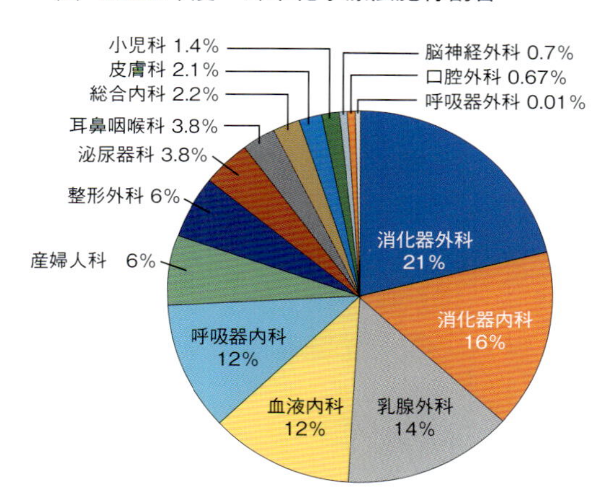

図1 当院における化学療法施行数

んの早期発見のためのがん検診の受診率向上に向けた啓発活動も積極的に行っています。

ここでは、①化学療法部門、②緩和ケア部門、③病診連携部門、④がんゲノム診療部門についてご紹介します。

①化学療法部門

近年、がん薬物療法は、抗がん剤、分子標的薬やホルモン剤による治療以外にも、免疫療法(めんえきりょうほう)がめざましい発展を遂げています。当院では外来化学療法室を充実させ、治療を受けやすい体制を整えています。31床からなる外来化学療法室は、広々とし景観もよく、各ベッドには液晶テレビとDVDプレーヤーが完備されています。化学療法を安全に実施するため、各診療科のがん治療専門医、がん薬物療法認定薬剤師ならびにがん化学療法認定看護師を含むスタッフによるチーム医療を推進しています。治療件数は年々増加し、2020年度は年間のべ9,000件を超える患者さんが安全に、そして快適に化学療法を受けられました(図1)。

②緩和ケア部門

あらゆる状態のがん患者さんや家族に対して、身体的、心理的、社会的な苦痛予防と緩和を目的に、満足いただける緩和ケアを提供しています。できるだけ早く症状緩和をはかり、在宅医療につなぐ短期緩和医療にも重点をおいています。

緩和ケアチームには、医師·看護師·薬剤師·管理栄養士・医療ソーシャルワーカーからなる「緩和医療チーム」と、各診療部門のスタッフ、看護師からなる「サポートチーム」があり、主治医や患者さんからの依頼を受け、迅速かつ積極的にサポートができる体制を敷いています。「緩和ケア外来」は、担当診療科と協力して、治療に対する意思決定や治療に伴う身体症状など、あらゆる相談が外来通院において解決できるよう設置されました。

また、がん看護外来では、すべてのがん治療期間において、がんとともに生きる患者さんのQOL(キューオーエル)(生活の質)向上をめざして、(1)治療方法選択における支援、(2)心理的サポート、(3)日常生活での注意点や情報の提供、(4)治療や療養に関する意思決定時の心理的不安の軽減について、随時カウンセリングを行っています。

③病診連携部門

がん治療を行う病院(いわゆる「がん診療拠点病院」)と地域のクリニック(かかりつけ医)での医療情報共有を目的に、「岐阜県地域連携パス」を作成して医療連携を進めています。

(a) 地域連携パスへの取り組み

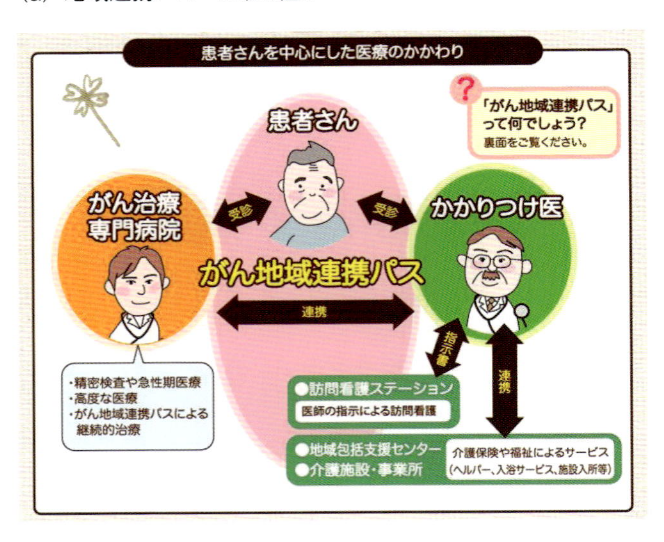

(b) 当院での地域連携パス発行数の年次推移

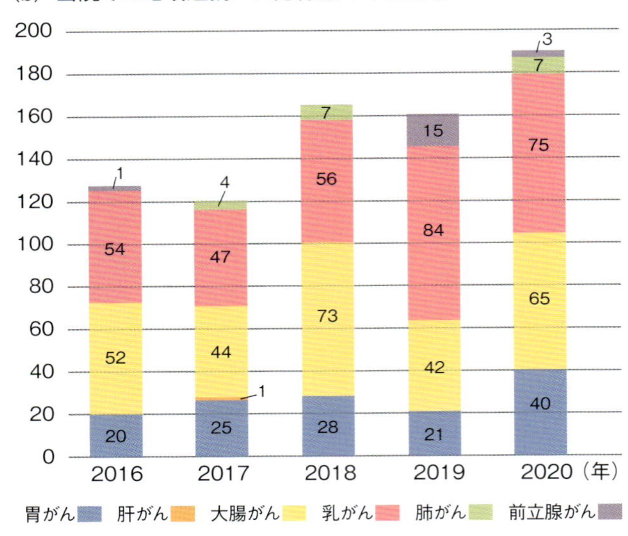

図2 がん診療拠点病院である当院と地域の「かかりつけ医」をつなぐ

岐阜県地域連携パス(通称「がん地域連携パス」)とは、患者さん個々の診療計画書のことで、術後の患者さんは状態に応じた連携パスを作成します。有効に用いることで患者さんの個々に応じた診療が可能となり、県内のほとんどのクリニック(800以上)において連携パスの運用が可能です。2020年に改訂され、より使いやすくなりました。連携パスにのっとって診療を行えば、安心してがん診療に当たることができると好評で、パスの運用も岐阜県全体で伸びてきています(図2)。

④がんゲノム診療部門

がんゲノム医療とは、がんの発生にかかわると考えられる多くの遺伝子を一度に調べることができる装置を用いて遺伝子異常の解析を行い、それぞれの患者さんに適した治療薬を調べ、お薬の情報を提供する最新のがん医療(検査法)です。保険診療として、あるいは臨床研究を通して最新の治療を患者さんに届けることが可能になってきました。

当院は、厚生労働省より「がんゲノム医療連携病院」(2021年8月1日現在、全国181カ所)に指定され、がんゲノム医療中核拠点病院(2021年8月1日現在、全国12カ所)と連携して、がんゲノム医療を積極的に行い、今後はがんゲノム医療拠点病院の指定、岐阜県における ゲノム医療の拠点をめざしています。また、ゲノム疾患・遺伝子診療センターと連携して、遺伝性腫瘍の診断・治療・サーベイランス(長期のフォローアップ)にもつなげていきます(図3)。

当院ではこのような最先端の研究にも力を入れ、日本だけでなく世界をリードするがん治療、がん研究をめざしています。

Q がんの原因は何ですか? どうして起こるのですか?

A がんは遺伝子の異常によって起こる病気です。1つの遺伝子の異常(「変異(へんい)」といいます)でがん化する場合もありますが、多くはいくつかの遺伝子変異が蓄積されがんが発生するといわれています。また、がんが遺伝的に起こりやすい体質〔たとえば、遺伝性乳がん卵巣がん症候群(HBOC(エイチビーオーシー))、リンチ症候群や家族性大腸腺腫症といった遺伝性の大腸がん〕があること

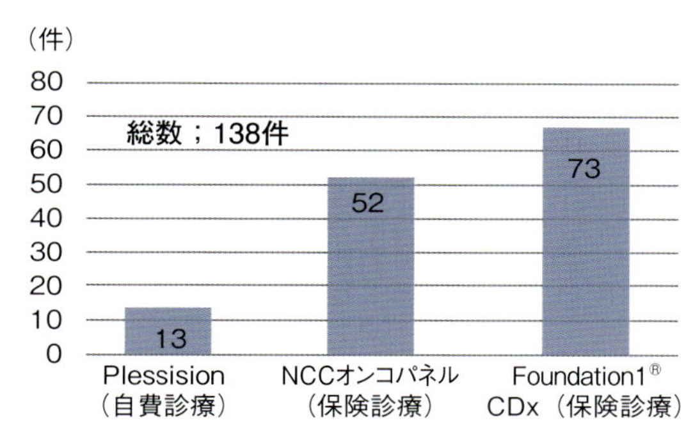

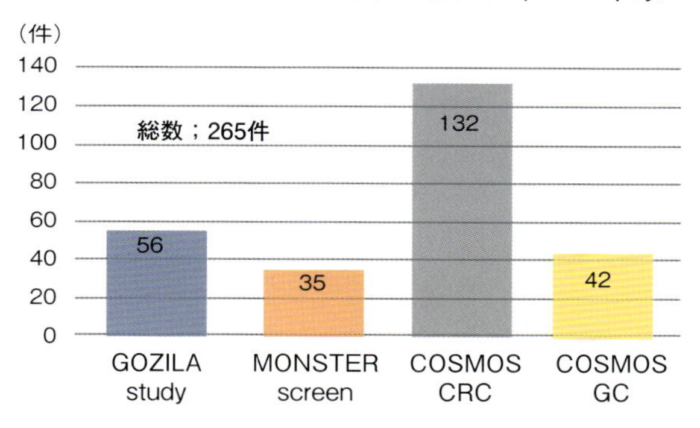

図3　当院におけるがんゲノムに関する診療と臨床研究（2021年6月現在）

もわかってきました。よく知られているところで、大腸がんの場合、*APC*遺伝子、*K-ras*遺伝子、*p53*遺伝子などに遺伝子変異が生じるとがん化して進行するといわれています。

がんの予防や早期発見が重要であることはいうまでもありません。

がんを予防するためには、禁煙、受動喫煙の防止、バランスのとれた食事、適度な運動と体重維持が重要です。また、定期的ながん検診も欠かせません。

Q 症状もないのにどうしてがん検診を受けなければいけないのですか？

A 初期のがんは残念ながら症状を認めない場合が多く、かなり進んで症状が出てからがんが発見されるケースが多々あります。したがって、できるだけがん検診を受けて、できるだけ早期にがんの発見をすれば、病状に見合った適切な治療により、治癒（ちゆ）する確率が高くなります。

Q がんに関する相談はどうしたらよいのですか？

A がん専門の看護師、医療ソーシャルワーカー、薬剤師、管理栄養士が、がんに関する相談（がんの診断・療養生活・治療や病院の選択など）を受け、解決へのサポートを行うがん相談支援を行っています。「就労相談」については、社会保険労務士とハローワークナビゲーター、両立支援促進員が、患者さんの治療と仕事の両立のために、法律や制度の観点から一緒に考えていきます。当院の「がん患者サロン・和み」は、がん体験者である相談員が「ピアサポーター」として、がん患者さんやご家族の方の悩み相談、情報交換・提供の場として活用されています。

Q 新薬や開発中の治療を受けることはできますか？

A 当院では新規の診断・治療開発のための多くの臨床試験（治験）や研究に参加しています。これは、患者さんに最先端の治療を提供しながら、新しい治療を開発していくという岐阜大学病院としての使命があるからです。時期によっては、開発中の新薬の治験に参加できる場合もありますので、ぜひ担当医にご相談ください。治験に関しましては、当院「先端医療・臨床研究推進センター」の治験管理部門をご紹介させていただきます。専門のスタッフが迅速にご説明、サポートに入ります。

Q 現在どのような開発や研究を行っていますか？　どうすれば参加ができますか？

A 当院で実施している治験や開発中の研究について、主なものを表1に記載しています。お問い合わせにつきましては連絡先センター窓口までお願いします。

また、化学療法に関して、専門的な診療・治験等へのご相談を希望される場合や紹介先に迷われる際にも、まずは下記までご相談ください。

連絡先	がんセンター TEL：058-230-6231
	先端医療・臨床研究推進センター TEL：058-230-7038

表1　岐阜大学医学部附属病院で行っている治験の例

がん種	被験薬	種　類	治療内容	対象・その他
胃がん HER2＋	ペムブロリズマブ	免疫チェックポイント阻害薬	ペムブロリズマブ＋トラスツズマブ＋FP or CAPOX ペムブロリズマブ＋トラスツズマブ＋SOX	・PS＝0.1、腫瘍組織提出必須 ・測定可能病変必須 ・中央検査機関判定によりHER2陽性と判断された者 ・切除不能な局所進行性、または転移性の未治療のHER2陽性胃腺がん、または食道胃接合部腺がんの患者
胃がん HER2＋	トラスツズマブデルクステカン	抗体薬物複合体	トラスツズマブデルクステカン	・PS＝0.1、腫瘍組織提出必須 ・中央検査機関判定によりHER2陽性と判断された者 ・切除不能、局所進行、再発、または転移性の胃腺がん、または胃食道胃接合部腺がんの患者
胃がん MSI-H	ニボルマブ イプリムマブ	免疫チェックポイント阻害薬	ニボルマブ＋イピリムマブ	・PS＝0.1、腫瘍組織提出必須 ・測定可能病変必須 ・FALCO社MSI検査キットによる陽性（MSI-H）者 ・切除不能な進行・再発、または転移性の胃食道胃接合部腺がんの患者
胃がん FGFR2b	ベマリツズマブ	分子標的治療薬	mFOLFOX6＋ベマリツズマブorプラセボ	・PS＝0.1、腫瘍組織提出必須 ・測定可能病変必須 ・FGFR2b陽性の者（IHC検査） ・未治療の進行胃がん、または食道胃接合部がんの患者
大腸がん	arfolitixorin	葉酸製剤	ARFOX＋ベバシズマブ	・PS＝0.1、提出可能腫瘍検体保存必須 ・測定可能病変必須 ・5-FU＋オキサリプラチン＋ベバシズマブ療法の一次治療が適応となる進行結腸直腸がんの患者
大腸がん	ロンサーフ®	代謝拮抗薬	ロンサーフ®orプラセボ	・PS＝0.1 ・結腸・直腸がん患者に対し根治的治癒切除された者 ・Signatera™解析によりctDNA陽性の者 ・画像上、再発が確認されていない者
大腸がん	ART-123	血液凝固阻止薬	ART-123 ＋ mFOLFOX6＋ベバシズマブ	・PS＝0.1 ・5-FU＋オキサリプラチン＋ベバシズマブ療法の一次治療が適応となる進行結腸直腸がんの患者

Q 最も新しい研究開発について教えてください

A 血液中に含まれる腫瘍細胞由来のDNAやRNAを用いた研究を行っています。たとえば、手術でがんを切除した患者さんに対し、採血して検査をするだけで再発しやすい人か再発しにくい人かがわかります。再発しやすい人の血液からは腫瘍由来の成分が検出されますので、そのような場合には早めに再発をおさえる治療を、再発しにくい人からはそのような成分が検出されないので、その場合には術後の抗がん剤を省略できるのではないか、といったコンセプトでの治療開発を行っていきます。また、手術ができない状態にまで進行してがんがみつかった患者さんについては、腫瘍組織や血液中のDNAやRNAなどを用いて、治療の目印となる遺伝子異常をみつけて新薬でがんを攻撃するといった取り組みを、国立がん研究センター東病院と連携して行っています。表2、3にその取り組みとこれまでの実績を示しますので興味のある方はがんセンター（TEL：058-230-6231）までご連絡をいただければと思います。

表2　切除がむずかしい患者さんを対象に血液中のDNAを解析する研究

切除不能例	研究名	当院登録合計	2018年度	2019年度	2020年度	2021年度
GOZILA Study	結腸・直腸癌を含む消化器・腹部悪性腫瘍患者を対象としたリキッドバイオプシーに関する研究 GI-screen付随研究（GOZILA Study）	80	9	36	9	26
MONSTAR-SCREEN	治癒切除不能な固形悪性腫瘍における血液循環腫瘍DNAのがん関連遺伝子異常及び腸内細菌叢のプロファイリング・モニタリングの多施設共同研究（MONSTAR）	47	―	10	17	20

表3　切除が可能な患者さんを対象に血液中のDNAを解析する研究

切除可能例	研究名	当院登録合計	2019年度	2020年度	2021年度
COSMOS-CRC	大腸癌・大腸進行腺腫患者の血液循環腫瘍DNAのゲノム・エピゲノム統合解析	132	2	123	7（終了）
COSMOS-GC	胃癌・胃GIST患者の血液循環腫瘍DNAのゲノム・エピゲノム統合解析	79	―	36	43
GALAXY	根治的外科治療可能の結腸・直腸癌を対象としたレジストリ研究	65	―	27	38
VEGA	血液循環腫瘍DNA陰性の高リスクStageⅡ及び低リスクStageⅢ結腸癌治癒切除例に対する術後補助化学療法としてのCAPOX療法と手術単独を比較するランダム化第Ⅲ相比較試験（VEGA trial）	10	―	7	3
ALTAIR	血中循環腫瘍DNA陽性の治癒切除後結腸・直腸がん患者を対象としたFTD/TPI療法とプラセボとを比較する無作為化二重盲検第Ⅲ相試験（ALTAIR study）	13	―	4	9

エイズは回復の見込みがない病気なのですか？

すごい!! エイズは飲み薬だけでコントロールすることができる病気であり、最新の治療を受けることで健常人と変わらない生活を送ることができます

わたしたちがお答えします。

エイズ対策推進センター
センター長　教授
清水 雅仁（しみず まさひと）

エイズ対策推進センター
副センター長　臨床講師
中村 信彦（なかむら のぶひこ）

Q エイズってどんな病気なの？

A 「HIV（エイチアイブイ）」や「エイズ（AIDS）」は怖い病気というイメージがあると思われますが、現在ではしっかりと治療を行えば、健常人と変わらない日常生活が送れる病気となりました。

HIVは「ヒト免疫不全（めんえきふぜん）ウイルス（Human Immunodeficiency Virus）」というウイルスの名前（略語）です。HIVは性行為などで感染します。HIVに感染すると白血球のなかのCD4（シーディーフォー）陽性リンパ球が徐々に減少し、免疫機能が低下していきます。免疫機能が低下すると、健常人ではかからないような感染症や腫瘍（しゅよう）を発症する状態となります。この状態のことを「後天性（こうてんせい）免疫不全症候群（Acquired Immune Deficiency Syndrome）」、すなわちエイズ（AIDS）といいます（図1）。

Q 治療は大変ですか？

A いいえ。でも、早期の治療開始が望まれます。

HIV/AIDSが発見された1980年代当初は治療法がありませんでしたが、1996年以降、抗ウイルス薬の多剤併用療法（たざいへいようりょうほう）（antiretroviral therapy：ART（アート））により、長期コントロールが可能となりました。当初は1日20錠近くの薬剤をそれぞれ決められた時間に内服しなければならないことや、副作用も強かったことから、治療継続が困難な

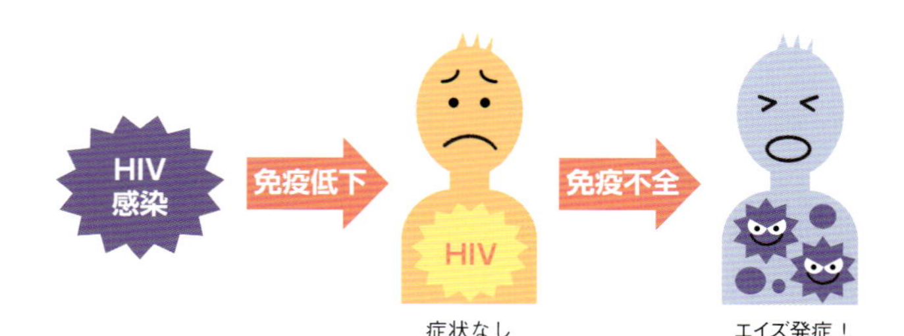

HIVはリンパ球の１つであるCD4陽性リンパ球に感染し、これを減少させ、さまざまな感染症をまねくようになります。CD4陽性リンパ球を測定することで免疫能を評価できます。

図1　HIV感染とエイズ

性行為による感染

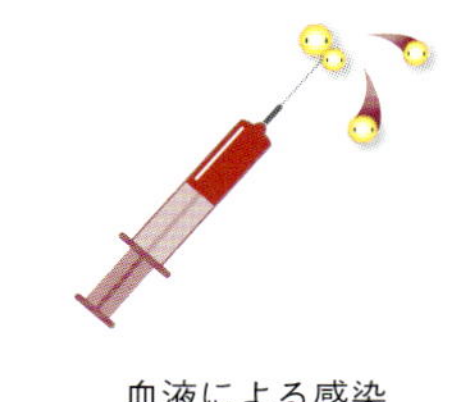
血液による感染

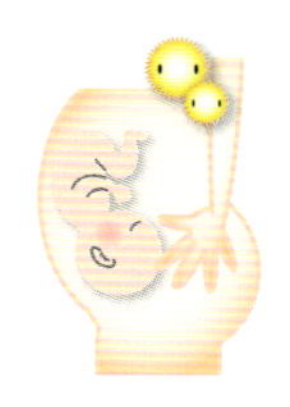
母子感染

図2　HIVの感染様式

患者さんも多くいました。しかし、現在ではこうした課題を克服し、1日1〜2回、1錠の内服でよい薬剤も多く開発されています。また、長期作用型の注射製剤も開発されつつあり、より患者さんのライフスタイルにあった治療が可能になることが予想されます。もはやHIV感染症は死の病ではなく、高血圧や糖尿病と同じように慢性疾患の1つなのです。

Q 他人にうつる怖い病気なの?

A HIVの感染経路としては、性行為のほかにも、輸血、母子感染、薬物乱用、医療事故などがあります（図2）。わが国では性交渉による感染が最も多いのですが、1回の性行為で感染する確率は1%未満とされています。また、学校や職場、大衆浴場、鍋料理、握手などの性交渉を伴わない日常生活で感染することはありません。特に、治療によりHIVのウイルス量が測定限界未満にコントロールできている場合は、その感染率は極めて低いのです。

しかし、誰がHIV感染を有しているかわからない状況では、性行為の際には感染予防のためのコンドームの使用が重要です。また、自分のパートナーがHIV陽性であっても、自分がHIVの薬を予防内服することで、感染を防ぐことができます（曝露前予防）。HIV陽性の妊婦さんでも、HIV感染症の治療をすることにより、赤ちゃんへの感染（母子感染）を1%以下におさえることができます。

現在ではHIV/AIDSになっても、適切に診断し、治療を選択することで、健常人と変わらない生活を送ることができます。HIV感染症は、可能であればAIDS発症前に診断し、適切な時期に治療介入を行うことが重要ですが、そのためには積極的に抗体検査を受ける必要があります。当院ではHIV/AIDSの治療に関して、多職種がかかわることで病気そのものだけでなく、社会的、精神的にもサポートし、患者さんのよりよいQOLをめざしています。

肝臓病について教えてください

すごい!! 脂肪肝、ウイルス性肝炎、肝硬変、肝がんなど、肝疾患のすべての領域にわたり、最先端の治療を提供しています。お気軽にご相談ください

わたしたちがお答えします。

肝疾患診療支援センター
センター長　教授
清水 雅仁

消化器内科
特任教授
高井 光治

消化器内科
准教授
末次 淳

肝疾患診療支援センター
臨床講師
今井 健二

Q 脂肪肝といわれました。脂肪肝からも肝硬変や肝がんになるの？

A 肝臓に中性脂肪が過剰にたまった状態を脂肪肝といいます。食生活の欧米化に伴って脂肪肝の患者数は近年増加しており、現在では推定で約3,000万人、成人の3人に1人の割合で脂肪肝を認めます。

脂肪肝の原因は、肥満、過度の飲酒、糖尿病などです。脂肪肝のなかでも、アルコールを飲まないのに脂肪肝である状態を「非アルコール性脂肪性肝疾患（Nonalcoholic Fatty Liver Disease：NAFLD）」と呼びます。さらにNAFLDのなかには、進行性で肝硬変や肝がんの発症原因になる非アルコール性脂肪肝炎（Nonalcoholic Steatohepatitis：NASH）という病気があります。NASHの約20%は肝硬変へ進展し、NASH肝硬変からの発がん率は5年で11.3%と報告されています。

肥満を伴うNAFLDやNASHの治療に最も効果のあるのは減量です。肥満を合併した肝疾患患者さんでは、エネルギーの摂取過剰と日常運動量の低下が考えられます。当院では、栄養士と連携して栄養療法を行うとともに、歩数と運動強度などから消費カロリーを測定できる生活習慣記録機を用いた運動療法を積極的に行っています。実際、当院で実施する栄養･運動療法によって、体重減少効果や肝機能およびQOL（生活の質）の改善が認められています。

Q 栄養・運動療法って？どういうことをしているの？

A 肝臓の主な役割は栄養素の代謝や貯蔵であるため、たとえば肝硬変の患者さんでは、タンパク質およびエネルギー低栄養状態に陥りやすく、むくみ（浮腫）や腹水などの症状が出現します。

慢性肝不全に伴うタンパク質低栄養状態に対し、分岐鎖アミノ酸製剤（BCAA）の補充投与を行うと、肝臓で合成されるタンパク質である血清アルブミン値の改善を認めます。さらにBCAAの長期内服は、肝不全の進行や合併症を減少させ、生存率やQOLを改善します。また、進行した肝硬変では、肝臓における糖質の貯蔵が減少するため、就寝前軽食（LES）を導入することで早朝空腹時の飢餓状態を予防します。

肝硬変の患者さんは高頻度にサルコペニアを合併します。サルコペニアとは、筋力と筋肉量の減少を特徴とする症候群のことです。サルコペニアを合併すると、生存率やQOLが低下するため、当院では握力計やCT、体組成計を使用して筋力や筋肉量を測定し、早い段階から栄養・運動による対策を行っています。

当院で行っているこれらの慢性肝不全に対する栄養療法や治療は、日本消化器病学会や日本肝臓学会のガイドラインに引用され、日常診療で広く推奨されています。

Q 肝がんと宣告され、手術ができないともいわれました。内科的な治療法にはどういったものがありますか？

A 肝がんに対して内科医が行う治療として「ラジオ波焼灼療法（RFA）」があります。これは、超音波で確認しながら、がんのなかに鉛筆の芯程度の太さの針を挿入し、高周波を用いてがん組織を熱凝固させる治療法です。RFAは手術と同等の効果が期待できますが、治療可能ながんの大きさと個数が限られており、当院に来院されたときには、すでに適応外となっている場合も少なくありません。このような患者さんに対してはカテーテル治療（肝動脈化学塞栓術：TACE）を行います。足の付け根の動脈からカテーテルを挿入し、がんを栄養している動脈（主に肝動脈）に抗がん剤を注入したあとゼラチンなどで動脈を塞栓し、がんを「兵糧攻め」にする治療です。TACEの治療効果は手術やRFAより劣りますが、たくさんのがんを一度に治療することができ、大きながんに対しても効果があるため、くり返し行うことでがんを制御します。

肝がんに対する化学療法（抗がん剤治療）も近年めざましく発展してきました。患者さん自身の免疫力を高めることにより抗がん作用を発揮する「免疫チェックポイント阻害薬」や、がん細胞のみに表れる特定の分子（タンパクなど）を認識することにより、正常細胞を攻撃することなくがん細胞のみを攻撃する「分子標的薬」など、新しいタイプの抗がん剤の効果が次々と実証されています。当院ではより効果が高く、より副作用が少ない最先端の化学療法を導入しています。もちろん通常の日常生活を送りながら、外来で化学療法を受けることも可能です。

医療機器センター(MEセンター)について教えてください

すごい!! 体外循環をはじめ、人工呼吸器など多くの医療機器を、私たち臨床工学技士が操作、管理し、医師や看護師とともに治療に当たっています

わたしたちがお答えします。

医療機器センター(MEセンター)
センター長
医学系研究科産科婦人科学
臨床教授
古井 辰郎(ふるい たつろう)

医療機器センター(MEセンター)
副センター長
虐待に関する救急医学講座
特任教授
吉田 省造(よしだ しょうぞう)

医療機器センター(MEセンター)
技士長
柚原 利至(ゆはら としゆき)

医療機器センター(MEセンター)
主任技士
小嶋 寛正(こじま のぶたか)

ME：Medical Engineering(医用工学)

Q MEセンターの仕事とは?

A 昨今、医療機器の進歩はめざましく、医療機器の専門知識をもった17名の臨床工学技士が操作、管理に当たることで医療安全の確保と同時に治療件数の増加をはかり、より多くの患者さんに対して高度な医療の提供を行えるように努めています。特に、新型コロナウイルス感染症(COVID-19)において、ECMO(エクモ)(写真1)治療が大きな話題となったことは、私たち臨床工学技士が、体外循環(たいがいじゅんかん)において必要不可欠な存在と位置づけられた出来事でもありました。また、体外循環では、Impella®(インペラ)(補助循環用ポンプカテーテル)の導入から管理までを行い、ECMOと同時に施行し、V-A ECMOからV-V ECMOへの変更など超難関、至難な体外循環管理も行っています(写真2)。

そのほかの臨床業務として、急性血液浄化(きゅうせいけつえきじょうか)、ペースメーカー業務、手術室業務、内視鏡(ないしきょう)治療(ちりょう)業務など、診療現場での治療にも参加しています。

手術室業務においては、手術支援ロボット「da Vinci(ダヴィンチ)Xi」の2台目の稼働が始まりましたが、このロボット手術が盛んに行われている背景には、私たちのセッティングが大きな役割を果たしています(写真3)。

さらに、医療機器中央管理業務として、人工呼吸器をはじめ、輸液ポンプ、シリンジポンプなど2,920台、138機種の医療機器の保守点検を行い稼働状況の把握もしています。

患者さん、医師、看護師そして事務職員の皆さんとともにチーム医療に携わることができるとてもやりがいのある仕事です。このような多彩な業務を実施するうえで、決して多くない人数ではありますが、全員一丸となって、良好な人間関係のもとで高いモチベーションをもって仕事をしています。

Q コロナの特殊環境での治療にも携わっているのですか?

A COVID-19治療においては、スタッフへ安全を担保するために遠隔モニタリングを取り入れました。離れた場所(看護師詰め所)

写真１　ECMO

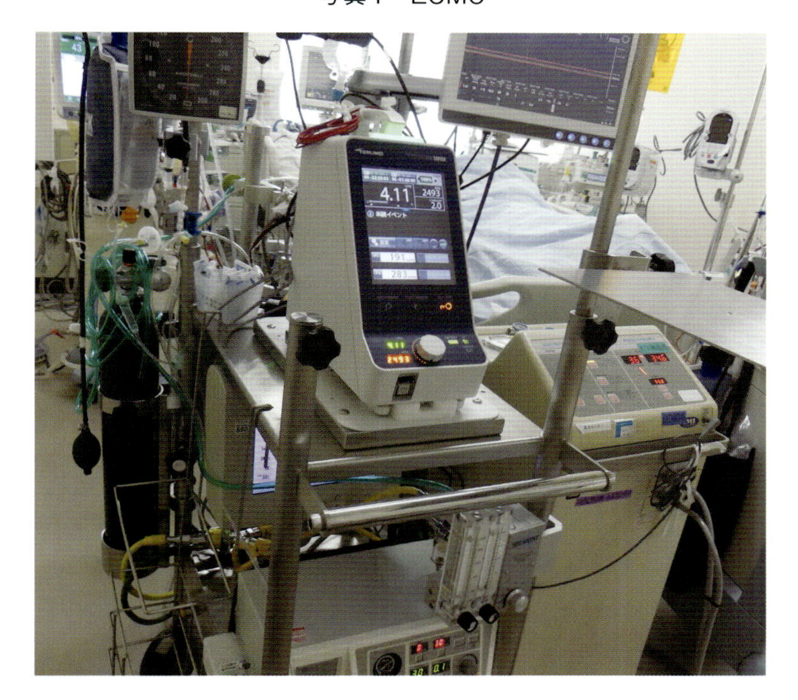

写真２　人工心肺の操作

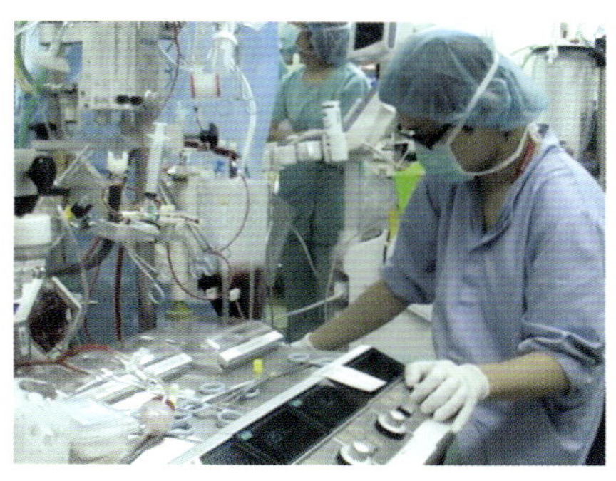

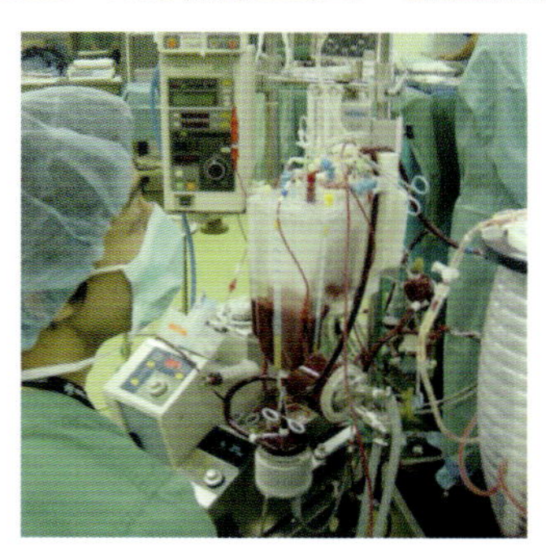

写真３　ダヴィンチ

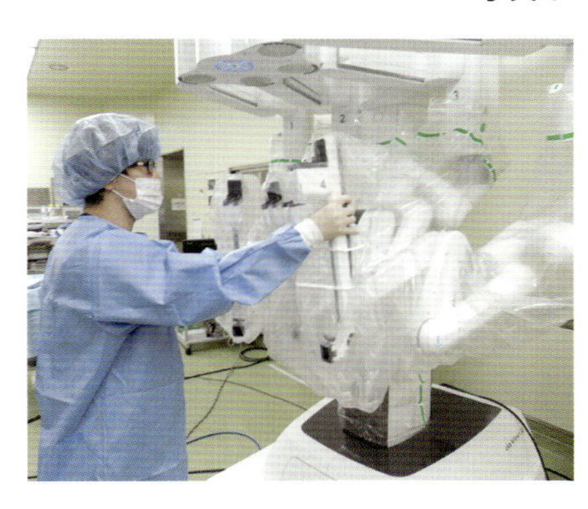

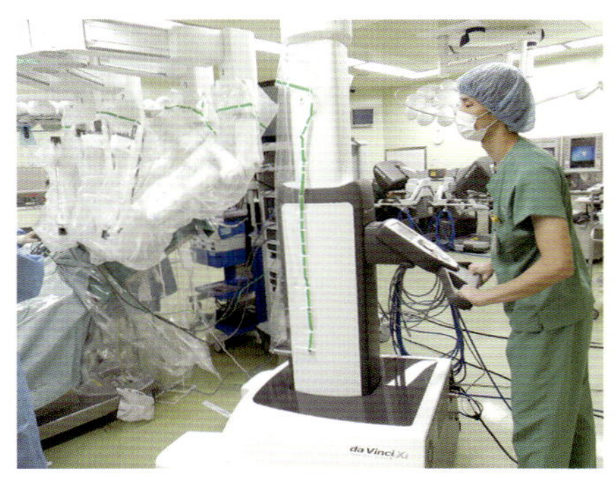

からECMO管理における血液流量、回転数、送血圧、血液酸素分圧、二酸化炭素分圧、電解質を遠隔モニタリングできるように無線通信システムを導入したほか、看護師や医師、そして私たち臨床工学技士が携わる輸液ポンプやシリンジポンプの警報、流量、残量などについても、どの部屋の薬剤使用のポンプ機器なのか遠隔モニタリングできるシステムを考案しました。このように、臨床現場での実験、研究、開発にも貢献していくことがMEセンターの大きな役割でもあります。また、先に述べた中央管理業務においても使用機器の位置情報を低コストで発見・追跡できるタグシステムとモバイル端末の臨床開発も行っています。

Q MEセンターの稼働時間は？

A　2015年より24時間体制で臨床工学技士を配置し、救急、緊急手術、集中治療分野などへ迅速な対応が可能となりました。また、臨床工学技士の増員とともに女性スタッフも増えました。女性が昼夜問わず働きやすい環境となるように女性専用の夜間休憩室を整えています。

さらに、トラブルの発生しやすい夜間や休日の人工呼吸では、適切な人工呼吸器使用の確認指導を行うことで、急変時やトラブル時への対応も機動的に実施可能となり、安全、安心を担保できる大学病院づくりの一翼を担っています。

かかりつけ医から「脳卒中になるかも」と言われました。脳卒中って？

すごい!!
県内脳卒中診療の最後の砦、24時間365日高度専門的治療を提供しています!

わたしたちがお答えします。

脳神経外科　教授
脳卒中センター　センター長
岩間 亨

脳神経内科　教授
脳卒中センター　副センター長
下畑 享良

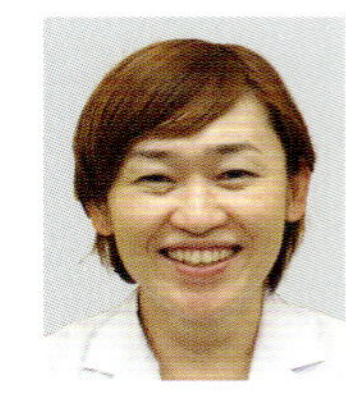

脳神経外科　講師
脳卒中センター　センター員
榎本 由貴子

Q 脳卒中の症状とは？ どんな治療法があるの？

A 脳血管障害（脳卒中）は脳梗塞、くも膜下出血、脳出血の3つに分類されます（図1）。いずれも突然発症し、重い後遺症を残したり命が失われたりする病気です。

①脳卒中の症状って？

あるとき突然、「半身の麻痺（片側だけ力が入らない）」「片側の顔面がゆがむ」「ろれつがまわらない」という3つの症状のうち1つでも該当した場合に、脳卒中の可能性が高いと考えられます。

②病院へ行くタイミングは？　救急車を呼ぶべき？

脳卒中は緊急治療が必要な疾患ですのですぐに受診してください。①の脳卒中の症状のほかに、「意識障害がある（声をかけても目を開けない、反応がない）」「激しい頭痛や嘔吐がみられる」ときは救急車を呼んでください。

③脳卒中になってしまった場合の治療法とは？

脳梗塞については、tPA静注療法（経静脈的血栓溶解療法）とカテーテル血管内治療（血栓回収療法）（図2）があります。治療開始が30分遅れるごとに脳梗塞の治る可能性を10%ずつ低下させるため、すぐに治療を開始する必要があります。当院では、日本脳神経外科学会専門医（10名）、日本脳神経血管内治療専門医（7名）、日本脳卒中専門医（6名）が常勤し、24時間365日体制で内科的治療・血管内治療・開頭手術を駆使した高度専門的緊急治療を行っています。また、県内医療機関向けに「脳卒中ホットライン」を開設し、他病院では治療困難な患者さんの転送受け入れを行うなど、県内脳卒中診療の最後の砦となっています。

くも膜下出血は、突然激しい頭痛をきたし、重症の場合にはそのまま死に至る（約30%）大変怖い病気です。脳の血管にできた脳動脈瘤というコブが破れることが原因で、一刻も早い再破裂を防ぐ手術が必要です。開頭術（クリッピング術）と血管内手術（コイル塞栓術）の2つの方法がありますが、当センターではどちらの治療法も経験が多く、患者さんに応じて最適な治療法を選択しています（図3、4）。

脳出血についても、内科的治療・低侵襲な内視鏡的血腫除去術・開頭血腫除去術を、血腫の量・場所・状態に応じて最も適切な治療方法で選択しています。

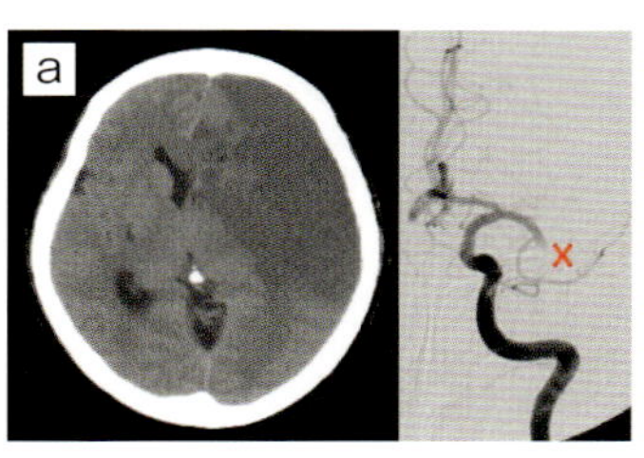

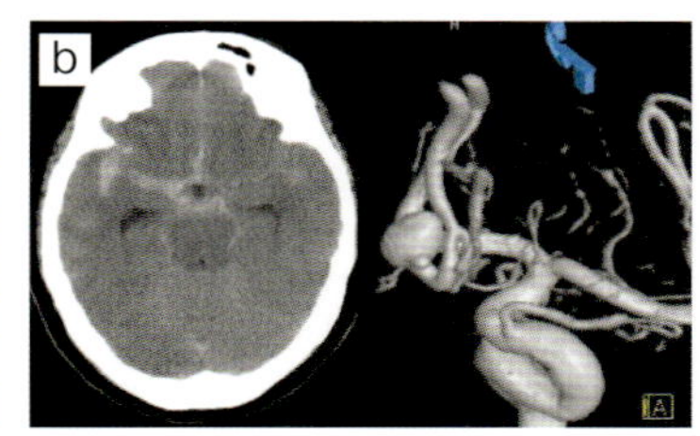

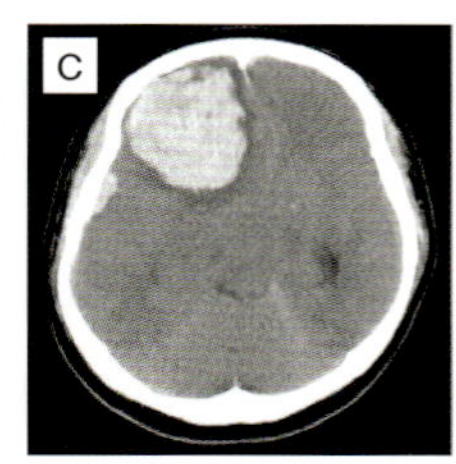

(a)血管が詰まる脳梗塞
(b)動脈瘤破裂によるくも膜下出血
(c)脳内に出血する脳出血

図1　脳卒中の種類

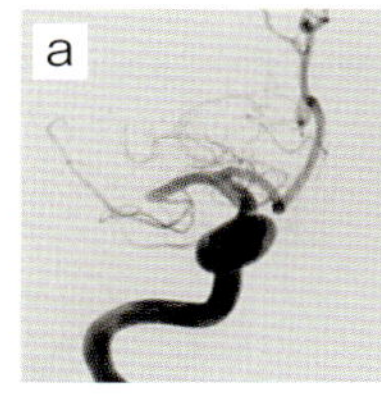

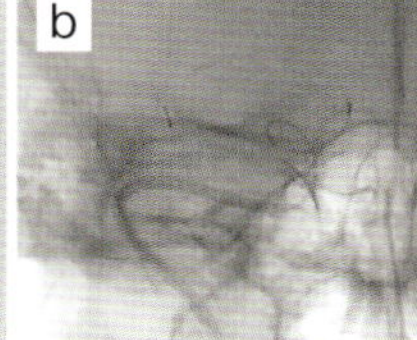

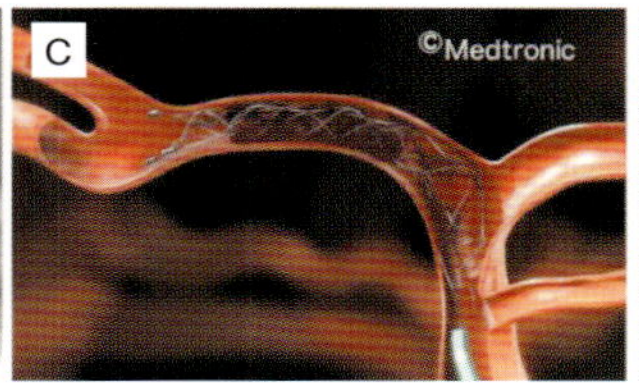

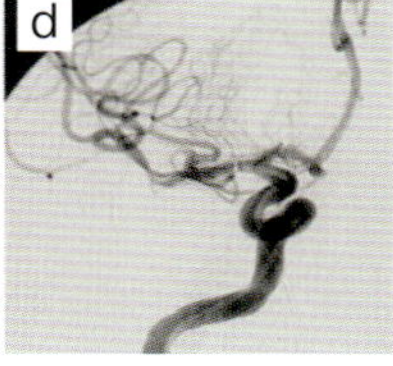

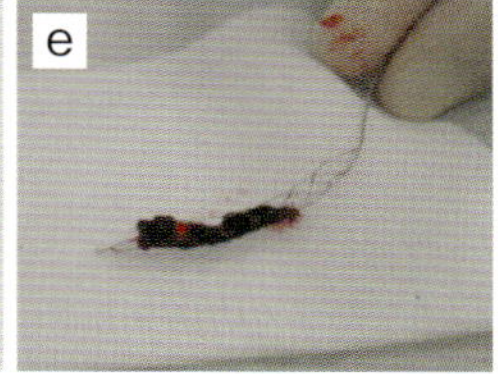

(a)右中大脳動脈閉塞　(b、c)ステントリトリーバーを展開　(d)閉塞血管の開通　(e)回収された血栓

図2　カテーテル血管内治療による血栓回収療法

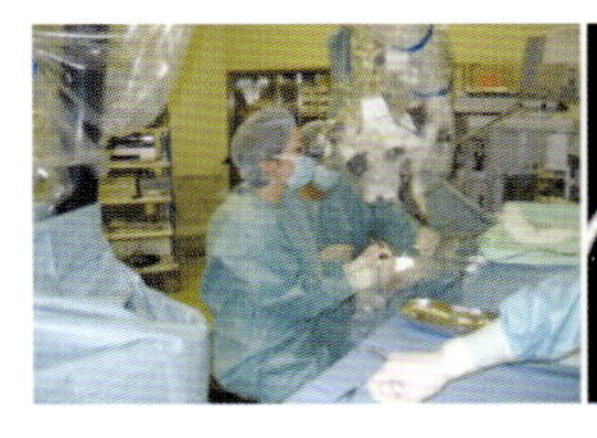
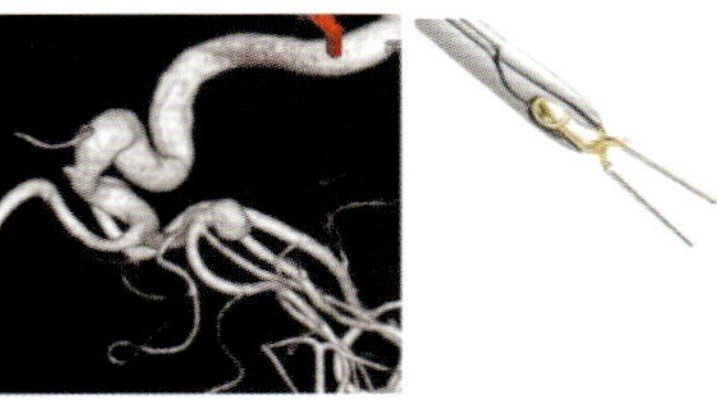
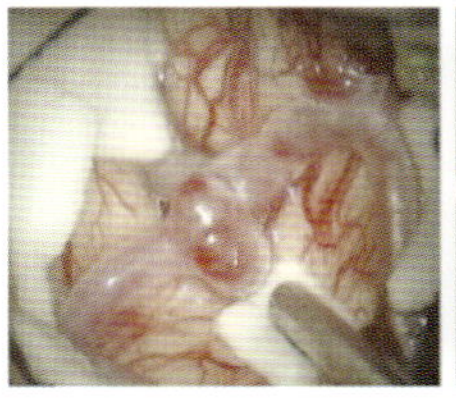
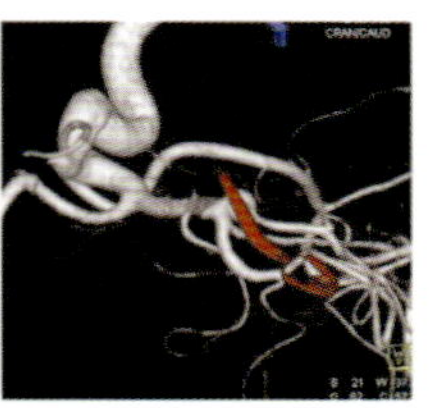

図3　開頭手術による脳動脈瘤クリッピング術

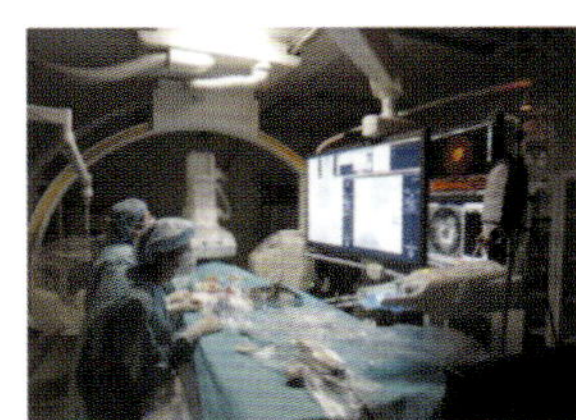
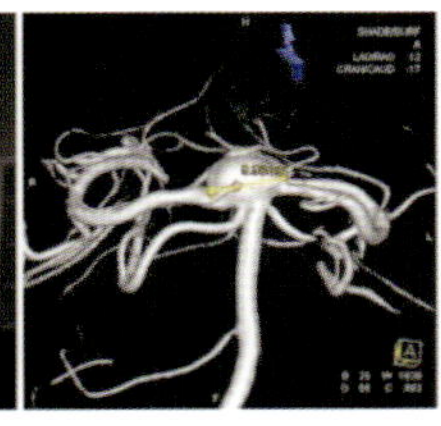
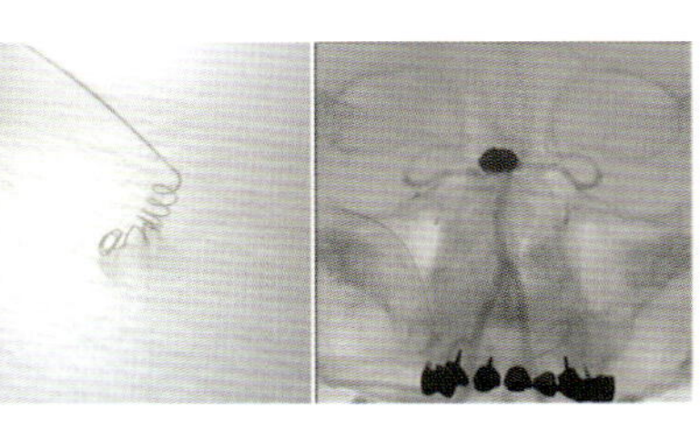
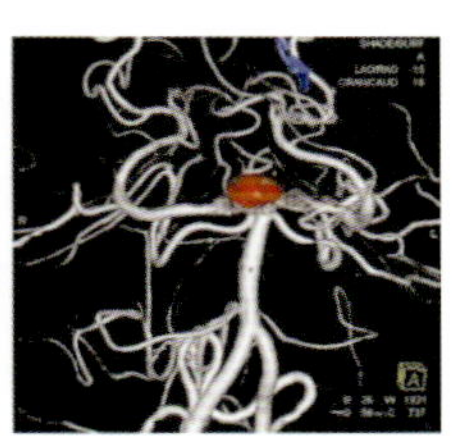

図4　カテーテル血管内治療による脳動脈瘤コイル塞栓術

Q 脳卒中は予防できるの？

A 最近では、脳ドックや頭の病気の検査で、動脈瘤（未破裂動脈瘤）が破裂する前にみつかることが増えています。未破裂動脈瘤が破れる確率はおよそ年間で1%と考えられており、それほど高い頻度ではありませんが、大きなものや不整形のものは破れやすいため、破裂してしまう前に予防治療をおすすめしています。動脈瘤の大きさや形、場所、患者さんの背景・基礎疾患などを考慮して、画像フォローアップのみの経過観察、カテーテル血管内治療、開頭手術によるクリッピング術のうち、最適な治療方法を選択しています。特にカテーテル血管内治療の発展はめざましく、次々と新しいデバイスが登場し、治療適応が拡大しています。2018年に導入されたフローダイバーター、2020年に国内導入された分岐部ワイドネック型脳動脈瘤用機器においても、当院は国内先行施設としてすでにたくさんの患者さんの治療を行っています。

脳梗塞を予防する外科治療についても、直達手術（頸部内頸動脈内膜剥離術、頭蓋内外バイパス手術など）とカテーテル血管内治療（頸動脈ステント留置術、頭蓋内血管形成術、ステント留置術など）、いずれも多数行っています。安全第一、合併症ゼロをモットーに、綿密な術前検査・評価を行い、最適の治療法を決定しています。

遺伝子診療や遺伝カウンセリングについて教えてください

すごい!! 県内で唯一存在する遺伝医療に特化したセンターです。誰にでもある生まれつき備わった遺伝子の情報をあつかいます

わたしたちがお答えします。

ゲノム疾患・遺伝子診療センター
センター長　教授
森重 健一郎（もりしげ けんいちろう）

ゲノム疾患・遺伝子診療センター
副センター長　臨床教授
堀川 幸男（ほりかわ ゆきお）

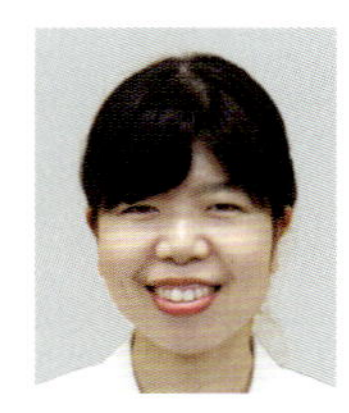

認定遺伝カウンセラー
助教
仲間 美奈（なかま みな）

Q ゲノム疾患・遺伝子診療センターで行っていることは何ですか?

A 遺伝性疾患をもつ患者さんやご家族への遺伝カウンセリングを実施しています。

各診療科で診ている遺伝性疾患の患者さんやそのご家族が抱える遺伝に関する不安や悩みに対し、主治医とともに臨床遺伝専門医や認定遺伝カウンセラーが相談に応じます（「遺伝カウンセリング」と呼びます）。遺伝カウンセリングでは、本人やご家族が今どのような状況にあるかを確認させていただき、今後どのように対処していくかを一緒に考えます。遺伝に関する情報を提供しながら、相談者が抱えている課題に対して、自律的に意思決定していけるように支援していきます。遺伝カウンセリングへの来談タイミングは、①本人や家族の病気・体質の遺伝性について不安があるとき、②遺伝学的検査の結果について詳しく聞きたいとき、③その他遺伝性疾患に関連した疑問があるときで、一般の診療枠とは別枠で1時間程度（平均）の遺伝カウンセリング外来が設定されます（図1）。

ここでの遺伝性疾患とは、ゲノムや遺伝子の変化が原因となって生じる疾患の総称で、単一遺伝子疾患、染色体異常症、多因子病（たいんしびょう）、ミトコンドリア病、エピジェネティクス異常に分類されます（図2）。遺伝情報は「不変性（ふへんせい）（遺伝情報は生涯変化せず、いつ検査を行っても結果は同じ）」、「共有性（きょうゆうせい）（個人で明らかにされた遺伝情報は、血縁者も一定の確率で共有している）」、「予見性（よけんせい）（結果によって、将来の疾患の発症を事前に知ることができる）」という3つの特性があります。よって、遺伝情報が不適切にあつかわれると社会的不利益がもたらされることが懸念されます。適切な情報管理と同時に社会全体の遺伝リテラシー（遺伝に関する正しい知識と理解）の向上も求められます。当センターでは毎年一般向けの公開講座を開催しており、遺伝性疾患をもつ患

【参考】遺伝カウンセリングとは（米国遺伝カウンセラー学会における定義より抜粋）
“遺伝カウンセリングとは、疾患の遺伝学的要因がもたらす医学的、心理的、および家族への影響に対して、人々がそれを理解しそれに適応していくことを支援するプロセスである。このプロセスには、以下の内容が含まれる。
- 疾患の発生や再発の可能性を評価するための家族歴および病歴の解釈
- 遺伝、検査、マネジメント、予防、情報リソースや研究についての教育（情報提供）
- インフォームド・チョイス（十分な情報に基づく自律的な意思決定）とリスクや病態への適応を促すためのカウンセリング”

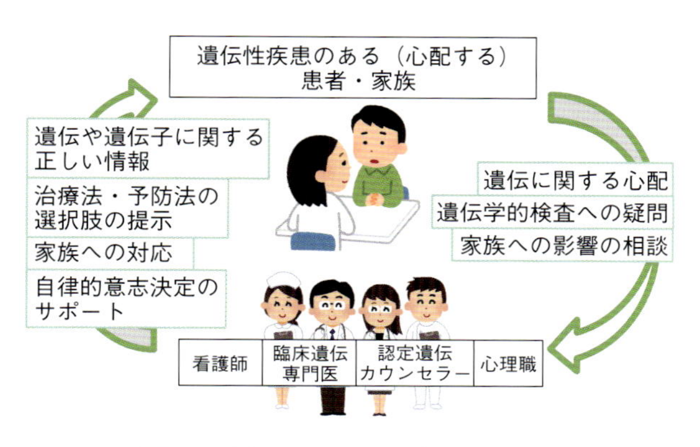

図1　遺伝カウンセリング・セッション

対象	遺伝性疾患 ・遺伝子や染色体などのゲノム情報が変化して発症する病気 ・親から子へ形質が継承される病気 単一遺伝子病　染色体異常症　多因子病　ミトコンドリア病　エピジェネティック病 周産期　小児期　成人期
現時点では非対象	生活習慣病、発達障害
非対象	感染症、中毒、けが

図2　遺伝カウンセリングの対象疾患

者さんやそのご家族の社会的な立場を守ることにつながることを願い、活動しています。

■当センターにおける相談例

遺伝に関することであれば、どのような相談もお受けしています。

たとえば、「うちは糖尿病が多い家系です。わたしも将来、糖尿病になるでしょうか?」、「わたし（家族）が遺伝性の病気と言われました。子どもを産んだらその子はどうなりますか?」、「1人目の子どもで染色体異常があり、早く亡くなりました。次の子どもをもつかどうか夫婦で悩んでいます」など。

■当センターでは対応できない相談

・親子鑑定
・訴訟などを目的とした相談

Q 最近の遺伝子医療において、注目すべきトピックスは何ですか?

A がん遺伝子プロファイリング検査（がんゲノム医療）における二次的所見への対応です。

適切な薬剤をみつける目的で実施される、がん遺伝子プロファイリング検査を用いた医療は、「がんゲノム医療」と呼ばれています。2019年6月に保険適用になりました。この検査では患者ごとの腫瘍（しゅよう）細胞におけるがんにかかわる数十から数百もの遺伝子を一度に調べて、そのがんの原因となっている遺伝子異常を突き止めて有効な治療薬候補を提示します。さらにこの検査では、患者さんのがん細胞の遺伝子を調べるなかで、生まれつきの（生殖細胞系列（せいしょくさいぼうけいれつ）の）遺伝子変異が同定される場合があります（このことを「二次的所見」と言います）。場合によっては、親子やきょうだいなど血縁者全体における遺伝性疾患の発見につながることもあるため、その情報は慎重な取り扱いと適切な対応が求められます。たとえば、治療法・予防法が存在し、患者さん本人・血縁者の健康管理に有益と考えられる二次的所見が見いだされた場合には、その情報を積極的に活用することが大切であり、その情報を活用しないことが逆に不利益をもたらす場合もあることを医療者も認識して対応しなければなりません。そのため一般のがん診療の現場でも遺伝カウンセリングの重要性が再認識されています。

■がんゲノム医療における相談例

「〇〇がんを患い、今後の治療のためがん遺伝子パネル検査を受検したところ、遺伝子変異がみつかり候補薬剤が示されました。変異を認めた遺伝子群のなかに、*BRCA1*が含まれていました。*BRCA1*は、遺伝性乳がん卵巣がんの原因遺伝子の1つとのことです。わたしはこの検査で遺伝性腫瘍の可能性がわかった場合、その内容を知りたいと思っていました。子どもや孫にも遺伝しているのか心配なので、詳しく話を聞きたいです」

呼吸器センターって？何をしているの？

すごい!! 胸部疾患を患う患者さん個々に最新および最適な治療を提供するために、専門家が集まって議論する場です

呼吸器センター
センター長　教授
岩田 尚（いわた ひさし）

Q 岐阜大学病院の呼吸器センターってどういう組織なのですか？

A 呼吸器センターは、岐阜県における呼吸器疾患、すなわち、胸のなかにある臓器の1つで呼吸をつかさどる「肺」のさまざまな疾患、および「縦隔（じゅうかく）」と呼ばれる肺と心臓に囲まれる部位の疾患に対して、診療、教育ならびに研究の量的・質的向上をはかることを目的として2016年度に設置されました。岐阜県の呼吸器疾患加療の現状として、患者さんは増加しているものの、他県と比較し医師が不足しており、かつ美濃地域に偏在しています。当院では高度な専門性を有するスタッフにより、最先端の医療機器・設備を駆使して、診断·治療を総合的に行っています。特に、肺がん、縦隔腫瘍、胸膜（きょうまく）疾患を重点的に診療しています。診療は、患者さんを中心として、呼吸器内科医、呼吸器外科医、放射線診断医、放射線治療医、病理医が診療科を越えて密に連携することで、難治性呼吸器疾患を早期に診断し、最適な治療を受けていただくことができます（図1）。

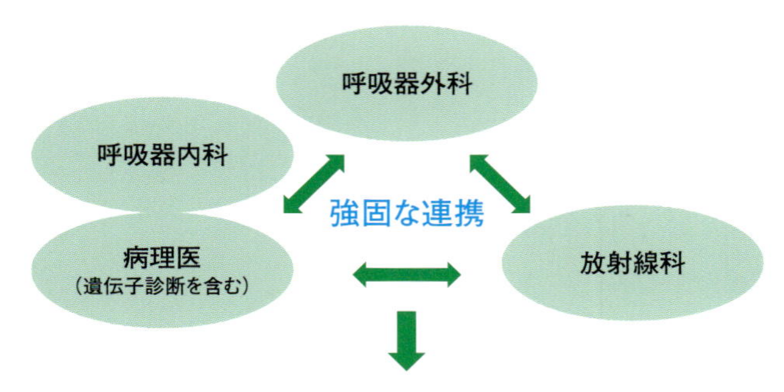

図1　当院「呼吸器センター」組織図

現在、週に1回、「呼吸器センターカンファレンス」を開催しており、個々の患者さんの適切な治療方針を決定しています。例を挙げますと、原発性肺がん患者さんの治療方針として、手術、免疫療法や遺伝子診断に基づいた薬物療法、放射線治療が検討されます（図2）。手術は呼吸器外科、薬物療法は呼吸器内科、そして放射線治療は放射線科が担当しますが、どの療法が目の前の患者さんに一番よいのかを、このカンファレンスにおいて、それぞれの専門家が一堂に会して、議論し決定するわけです。加えて、必要に応じて病理医やがんセンターとも連携します。さらには、院外の医療施設との充実した前方／後方医療連携によって、より早い診断と治療、そして治療後のケアを円滑に進めていく組織です。

岐阜県がん患者支援情報提供サイト「ぎふがんねっと」（図3）には、肺がんを含めたがんの情報が多く記載されています（図4）。詳しくはhttps://gifugan.net/をご覧ください。

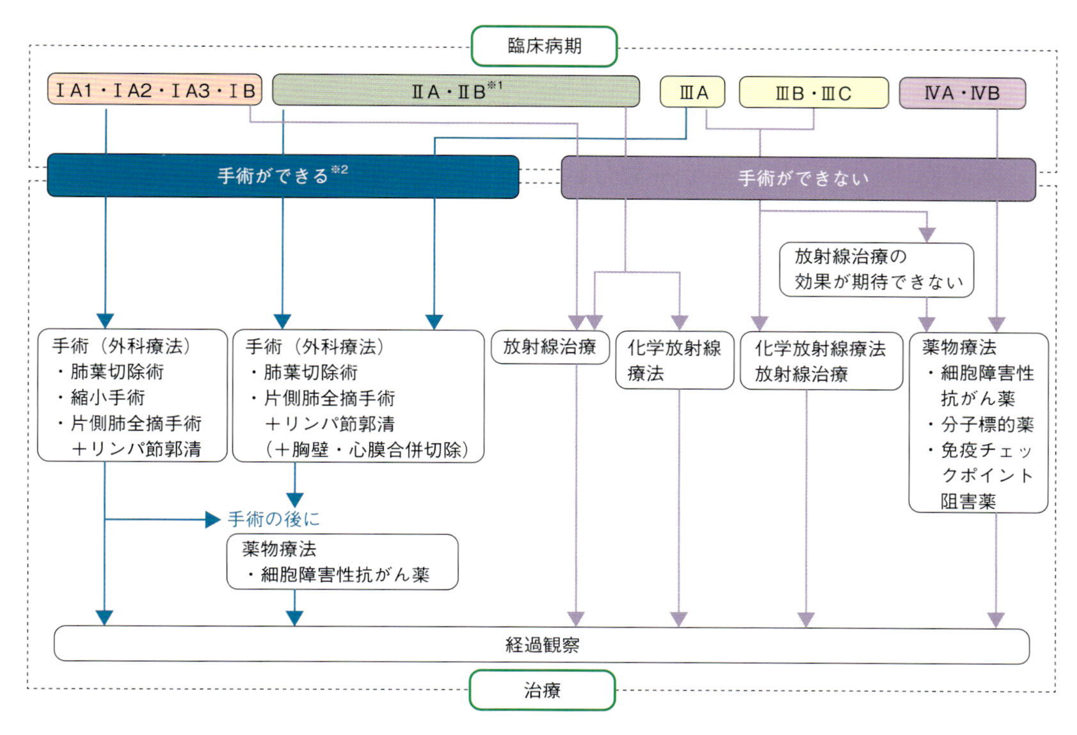

※1　ⅡBの肺尖部胸壁浸潤がんの場合は、ⅢA期の治療に準じる。※2　身体の状態による。

図２　肺がん病期別診断・治療方法

図３　ぎふがんねっと

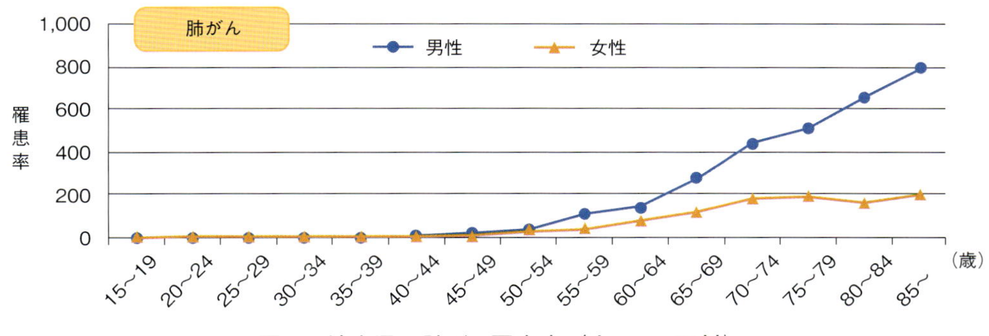

図４　岐阜県の肺がん罹患率（人口10万対）

〔ぎふがんねっとホームページ「岐阜県のがんの現状」にて掲載データをもとに作成〕

アレルギーセンターについて教えてください

すごい!! アレルギー疾患の高度な診療、患者さん・ご家族への情報提供、医療従事者への研修、地域の実情の調査分析、教育機関への助言などを行っています

わたしたちがお答えします。

アレルギーセンター
センター長　教授
大西(おおにし) 秀典(ひでのり)

アレルギーセンター
副センター長　准教授
川本(かわもと) 典生(のりお)

Q どのような組織ですか?

A 2014（平成26）年6月20日に「アレルギー疾患対策基本法」が成立し、2015年12月25日に施行されました。気管支喘息(きかんしぜんそく)、アトピー性皮膚炎、アレルギー性鼻炎、アレルギー性結膜炎、花粉症、食物アレルギーなど、アレルギー疾患の対策の推進などについて定められており、「アレルギー疾患対策都道府県拠点病院」を各都道府県に設置することが求められてきました。これを受けて、2018年5月25日、当院が岐阜県アレルギー疾患医療拠点病院に選定され、同年8月1日にアレルギーセンターが設置されました。当センターは総合内科、呼吸器内科、眼科、耳鼻科、皮膚科、小児科、高次救命治療センターなどの各診療科と看護部、薬剤部、栄養管理室、医療安全管理室のメンバーで構成されています。都道府県拠点病院として定められた活動として、次のことを行っています。

①重症・難治アレルギー疾患患者への診療科を超えた診断および治療に関すること
②患者、家族ならびに地域住民に対する情報提供、講習および啓発活動に関すること
③医療従事者、保健師、栄養士、学校等職員への研修および講習に関すること
④県域の実情等の調査および分析に関すること
⑤教育機関に対する医学的見地からの支援に関すること
⑥その他、アレルギー疾患対策事業に関すること

Q 具体的にどのような活動を行っていますか?

A 当センターの役割として、院内勉強会を開催し、アレルギーに携わる院内の各診療科の交流を深め、診療科の垣根を越えた連携を進めています。この連携によって、重症・難治アレルギー疾患患者さんに対する、診療科を横断した診断および治療に関する協力体制ができています。また、当センターでは、年に1回市民公開講座を行うとともに、医療従事者向けの講演会を行い、地域のアレルギー診療の均霑(きんてん)化に寄与しています。

2019年度には岐阜県教育委員会の委託を受けて、県内の学校現場におけるアレルギー疾患の

図1　当センター作成の『Q&A集』

実態調査を行いました。岐阜県の公立小中学校等の養護教諭およびアレルギー児の保護者にアンケートを配布して回答をいただき、報告書を岐阜県教育委員会および学校関係者に公開しています。

2020年度には厚生労働省のアレルギー疾患対策都道府県拠点病院モデル事業に選定され、学校現場のアレルギー対応メール相談を開始しました。学校の教職員および教育委員会より学校現場のアレルギー対応について電子メールで相談を受け付けています。2020年度末にはこの相談の内容をまとめた『学校現場のアレルギー相談事業Q&A集』（図1）を県内の公立小中学校および教育委員会に配布しました。また、アレルギーセンターのWebサイトでは、「よくある質問」のコーナーにはアレルギーセンターの各部門からよくある質問と回答を集めて掲載し、広く市民の皆さんに公開しています。さらに、『予防接種現場でのアナフィラキシー初期対応マニュアル』を作成し、医療機関や予防接種会場へ配布しています。

そのほか、アレルギー専門医を養成するアレルギー専門医教育研修施設としての活動やコメディカル向けの専門資格研修なども随時行っています。

このように、都道府県拠点病院として定められたさまざまな活動を通して、アレルギー診療の底上げなどに必要な役割を果たしていきます。

Q アレルギー疾患患者です。どのように受診するのですか?

A アレルギー疾患に対する診療は原則として、これまで通りの各診療科で行います。

受診すべき診療科がわからない場合には、小児においては小児科、成人においては総合内科で対応を行います。当院への受診は、原則として現在通院中の診療所や病院より、医療連携センターを経由した診療予約をお願いしています（図2）。

当日の受診に対してもできる限り対応していますが、専門の医師が不在の場合などもありますので、予約をされることをおすすめしています。

アレルギーセンターを構成する各診療科では、さまざまなアレルギー疾患を担当しており、「アレルギー」をキーワードに、各診療科の高い専門性を維持しながら、診療科の垣根を越えた連携強化体制を構築しています。

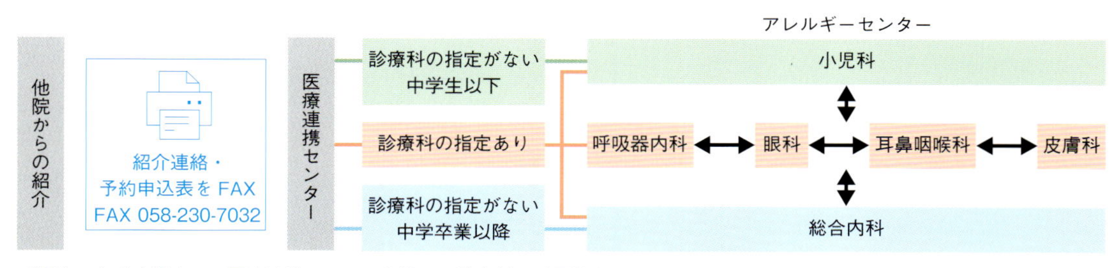

図2　アレルギー疾患患者さんの紹介の流れ

国際医療センターについて教えてください

すごい!! 外国人患者さんが安心して高度医療を受けられる環境整備を行い、研究・人材交流により岐阜から日本、世界の医療・医学・健康の向上に貢献します

わたしたちがお答えします。

国際医療センター　センター長
矢部（やべ） 大介（だいすけ）

国際医療センター　副センター長
田中（たなか） 善宏（よしひろ）

Q 国際医療センターでは何をしているのですか?

A 政治、経済、文化などさまざまな分野が国境を越えた全地球的規模の変革を加速させる今日、医療・医学・健康の分野におけるグローバル化は喫緊の課題です。当院では、このような背景を受け、2019年に「国際医療センター」を設立しました。当センターでは、院内の診療科・部門はもちろん、当院と連携する国内外の医療機関や大学との連携を密にとりながら、次の4つのミッションを鋭意遂行することで、岐阜から日本、世界の医療・医学の向上に貢献すべく活動しています。

①外国人患者さんが安心して高度治療を受けられる環境整備
②国際共同治験・研究の推進により岐阜から世界に先端医療を発信
③世界で活躍しうる医療人の育成
④海外からの研修受け入れや海外への講師派遣による国際貢献

Q 外国人患者さんが安心して医療を受けられるための環境整備って?

A 多言語対応の一環として「医療通訳」サービス（mediPhone（メディフォン））を導入し、英語、中国語はもちろん、ポルトガル語、ペルシア語やタガログ語なども含む多言語に対応した医療通訳を行っております。また、病院内の主な案内表示は日本語と英語を併記しています。診療申込書や問診票、診断書、紹介状などの多言語版を用意し、患者さんの要望に応じて対応しています。

さらに、宗教や文化の多様性に配慮した食事への対応として、入院患者の事前対応フローチャートを作成し、入院前に管理栄養士が患者さんから情報収集を行います。さらに入院後、事前情報の再確認を行い、適切な食事を提供できるように努めています。

今後、「外国人患者受入れ医療機関認証制度」（JMIP（ジェイミップ））などの認定取得をめざし、院内の診療科・部門、センターと連携して鋭意準備を進めていきます。

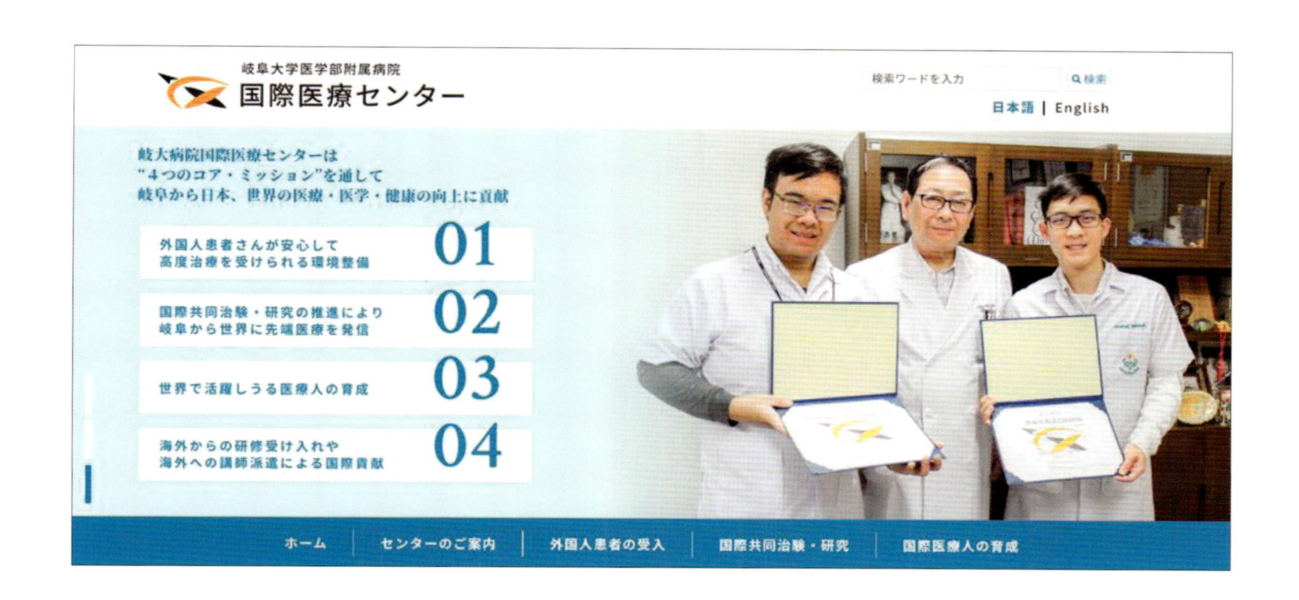

Q 国際共同治験・研究の推進に向けて、どのような取り組みを行っていますか？

A 当センターでは、海外医療機関・大学との交流を促進しています。たとえば、中華人民共和国煙台市に位置する青島大学医学部附属煙台毓璜頂病院とは、共同研究や多数の医師の受け入れなど相互に協力し医療のレベルを高めるため、2019年3月に協定を締結しています。また、米国にある南フロリダ大学とは1989年より研究者交流が始まり、2016年10月に本学医学部および保健管理センターと南フロリダ大学医学学群との間で部局間学術交流協定が締結されています。

ほかにもパリ第11大学、コンケン大学医学部、ソウル大学校医科大学、ハワイ大学医学部、シカゴ大学医学部、マギル大学、忠北大学医学部、浙江大学医学院などと学術交流協定を結んでいます。

Q 国際医療人の育成に向けて、センターではどのような取り組みを行っていますか？

A 連携する海外の医療機関や大学に当院のスタッフ・研修医を派遣することで、国際的に活躍しうる医療人の育成を推進しています。また、海外からの招聘医師や研修医・スタッフが、当院での技術の習得を日本人医師らと同様に行うことができるような体制を整備し、当院の医師や研修医・スタッフとの交流を促進しています。

なお、新型コロナウイルス感染症の世界的な拡大を受け、海外への派遣、海外からの招聘が困難ななか、医師育成推進センターなどと連携し、当院で研鑽を積む研修医を対象に、オンライン開催される国際学会への参加・発表支援を行っています。

循環器センターとは何ですか？

すごい!! あらゆる循環器疾患に対し、外科と内科の垣根を越えたハートチームで、最新・最適の治療を他部門と協力しながらシームレスに提供します

わたしたちがお答えします。

循環器センター　センター長
循環器内科　教授
大倉 宏之（おおくら ひろゆき）

循環器センター　副センター長
心臓血管外科　教授
土井 潔（どい きよし）

Q 循環器センターの特徴を教えてください

A　2021年4月、当院に新たに開設されたセンターです。循環器疾患の診断と治療にはさまざまな部門がかかわっています（図）。通常は各部門が独立して機能しているのですが、当センターではそれぞれが、有機的につながることによって、シームレスな循環器疾患の診療を行うことができます。

診療科としては、循環器内科、心臓血管外科、高次救命治療センターが中心となります。循環器疾患の治療には大きく内科的治療と外科的治療（手術）に大別されます。通常、大学病院では、他の医療機関から外科的治療が必要と判断された場合は心臓血管外科へ、そして内科的治療の適応と判断された場合は循環器内科へ紹介されます。しかし、実際は内科的治療か外科的治療かの判断に迷う場合が少なからずあります。当院では、循環器内科、心臓血管外科いずれに紹介された場合でも、当センターにおいて循環器内科と心臓血管外科が合同で毎週開催している「ハート♥チームカンファレンス」において、治療適応を議論して、最適な治療方針を決定しています。また、外科的治療後の検査や、内科的治療が必要な場合は循環器内科で対応しています。

循環器疾患の急性期治療（きゅうせいきちりょう）においては、高次救命治療センターとの連携のもと、速やかな集中治療を行っています。重症例に対する補助循環（ほじょじゅんかん）はIABP（アイエービーピー）（大動脈内バルーンパンピング）、ECMO（エクモ）（人工心肺装置）に加えて、Impella®（インペラ）（補助循環用ポンプカテーテル）も使用可能となっています。

侵襲的治療（しんしゅうてきちりょう）については、循環器内科では放射線部（科）との連携により、心臓カテーテル検査室において行われる「カテーテル治療」（冠動脈（かんどうみゃく）・末梢血管（まっしょうけっかん）・不整脈（ふせいみゃく）など）、心臓血管外科では手術部において麻酔科との連携による「外科的治療」（冠動脈バイパス術、僧帽弁形成術、大動脈手術、ステントグラフト内挿術など）に大別されますが、新たにハイブリッド手術室での「カテーテル治療」〔経カテーテル的大動脈弁留置術（TAVI）〕が当センター主導で始まります。

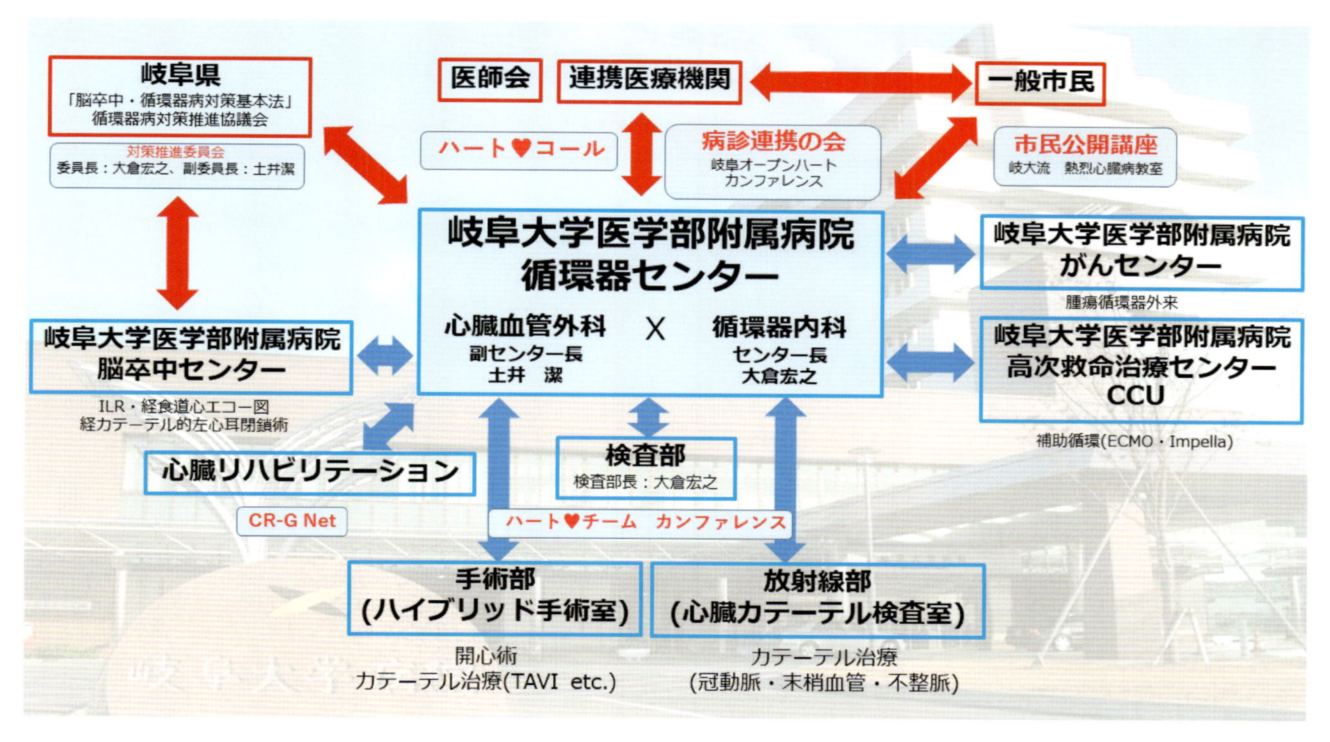

図　循環器センター組織図

Q ほかには？　どのようなことをしているの？

A 当センターは、院内の診療のみならず院外との連携についても、積極的に取り組んでいます。実地医家の先生方とは「岐阜オープンハートカンファレンス」を年2回開催することによって、連携を深めています。一般市民の皆さんに対しては、市民公開講座「岐大流　熱烈心臓病教室」を年1回開催して、循環器疾患の啓発に努めています。

行政との連携も重要な役割です。「脳卒中・循環器病対策基本法」（正式には「健康寿命の延伸等を図るための脳卒中、心臓病その他の循環器病に係る対策に関する基本法」、2018年成立）に基づいて、国の循環器病対策推進基本計画が策定されました（2020年）。岐阜県でも岐阜県循環器医対策推進協議会が発足し、当センターのメンバーもここに参加することによって、岐阜県の循環器病対策推進基本計画の策定に協力しています（2021年現在）。

以上に加えて、学生や若手医師の教育、臨床試験や臨床研究を実施し、世界に向けて発信することも、当センターの重要な責務です。

炎症性腸疾患センターの何がすごいの?

すごい!! 消化器内科、消化器外科を中心に各診療科、各部門間の連携がスムーズです。検査、診断、治療はもちろん、副作用対策も万全です

わたしたちがお答えします。

炎症性腸疾患センター
センター長　教授
清水 雅仁

炎症性腸疾患センター
副センター長　特任教授
高橋 孝夫

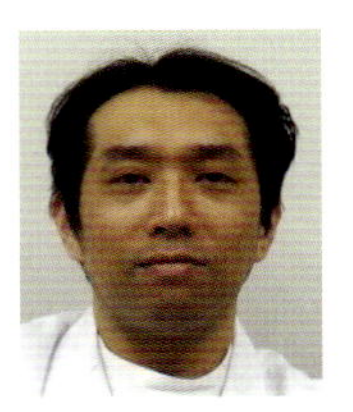

消化器外科
准教授
松橋 延壽

消化器内科
講師
井深 貴士

Q 炎症性腸疾患って?

A 炎症性腸疾患（Inflammatory Bowel Disease：IBD）は、慢性あるいは寛解・再燃をくり返す腸管の炎症性疾患です。一般に「潰瘍性大腸炎」と「クローン（Crohn）病」のことを意味します。

Q 診断までにどのような検査がありますか?

A 診断には内視鏡検査（大腸内視鏡）が必要です。クローン病では小腸に炎症を生じることも多いので、バルーン内視鏡、カプセル内視鏡、小腸造影検査などで小腸病変も評価します。当院では2004年からバルーン小腸内視鏡、2008年よりカプセル内視鏡を施行しております。小腸の検査を行うことではじめてクローン病と診断できる症例もあります。

どのような治療法があるの?

A クローン病・潰瘍性大腸炎の治療法と、血球成分除去療法についてご説明します。

【クローン病の治療】

主な内科治療法としては、薬物療法と栄養療法があります。従来の薬物治療として、5-アミノサリチル酸（5-ASA）製剤やステロイド薬による治療が行われてきましたが、現在では生物学的製剤が用いられるようになり、患者さんのQOL（生活の質）は大きく向上しています。当院でも、適応があれば生物学的製剤を積極的に導入しており、同剤を使用している患者さんは増加しています（図1）。腸管の狭窄に対しては、外科手術以外に内視鏡を用いた内視鏡的バルーン拡張術も施行します（写真）。

【潰瘍性大腸炎の治療】

患者さんの症状の強さや病変範囲に応じて治療を決定します。薬物治療は5-ASA製剤が中心となりますが、効果が不十分な場合には、ステロイド薬が用いられます。ただし、ステロイド薬による治療は症状軽快後には、なるべく早く中止するようにし、ステロイド依存にならないように心がけて

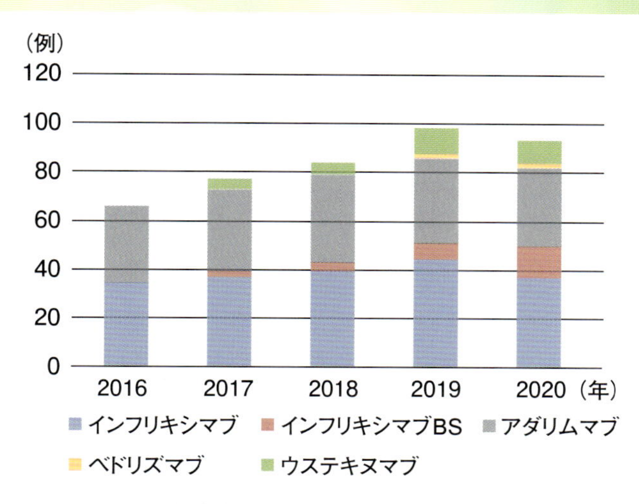

図1　クローン病患者に対する生物学的製剤投与症例数の推移

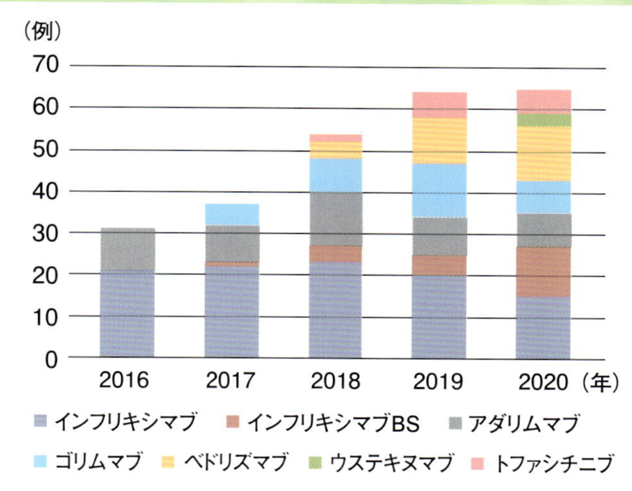

図2　潰瘍性大腸炎患者に対する生物学的製剤、低分子化合物投与症例数の推移

います。ステロイド抵抗性や依存性の患者さんには、免疫調節薬の併用を選択します。難治性の患者さんには、タクロリムスや生物学的製剤の投与を検討します。当院では、タクロリムスの血中濃度を院内で測定可能です。2018年以降、潰瘍性大腸炎に対しては新規の生物学的製剤や低分子化合物が次々に承認されています。当院においても、難治性潰瘍性大腸炎に対しこれらの薬剤を積極的に用いており（図2）、その有用性も確認しています。

写真　狭窄に対する内視鏡的バルーン拡張術

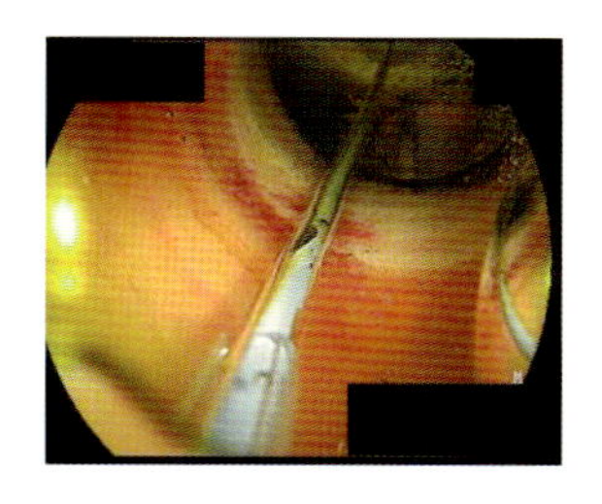

【血球成分除去療法】

難治性潰瘍性大腸炎の患者さんと、一部の大腸型クローン病の患者さんを対象として行っています。薬剤の副作用がほとんどない治療として安全に施行しています。治療は従来の週1回の場合から、患者さんの状態や希望に合わせて週3回まで施行回数を増やしています。

Q 岐阜大学病院の炎症性腸疾患診療の“ここがすごい”を教えてください

ズバリ！各診療科、各部門の連携がスムーズに行われているところです。

炎症性腸疾患患者さんに用いる薬剤（生物学的製剤やステロイド薬など）の使用中は、合併症や副作用に対する対策も重要です。これらの予防・モニタリングには薬剤部も積極的にかかわっています。呼吸器関連の症状に関しては呼吸器内科と連携して、早期の対応に努めています。さらに炎症性腸疾患では、関節症状や皮膚症状など腸管外合併症を認めることもありますが、当院ではこれらの腸管外合併症に対して整形外科や皮膚科の診療を受けることも可能です。食事療法や栄養指導も大切な治療の一環であり、経験豊富な栄養士による患者さん一人ひとりに適した食事指導が行われています。内科的治療による病状コントロールが困難な場合では、消化器外科による手術治療も必要になります。内科と外科が連携し、個々の炎症性腸疾患患者さんに最適な医療を提供しています。

また、炎症性腸疾患は若年で発症することが多く、小児の炎症性腸疾患患者さんに対しては、小児科医と消化器内科医が連携して検査、治療を行っています（小児科医と協力し、苦痛がないように内視鏡検査を行います）。難病としての社会的サポートに関しては、ソーシャルワーカーなどによる支援体制を整えています。さらに、患者さんと直接接する機会の多い看護師は、さまざまなケアにかかわっています。

栄養管理室について教えてください

すごい!! 管理栄養士が、患者さん一人ひとりの病態に合わせた栄養管理を行うとともに、おいしく安全な食事を提供できるように努めています

わたしたちがお答えします。

栄養管理室　室長
管理栄養士
西村 佳代子（にしむら かよこ）

栄養管理室　主任
管理栄養士
杉山 佐織（すぎやま さおり）

Q 栄養管理室の仕事にはどのようなものがありますか？

A 栄養管理室では、主に次のような業務を行っています。①患者給食の調理業務、②給食設備の衛生管理、③献立の研究および開発、④栄養指導（入院個別・外来個別・集団）、⑤病棟業務（入院患者さんの栄養管理計画書作成、食事および栄養剤の調整）、⑥情報提供（栄養だよりの発行、メニューカードの作成）、⑦チーム医療への参画（病棟カンファレンス、栄養サポートチーム、褥瘡対策チーム、緩和医療チーム、摂食嚥下チームなど）、⑧その他の業務（管理栄養士臨地実習生・受託研修生・栄養サポートチーム研修生の教育、研究など）です。

栄養管理室では、「患者さんに寄り添い信頼される栄養管理をめざす」という理念のもと、管理栄養士が治療にかかわることによって、栄養不良の改善、QOL（キューオーエル）（生活の質）の向上、在院日数の短縮などの観点から患者さんに貢献できるよう日々業務に取り組んでいます。

Q 病院食にはどのようなものがありますか？

A 当院では、約260種類の病院食があり1日1,300食ほど患者さん一人ひとりの病態に合わせた食事を提供しています。厨房内では、適時適温配膳（てきじてきおんはいぜん）を目的としたベルトコンベヤーを導入して盛りつけを行い（**写真1**）、各病棟に冷温蔵配膳車で配る中央配膳方式を行っています。

病院食の役割は、入院患者さんの栄養状態を改善して疾病治癒（しっぺいちゆ）や病状の改善につなげること、入院生活において楽しみであること、退院後

写真1　厨房内での盛りつけ作業

写真2　特別メニュー

(a) 天ぷら定食

(b) 弁当の日

に自宅での食事療法を実施するうえで参考となる媒体であることです。

病院食は、一般食と特別治療食の大きく2つに分類されます。一般食とは、「日本人の食事摂取基準」[1] に示された栄養量を満たすように、バランスを考慮してつくられる食事で、常食や軟菜食、流動食、ライフステージ別に離乳食や小児食などがあります。一方、特別治療食は、医師の食事箋に基づいて疾病治療のために栄養素を制限する糖尿病食や腎臓病食、肝臓病食などと、食材や食形態の工夫が必要な術後食、胃潰瘍食などがあります。そのほか、毎日の選択メニュー、季節に合わせた行事食や特別メニュー（**写真2**）、化学療法中で味覚障害のある方を対象とした食事なども提供しています。

また、食物アレルギーや宗教上禁止されている食品のある患者さんには、管理栄養士が入院時に詳しく問診したうえで他の食品に変更して個別献立を作成しています。

Q 病院の管理栄養士はどのような仕事をしているのですか？

病棟では、まず入院時に管理栄養士が患者さんの病室にうかがい、栄養状態の評価および栄養管理計画書の作成を行います。さらに、入院中も患者さんの状態に応じて適宜病室を訪問し、食事摂取状況の確認や食事内容の調整、栄養状態改善に向けた栄養補給方法の提案などを退院まで継続してサポートしています。当院では、糖尿病療養指導士や病態栄養専門管理栄養士などの有資格者が多く、病態と栄養に関する専門的知識や技術をもって患者さんの栄養管理を行うことができます。

食事療法が必要な患者さんには、医師の指示に基づき栄養指導を実施しており、何をどのくらい、どのように食べたらよいのか、患者さんの生活様式に合わせた実践しやすい方法で説明するよう心がけています。疾患によっては、体組成計や握力計での測定を実施し、具体的なデータを提示しながら改善点を提案します。

また、外来で化学療法を実施しているがん患者さんが、副作用（吐き気、食欲不振、味覚障害、口内炎、下痢など）で食事摂取量の低下や体重減少がみられる場合には、化学療法施行中にベッドサイドで具体的な献立や栄養補助食品を紹介し、治療を継続できる体力の保持や免疫力の低下抑制に努めています。

文献
1) 厚生労働省：日本人の食事摂取基準（2020年度版）.

医療安全管理室の役割について教えてください

すごい!!
患者さんの安全を第一に多職種によるチームで取り組んでいます

わたしたちがお答えします。

医療安全管理室　室長
教授（医師GRM）
熊田（くまだ） 恵介（けいすけ）

医療安全管理室　副室長
臨床講師（医師GRM）
境（さかい） 浩康（ひろやす）

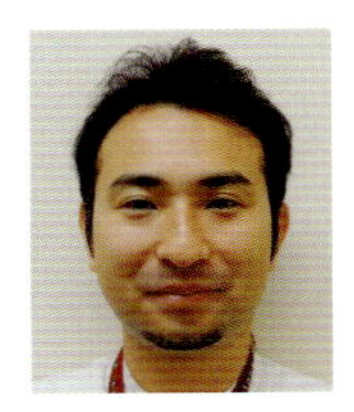

医療安全管理室
副薬剤部長（薬剤師GRM）
飯原（いいはら） 大稔（ひろとし）

医療安全管理室
看護師長（看護師GRM）
佐野（さの） 美佳（みか）

GRM：General Risk Manager（ジェネラルリスクマネジャー）

Q 医療安全管理室の役割・体制を教えてください

A 医療安全管理室は患者さんの安全を確保するために幅広く活動しています。医療安全担当副病院長のもと、医療安全を専従に担当する医師、看護師、薬剤師、事務職員を中心に病院長直下の組織として活動しています（図1）。おのおのの専門職種分野の特性を生かし、病院内、病院外からの医療安全管理にかかわる情報をもとに各職種への働きかけを行っています。なお、**多職種の視点でインシデントに関しての再発予防策を検討**し、医療安全管理室と担当部署と緊密に連携しながら医療の質向上に努めています。

Q 院内で急に調子が悪くなった場合の対応について教えてください

A 当院では外来・入院を問わず患者さんの想定外の急激な病状の悪化に対して、迅速に医師・看護師等がチームとなって対応する体制をとっています（エマジコール※1、RRS（アールアールエス）※2など）。さらに、質の高い対応をめざして2020年度から**病院全職員を対象に心肺蘇生訓練を実施**し、いかなる場合にも対応できる職員の育成に取り組んでいます。

Q 画像診断報告書の確認不足を防ぐための取り組みについて教えてください

A 社会問題化した画像診断報告書の確認不足問題を受けて、当院では2018年度から確認不足を防ぐ体制を整備してきました（図2）。2018年4月以降、画像診断報告書の未読

※1エマジコール：患者さんが予期せぬ心停止・呼吸停止、またはそれに至ると思われる場合、高次救命治療センターの医師・看護師、現場近くにいる医療スタッフが駆け付け、初期対応を行う緊急コールの名称

※2RRS（Rapid Response System）：病院職員が患者さんの病状について何か心配なとき、担当医が手術中などすぐに対応が困難な場合に直接、高次救命治療センターの医師や集中ケア・救急看護認定看護師に相談できるシステム

は解消され、また、2019年9月以降、偶発所見の見落としや未対応を未然に防ぐことができるようになりました。

全国的に画像診断報告書の既読管理（未読対策）に重点をおく施設が多いなか、当院では複数のセーフティーネットを組み合わせることで、**一歩進んだ画像診断報告書の確認体制**を整備しています。

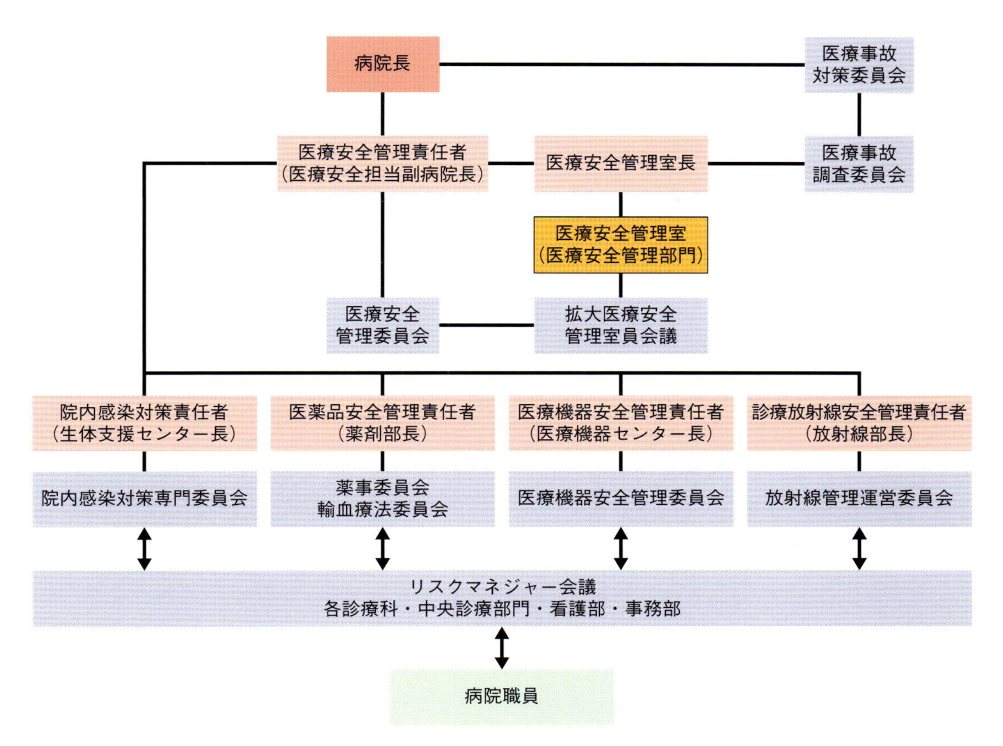

図1　当院における安全管理組織体制（2020年4月～）

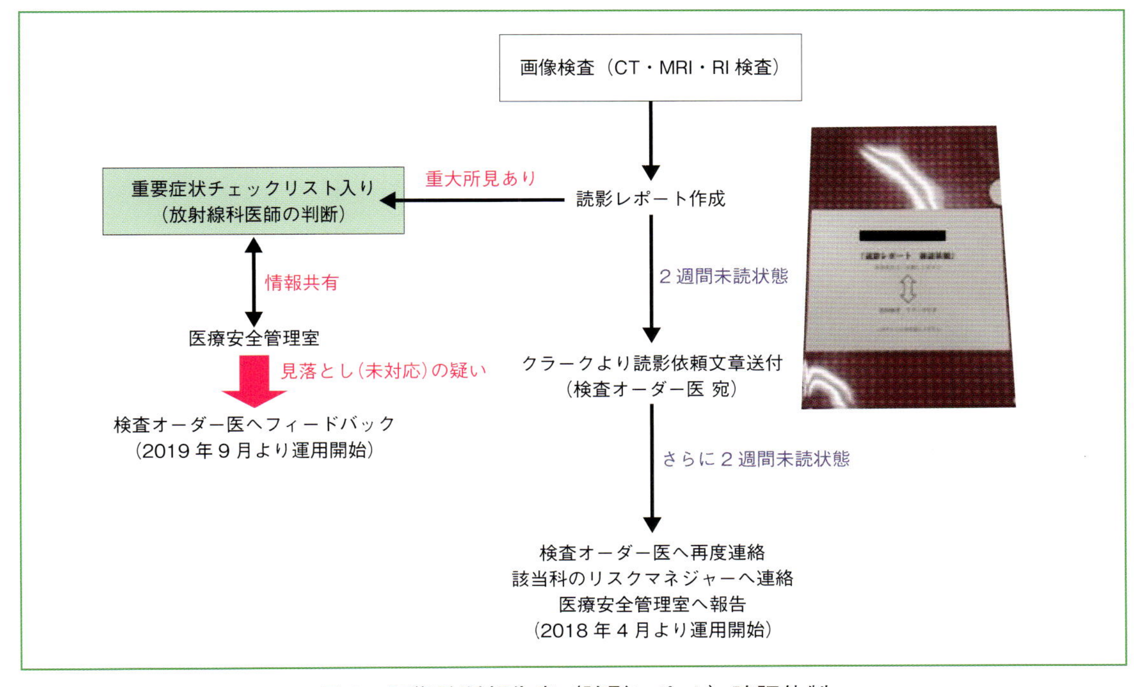

図2　画像診断報告書（読影レポート）確認体制

薬剤部について教えてください

すごい!!
薬剤師は入院患者さんのみならず、外来で治療を受けられている患者さんにも治療の説明、副作用の確認や対策を行っています!

わたしたちがお答えします。

薬剤部
部長
鈴木 昭夫（すずき あきお）

薬剤部
副部長
安田 浩二（やすだ こうじ）

薬剤部
副部長
飯原 大稔（いいはら ひろとし）

薬剤部
副部長
小林 亮（こばやし りょう）

Q 薬剤部の仕事にはどのようなものがありますか?

A 当院薬剤部では、次のような業務を行っています。①調剤・注射業務（外来・入院処方せん・注射薬の調剤など）、②製剤・無菌調製業務（院内製剤の調製、抗がん剤・TPN（ティーピーエヌ）の無菌調製など）、③病棟薬剤業務（入院患者さんの服薬指導、薬歴管理など）、④外来がん化学療法の支援業務（患者さんの服薬指導、レジメン管理など）、⑤薬品試験業務（薬物血中濃度モニタリング、医薬品の品質試験など）、⑥医薬品情報管理業務（医薬品情報の収集、院内外への医薬品情報提供など）、⑦薬品管理業務（医薬品の採用・削除、購入、在庫管理など）、⑧その他の業務（病院職員の教育・研修、薬学実習生・医学生の教育、研究など）です。

薬剤師が治療にかかわることによって、患者QOL（キューオーエル）（生活の質）の向上、治療効果の向上や延命、医療経済面などの観点から患者さんに貢献することを常に念頭において業務に取り組んでいます。

Q 入院から退院までの薬剤師のかかわりについて教えてください

A 薬剤師のかかわりは患者さんの入院が決まったときから始まります。薬剤師は入院が決まった患者さんの服用薬（サプリメントも含む）やアレルギー歴・副作用歴を入院センターで確認し、その情報をカルテに記入することにより医師や看護師、他の職種と情報共有を行っています。また、患者さんの治療（手術、検査等）に影響を及ぼす薬を服用している場合には、入院中の服用継続の有無について医師に確認し、その旨を患者さんへご説明していきます。

病棟では薬剤師が患者さんに対して服薬管理や指導を行い、治療薬の説明や副作用チェックとその対策を、医師や看護師、他の医療スタッフと連携して実施しています。さらに、薬剤師は感染症、緩和ケア、栄養、褥瘡などにかかわるチーム医療にも携わっています。医師や看護師に加え、薬の専門家である薬剤師がチームに加わることによって、より安全で効果的な薬物治療を患者さんに受けていただけるようにしています。

写真　外来がん化学療法室の薬剤師面談室

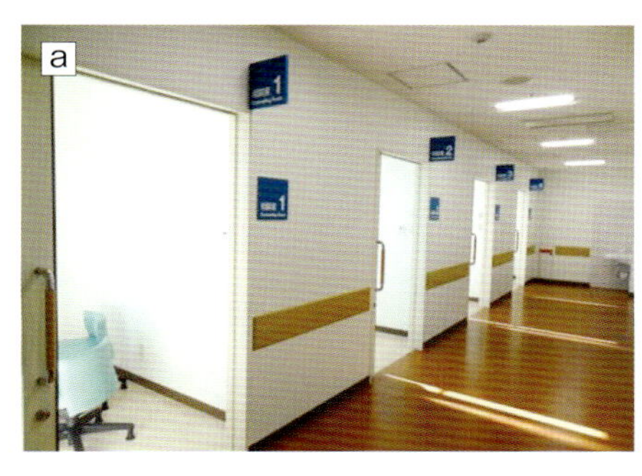

（a）薬剤師専用の患者面談室（4部屋）　（b）診療前患者面談室の内部

チーム医療の一例として、感染症にかかわるチーム医療では、感染症専門薬剤師が抗菌薬・抗真菌薬による治療を受けているすべての患者さんに対し、薬による治療効果や副作用の発現の有無を毎日確認し、感染症専門医や主治医、病棟担当薬剤師と連携して患者さんの感染症治療に携わっています。このような取り組みは、全国的にもほとんどされてはいませんが、この取り組みによって感染症の治療成績を向上させるだけでなく、抗菌薬による副作用を減らすことが明らかになっており、その成果は2016年に開催された伊勢志摩サミットの「薬剤耐性（AMR）対策アクションプラン」でも紹介されました。

また、患者さんの退院時には、退院後の服薬管理や注意点などの指導に加えて、お薬手帳にお薬の内容などを記載させていただきます。さらに、薬剤師は定期的に薬局の薬剤師とも情報交換を行い、退院後も患者さんが安心、安全な薬物治療が受けられるよう努めています。

Q 外来がん化学療法での薬剤師のかかわりついて教えてください

A 外来がん化学療法室では、4～5名の担当薬剤師が化学療法を受けるすべての患者さんとの面談を実施し（**写真**）、治療の説明、治療状況や副作用発現状況の確認、その他、患者さんが抱える問題を聞き取り、面談での情報はカルテに記入して、医師や看護師、他の職種と情報共有を行っています。化学療法においては、抗がん剤の種類によっては、治療により吐き気、しびれ、皮疹、倦怠感などの副作用が出る可能性があります。一方で、これらの副作用は、ガイドラインなどに従って、早期に適切な対策を講じることで予防するだけでなく症状を改善し、症状の進行を止めることが可能です。当院では、薬剤師が全患者さんに面談を行うことで、詳細な副作用の発現状況を把握するように努めており、副作用の予防、もしくは重篤化回避による治療の継続が可能となっています。さらに、患者さんに対して来院ごとにQOL評価を行い、“患者QOL”の観点から有用な副作用対策を実施することで、患者さんのQOL改善につなげていけるよう努めています。

薬剤部では、薬物治療の有効性や安全性にかかわる臨床研究にも医師と協力して積極的に取り組んでいます。私たちは最新の薬物治療にも精通しながら、患者さんが安心・安全な治療が受けられるよう日々、奮闘しています。お薬のことは何でも薬剤師に聞いてください。

看護部の特色について教えてください

すごい!!

看護部では、キャリアパスを適応し、専門的な知識・技術を看護に活かせるよう岐阜県下では最大級数の専門・認定看護師の育成をしています

わたしたちがお答えします。

看護部　看護部長
副病院長
廣瀬 泰子（ひろせ やすこ）

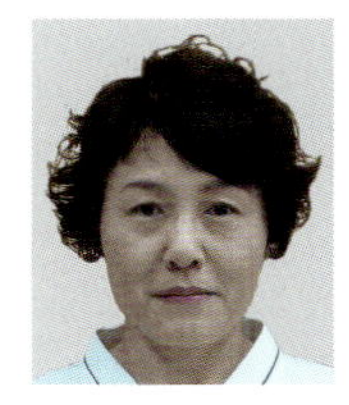

看護部　副看護部長
深尾 亜由美（ふかお あゆみ）

看護部　副看護部長
伊藤 友美（いとう ともみ）

看護部　副看護部長
三輪 峰子（みわ みねこ）

看護部　副看護部長
宮部 美香子（みやべ みかこ）

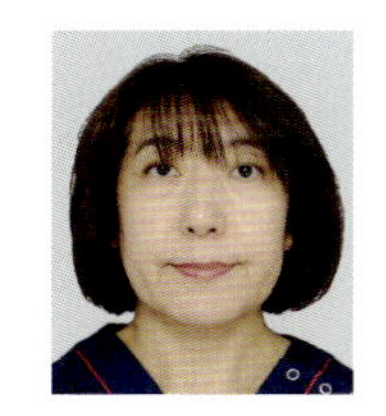

看護部　教育看護師長
杉原 博子（すぎはら ひろこ）

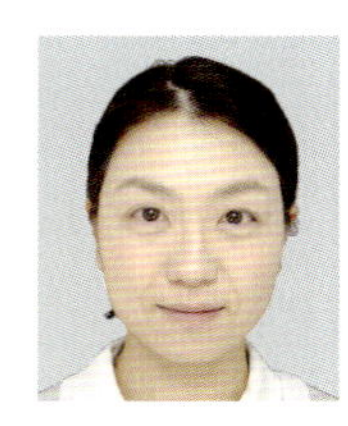

看護部　新入職者支援看護師
山田 瑠美子（やまだ るみこ）

Q 看護にかかわる人は何人いますか？

A 当院看護部には、常勤看護師、非常勤看護師、看護補助者など含めると約750名の職員がいます。大学病院、急性期病院という施設の役割上、重症患者を収容する病棟は、常時患者さん2名に対して看護師を1名、あるいは3名に対して1名、4名に対して1名、配置しています。一般病棟では、患者さん7名に対して看護師1名を傾斜配置しています。また、夜間帯に関しては、患者さん12名に対して看護師1名を配置しています。さらに夜間帯の患者サービス向上のため、2019年度から一般病棟に夜間看護補助者を配置しています。そのほか、病気をもつ子どもの成長と発達を促すために、小児科病棟には2名の保育士を配置しています。

Q どのような特定の専門性をもつ（認定・専門等）看護師が働いていますか？

A 高度な医療に対応し医療・看護の質を向上させるため、表にあるように、14分野の認定看護師25名と3分野の専門看護師3名が活躍しています。がんに関連した認定・専門看護師はがんセンターに、感染管理認定看護師は生体支援センターに配置し、入院・外来を問わずすべての患者さんに質の高い看護が提供できるよう活動しています。また、特定行為研修を修了した看護師9名も活躍しています。加えて、褥瘡（じょくそうたいさく）対策・呼吸療法（こきゅうりょうほう）支援・緩和（かんわ）医療ケアなどにお

表　特定の専門性をもつ看護師人数一覧
（2022年1月現在）

	分野	人員
認定看護師	感染管理	4名
	緩和ケア	2名
	皮膚・排泄ケア	2名
	小児救急看護	1名
	摂食・嚥下障害看護	1名
	認知症看護	2名
	糖尿病看護	2名
	がん化学療法看護	2名
	乳がん看護	1名
	がん性疼痛	1名
	集中ケア	3名
	手術室看護	1名
	救急看護	2名
	新生児集中ケア	1名
専門看護師	がん看護	1名
	慢性疾患看護	1名
	急性・重症患者看護	1名
特定行為研修修了看護師	急性期診療モデル 外科モデル　他	9名

いては、多職種とのチーム活動を通して、看護の専門性の立場から対応方法を提言しています。

Q 新人看護師教育はどのように行っていますか？

A 看護部の教育理念は、「高度な医療に対応できる看護実践者の育成」です。この理念を実現するために、次の2点を大切にして新人看護師（以下、新人とします）を育成しています。

1点目は、厚生労働省が策定した「新人看護職員研修ガイドライン」を遵守（じゅんしゅ）することです。新人が基礎教育で学んだことを土台に、基本的な看護技術を管理的側面、姿勢と態度も含めて習得できるよう教育しています。2点目は、経済産業省が提唱している「社会人基礎力」を育成することです。「前に踏み出す力」、「チームで働く力」、「考え抜く力」について新人として与えられた課題に前向きに取り組んでいるか、グループワークで自分の意見や考えを発信しているか、など行動面の評価をしています。

所属部署では、原則1人の新人に対して1名の新人教育担当者を配置し、看護実践力の育成やメンタルサポートができる体制を整えています。また、日常業務を先輩とペアで看護を行う方式を取り入れています。看護実践場面で先輩の優れた技術を見ることができ、先輩がそばにいることは、新人の安心感につながっています。そして、看護部には、専従の教育看護師長と新入職者支援看護師を配置しています。教育看護師長は、病院・看護部の教育方針に基づき、新人の研修プログラムに対する企画、運営、評価、指導および現場へのフィードバック、メンタルサポートを行います。新入職者支援看護師は、主に新人の職場適応を促す教育にかかわります。具体的には、臨床現場に出向き、新人が1年間で期待される技術の習得支援とメンタルサポートを行います（写真1）。新人が就職後のリアリティショックで看

写真1　新入職者支援看護師

写真2　新人技術研修

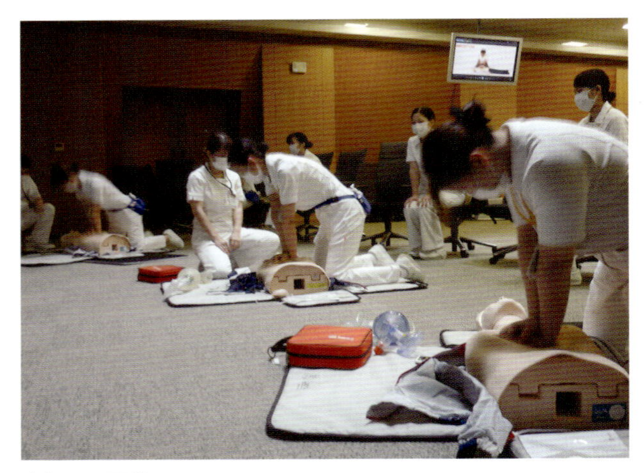

(a)BLS研修

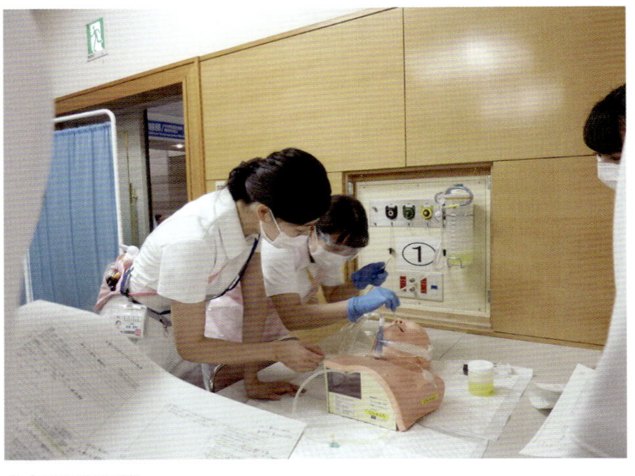

(b)吸引研修

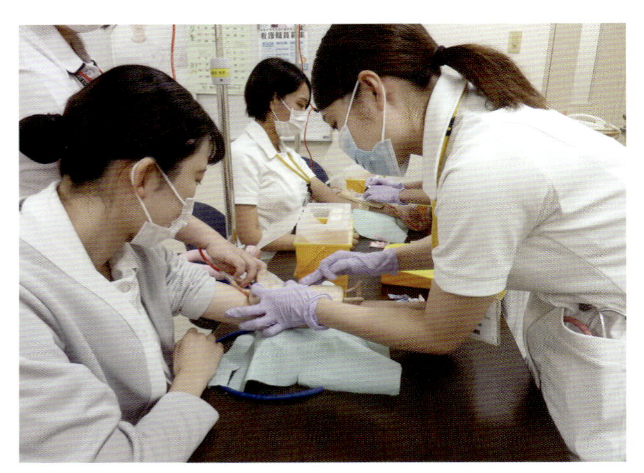

(c)採血研修

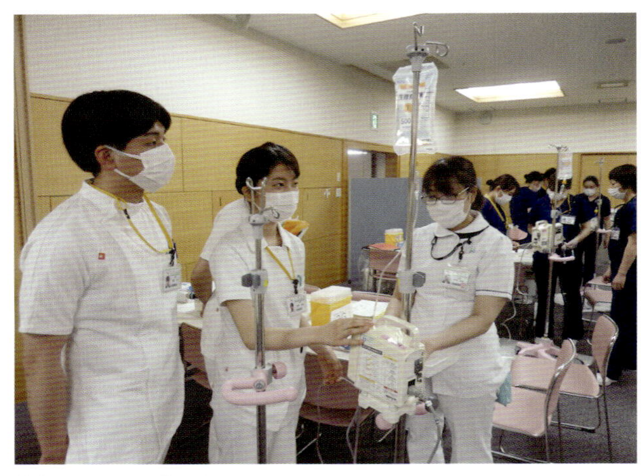

(d)輸液ポンプ研修

護の道をあきらめることのないように全力で支援しています（写真2）。

Q 看護師のキャリアパスとはどのようなものですか?

A キャリアパスとは、「職場において人材育成制度の中でどのような職務に就くか、またそこに到達するためにどのような経験を積みどのようなスキルを身につけるか、といった道筋」をいいます。看護部では、看護管理者や認定・専門看護師、特定行為研修修了看護師、教育者等への「キャリアパス」（図）を用意しています。おおむね卒後10年ぐらいまでに看護実践力の向上をめざして、「フィジカルアセスメント」、「感染管理」、「褥瘡ケア」、「がん看護」等の研修を受講します。また、指導力の向上をめざして、「コーチング」、「指導者の役割研修」を受講します。さらに、マネジメント力の向上のために、「業務改善」、「リーダーシップの研修」を受講しておく必要があります。

看護部は看護師が自分のキャリアビジョンをもち、当院でのキャリアパスを活用して、院内に限らず地域でもリーダーシップを発揮できる看護師になることを期待しています。

キャリアパス

看護師としての専門知識や技術を段階的に身につけるために、『クリニカルラダー』を用いた教育を行っています。
さらに、看護師としての専門性を極めるゴールまでの道筋をキャリアパスとして示しています。

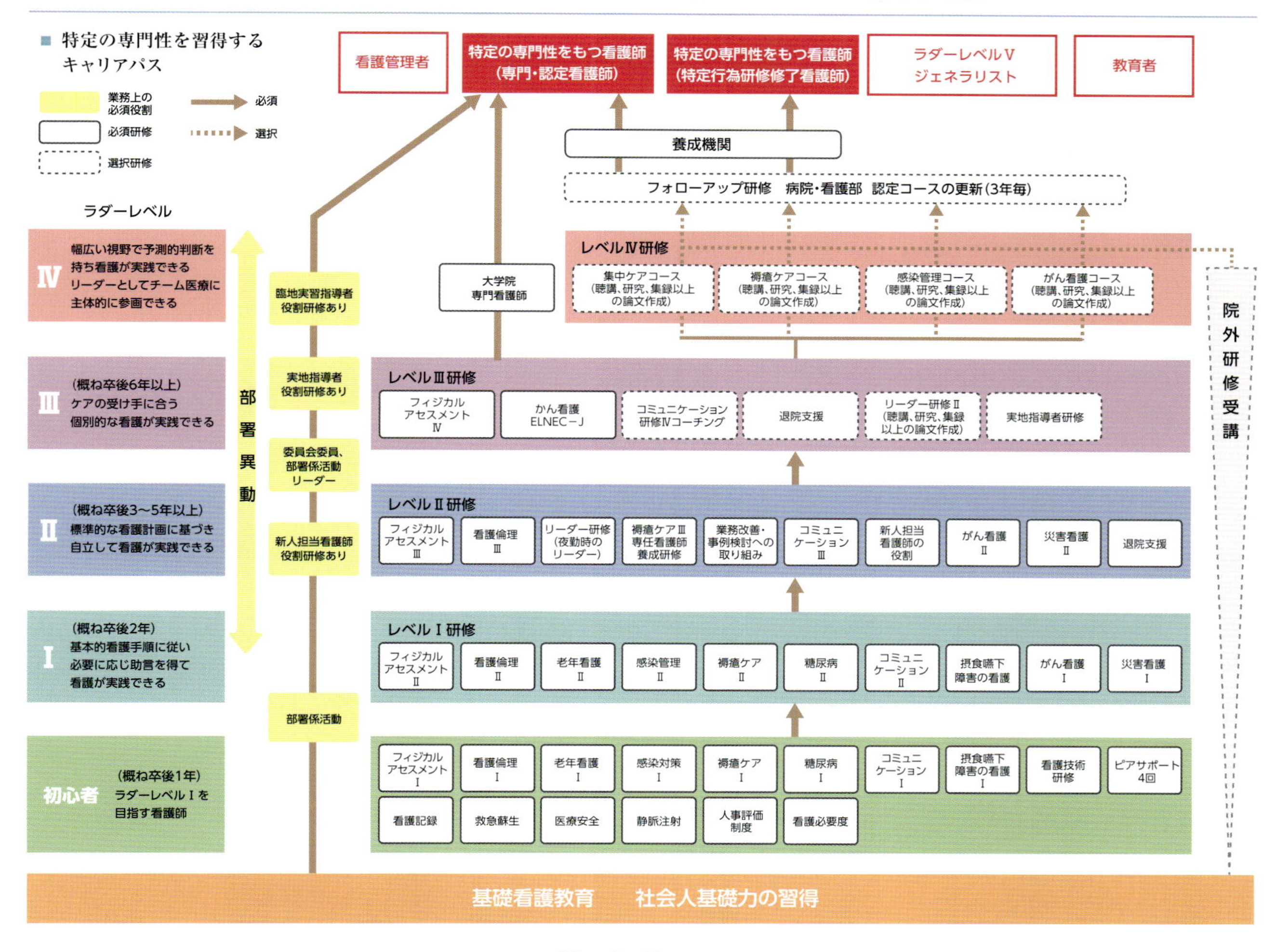

図　キャリアパス

Q 看護を行っていくうえで大切にしていることは何ですか？

A 看護部の理念である「思いやりのある看護」をすべての看護師が実践することです。そのため、2019年度より患者さんの「その人らしさを尊重した意思決定支援の実践」を看護部目標に掲げて日々努力しています。「その人らしさ」を尊重するためには、まずは看護師が患者さんやご家族の価値観を大切に思い、寄り添って話を聴く必要があります。そのうえで、患者さんが自分で意思決定できるよう、さまざまな情報を多職種と協働して提供していくことが重要です。そして、患者さんが自分にとって何が重要かに気づき、意思決定できるよう支援していきます。

患者さんからいただいた意思決定に関する評価が、看護師の職務満足感や、やりがいにつながり、さらに良い看護を提供するための原動力となります。

医師育成推進センターについて教えてください

すごい!!

柔軟なプログラム構成と多様な教育機会により、プライマリ・ケアを習得できます！　さらに全力で専門医に向けての研修までサポートします！

わたしたちがお答えします。

医師育成推進センター
センター長　教授
下畑 享良（しもはた たかよし）

医師育成推進センター
准教授
大江 直行（おおえ なおゆき）

医師育成推進センター
臨床講師
東田 和博（ひがしだ かずひろ）

Q 医師育成推進センターとは？

A　2004年4月に開始された新たな臨床研修制度に対応するため、卒後臨床研修センターを設置し運営してきましたが、医学部5年生から始まる卒前の臨床実習から卒後初期臨床研修、それに続く専門医に向けての研修までをサポートすることを目的に、2013年4月「医師育成推進センター」が設置されました。同時期にはセンターを北診療病棟3階に新設し、初期研修医がよりよい研修生活を送れるように環境整備を行い（写真1）、サポートしています。

写真1　北診療病棟3階研修医室

Q 医師育成推進センターとしての目標は？

A　優秀な医師の育成は、当院のためのみならず、社会や地域医療、医学研究の発展につながります。当センターに所属し、当院の研修カリキュラムを修了した医師が、他の大学病院や県内さまざまな地域の病院・診療所で活躍しています。

“豊かな人間性、社会性、プロフェッショナリズム、科学的思考力、判断力をもった”、“患者さんを全人的に診る能力を身につけた”医師を育成していくことが、当センターの目標です。

Q 目標を達成するために、どのような働きをしているのですか？

A　医師となって最初に行う初期臨床研修の2年間は、その後の医師としての生き方、考え方を決定する極めて重要な期間といわれてい

写真２　研修医セミナー

写真３　救急症例検討会

ます。その重要な期間を当センターでは次のようにサポートしています。

①研修期間の自由選択の期間が長く、それぞれの研修医の希望に沿った柔軟なプログラムを構成しています。それを生かして、初期臨床研修修了後の専門医研修までを見据えた一貫した初期臨床研修を行えるという利点があります。

②プライマリ・ケア研修にも重点をおき、救急外来研修や総合診療部での一般外来研修を実施しているほか、協力型研修病院と本院での研修を１年ずつ行う「たすき掛けコース（コース２・３・５）」も用意しており、医療面接や身体診察を自ら行い、病態を把握して診断に必要な検査を選択し、臨床推論を行って適切に診断・治療をしてゆく過程を十分に研修することをサポートしています。

③各研修医に対して、きめ細やかな指導体制とフィードバックシステムを構築しています。指導体制に対しては県一番の専門医と指導医がおり、基本的に研修医１人に対して指導医が１人ついて指導を行っております。そのためわからないことも相談しやすく、フィードバックも適宜行えております。また多数の勉強会(研修医セミナー、救急症例検討会、医療安全など)（写真２、３）を行っております。施設としては内視鏡トレーニングルームもあり、指導医とともに訓練することが可能です。

また本年度から、教育にさらに力を入れていく予定です（医学雑誌『New England Journal of Medicine』を使用した内科症例勉強会、英会話の勉強会参加、海外学会の無料参加など）。

教育の一環として臨床手技動画（プロシージャーズ・コンサルト）を導入し、「Up To Date」のほかに「今日の臨床サポート」などのデータベースも追加導入しました。

当院において、研修医の皆さんがよりよい研修を送れるように、また「理想の医師」に近づけるように、スタッフ一同全力でサポートしています。

看護師特定行為研修センターって何をしているのですか？

すごい!! 超高齢化社会において、特定行為を安全に実践し、医療に貢献できる看護師を育成しています

わたしたちがお答えします。

看護師特定行為研修センター
センター長　教授
飯田 宏樹

看護師特定行為研修センター
副センター長　特任教授
吉田 省造

看護師特定行為研修センター
副センター長　看護部長
廣瀬 泰子

看護師特定行為研修センター
集中ケア認定看護師
瀧 寛子

Q 特定行為研修制度について教えてください

A 厚生労働省が創設した「特定行為に係る看護師の研修制度」は、超高齢社会の医療を支えていく看護師を養成する目的で、2015（平成27）年より始まりました。「特定行為」とは医師の診療の一部である医療行為を実践することであり、看護師が手順書（医師からの指示書）をもとに特定行為を実施するためには、実践的かつ専門的な理解力、思考力、判断力と技能が必要とされます。具体的には、「人工呼吸の設定の変更」「ドレーンの抜去」「動脈穿刺法による採血」「高カロリー輸液の投与量の調整」「脱水症状に対する輸液の補正」「持続点滴中の薬剤投与の調整」などの38の行為です。

2021年8月現在、国内の289施設で特定行為研修が行われています。岐阜県においても高齢者に対する医療のニーズの高まり・医療者の偏在・医師業務のタスクシフトの問題に対して、特定行為研修修了看護師の活躍が期待されています。当院では、2020年4月より8特定行為の研修を開講し、院内だけでなく院外の研修生も受け入れております。2021年3月には、1年間の研修を終えた第一期生10名を修了者として認定しました。2021年度は、第二期生として9名が在籍しています。

Q 看護師特定行為研修センターの役割を教えてください

A 看護師特定行為研修センターは、医師・薬剤師・看護師・事務職員などで運営しています。センターでは、受講生の研修管理、研修修了者の支援、厚生局への提出書類作成等を行っています。研修管理では、専従の看護師が講師（医師）との調整、教材の作成、授業のファシリテーションなどの研修進捗管理を行っています。研修修了者の支援では、修了者が安全に特定行為を実施できているかどうかを確認しています。当院では、9名の研修修了者（2021年4月時点）が「特定看護師」として活躍しています。また、当センターでは定期的にフォローアップセミナーを企画し、修了者のレベルアップを支援しています。今後も、医療現場において特定行為を安全に実践し、医療に貢献できる自律した看護師を育成していきます。

内視鏡外科手術トレーニングについて教えてください

すごい!! ブタを使った内視鏡下手術トレーニングや、ロボット手術を含むコンピュータシミュレーターで手術技能を高めています!

わたしたちがお答えします。

内視鏡外科手術トレーニングセンター
センター長　教授
岩田 尚（いわた ひさし）

内視鏡外科手術トレーニングセンター
副センター長　特任教授
高橋 孝夫（たかはし たかお）

Q どんなところですか?

A 従来の外科手術は、おなかの真ん中をメスで切開したり、胸をけさ懸けに切開したりして施行していました。大きな傷がおなかや胸に残る美容面はもちろんのこと、術後の傷の痛みも患者さんの苦痛の1つです。そこで内視鏡（ないしきょう）という、細長い筒の先端にCCD（シーシーディー）カメラをつけた器具を用いて手術を施行する「内視鏡下手術」が1990年代から急速に施行されるようになりました。

患者さんのおなかや胸に、より小さな傷を3〜4カ所つけて、そこから内視鏡を入れて手術します。術者や助手は、テレビカメラに映し出された術野（じゅつや）をみて手術をするわけです。当然、実際に目でみて施行する従来の手術と勝手が違いますし器具も異なります。さらに、当院には、最新鋭の手術支援ロボットが2台あります。手術支援ロボットは、先に説明しました内視鏡下手術をさらに発展させたものです。これらの機器を使いこなし、手術を施行するためには、高度な技術が必要になります。当院は大学病院ですので、多くの学生、若手医師が教育を受ける場でもあります。学生、若手医師が手術技能を高めるために開設されたのが、当センターです。

アニマルラボ部門ではブタ2頭に対して岐阜大学応用生物学部所属の獣医師のサポートによる麻酔下で、手術トレーニング、研究が可能です（写真1）。ドライラボ部門ではロボット手術を含むコンピュータシミュレーター（写真2）や、Webセミナー用のブースも設置しており、国内外とリモートによるセミナーの実施も可能になっています。

写真1　中動物（ブタ）における手術トレーニングおよび研究

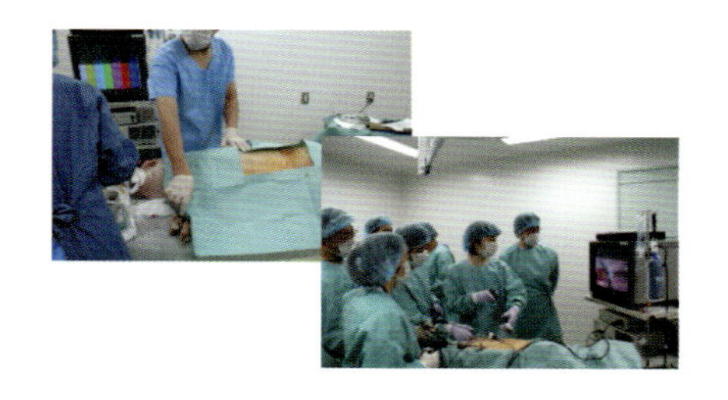

写真2　手術トレーニングシミュレーター

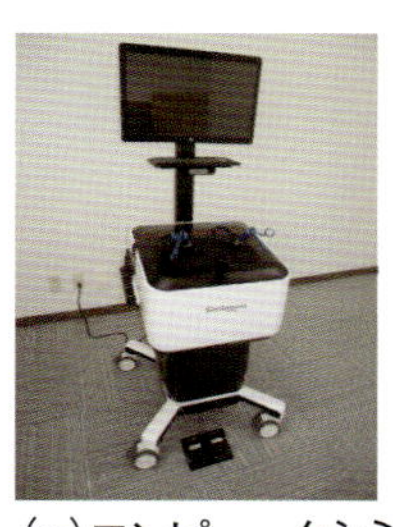

(a)コンピュータシミュレーター

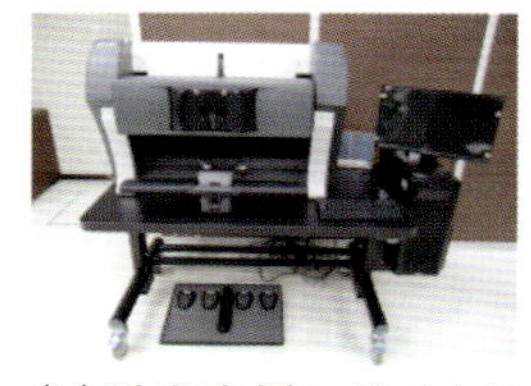

(b)手術支援ロボットシミュレーター

先端医療・臨床研究推進センターについて教えてください

すごい!! 基礎研究・シーズの発掘、研究開発・臨床研究・治験など、最先端医療を開発し社会に還元するまでの支援を行っています

わたしたちがお答えします。

先端医療・臨床研究推進センター
センター長　教授
秋山 治彦

先端医療・臨床研究推進センター
副センター長　准教授
浅田 隆太

どのような活動をしていますか？

A 当センターは、先端医療推進部門、臨床研究推進部門、治験管理部門、データマネジメント部門の４つの部門からなり（図）、当院における①新たな医療・医薬品等の開発研究の支援、②新薬の承認をめざした治験を実施するための支援、③新規医療技術などの研究開発のための研究費獲得支援などを目的としています。

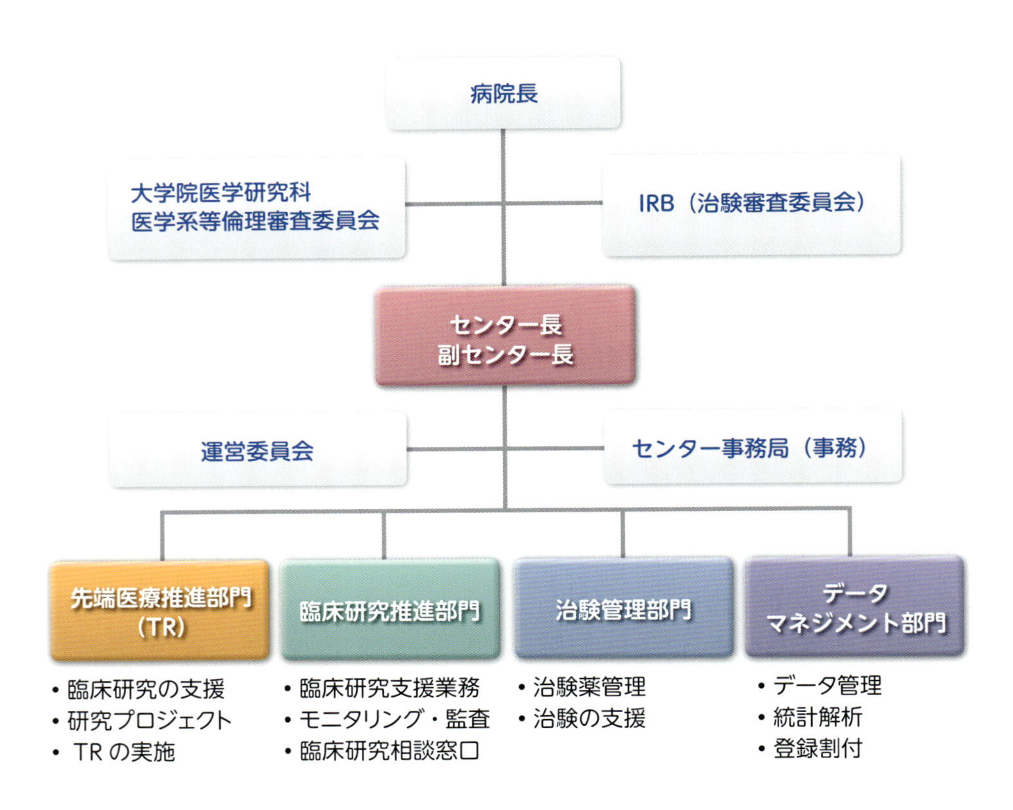

図　当センターの組織図

大学病院の使命は、言うまでもなく診療、教育、研究を通して社会に貢献していくことですが、当センターは特に大学病院でなければできない基礎研究やシーズ（医薬品等の候補物）の発掘から始まり、研究開発、臨床研究、治験などを支援し、基礎研究から臨床応用までを一貫して支援を行うことにより最先端医療を開発し、社会に還元します。

Q 治験って何ですか？

A 人を対象とした医薬品等の試験を一般に「臨床試験」といいますが、「くすりの候補」、「医療機器の候補」を用いて国（厚生労働省）の承認を得るためのデータを集める臨床試験は、特に「治験」と呼ばれています。「治験」には、第Ⅰ相・第Ⅱ相・第Ⅲ相・第Ⅳ相と呼ばれる段階があり、以下のような方法で行われます。

- **第Ⅰ相試験**：動物試験において安全性と有効性を確認できた「くすりの候補」は、健康な人に投与し、人での安全性を確認します。
- **第Ⅱ相試験**：健康な人に投与し安全性が確認できた「くすりの候補」は、少数の患者さんに投与し、安全性と有効性を確認します。
- **第Ⅲ相試験**：少数の患者さんに投与し安全性と有効性が確認できた「くすりの候補」は、多数の患者さんに投与し、さらなる安全性と有効性を確認します。
- **第Ⅳ相試験**（製造販売後臨床試験）：「くすり」として承認され市販されたあと、より多くの患者さんに使用された場合での、「くすり」の安全性と有効性を確認します。

治験ってなぜ必要ですか？

現在、多くの方が「すでに承認されているくすり」で治らない病気で苦しんでいます。そして、多くの方が「新しいくすり」を望んでいます。「新しいくすり」をつくるためには、「治験」を行う必要があり、「治験」は、患者さんの協力なくしては行うことができません。

「治験」は、同じ病気で苦しんでいる多くの方々の、将来の治療に生かされる医療です。

表　当院で実施中の治験（2021年3月31日現在）

対象疾患	実施診療科
2型糖尿病	第3内科
アトピー性皮膚炎	皮膚科
胃がん	消化器外科・がんセンター
胃腺がん	消化器外科・がんセンター
ギランバレー症候群	脳神経内科
クローン病	第1内科
びまん性大細胞型B細胞リンパ腫	第1内科
ムコ多糖症	小児科
乾癬	皮膚科
急性心筋梗塞	第2内科
筋萎縮性側索硬化症	脳神経内科
結節性痒疹	皮膚科
結腸・直腸がん	消化器外科
結腸直腸がん	消化器外科
原発性免疫不全症候群	小児科
骨髄線維症	第1内科
子宮体がん	産婦人科
子宮内膜異型増殖症	産婦人科
子宮頸がん	産婦人科
掌蹠膿疱症	皮膚科
食道胃接合部腺がん	消化器外科・がんセンター
食道がん	消化器外科
食道扁平上皮がん	消化器外科
潰瘍性大腸炎	第1内科
乳がん	消化器外科
非小細胞肺がん	呼吸器外科
脈管腫瘍・脈管奇形	小児科
膀胱がん	泌尿器科

臨床倫理室について教えてください

すごい!! 生命倫理・医事法の専門家が主宰する全国の大学病院でも特色ある組織です。医療者との対話を通じて病院機能の向上に寄与しています

わたしたちがお答えします。

臨床倫理室　室長
教授
塚田(つかた) 敬義(ゆきよし)

臨床倫理室　副室長
教授
清水(しみず) 雅仁(まさひと)

臨床倫理室　副室長
准教授
谷口(たにぐち) 泰弘(やすひろ)

Q どのような組織なのですか?

A 当院臨床倫理室では、主に次のような業務を行っています。①生命倫理を伴う緊急医療行為の実施協議、②臨床倫理に関する事例の収集および対応、③インフォームド・コンセントの適切な実施、④臨床倫理に係る教育･研修、⑤高難度新規医療技術等の提供の適否、⑥その他医療従事者の倫理の質の向上に関することです。臨床倫理室スタッフは、医師・看護師・薬剤師・ソーシャルワーカー・生命倫理の専門家という多職種で構成されています。臨床倫理室は、2016年8月に設置された比較的新しい組織です。「最善の医療へ導く臨床倫理」をモットーに日々活動をしています。

Q 具体的にどのような仕事をしているのですか?

A 複数の大学病院における医療事故（小児へのプロポフォールの投与、腹腔鏡(ふくくうきょう)下(か)肝切除(かんせつじょ)）を契機にして、平成28（2016）年に医療法施行規則の一部改正がなされ、高難度新規医療技術、未承認医薬品、未承認新規医療機器、さらに適応外医薬品、適応外医療機器の使用に当たり、大学病院における管理体制の構築が求められることになりました。そのような経緯から、当院では「臨床倫理室」を設置し管理・運用することになったのです（図1）。

国内で使用される医薬品・医療機器（以下、医薬品等とします）は、国が対象とその使用法について定めており、これを「承認」といいます。そして承認された医薬品等を健康保険制度の下での使用の要件について定めています。ところが疾患や病状によっては、例外的に未承認の医薬品等や適応外の医薬品等（国により承認はされているが、健康保険上定められた適応疾患･用法･用量を外れる）を例外的に使用しなければならないと考えられる状況があります。過去には、診療担当医の判断のみで患者さんに使用されていましたが、重大な医療事故の反省から、大学病院における管理・運用のルールを定め、診療担当医のみの判断ではなく複数の者による有用性や危険性の検討を経てから患者さんへ使用することになりました。たとえば、ある患者さんにどうしてもハイリスクの医薬品の適応外使用を検討しなければ

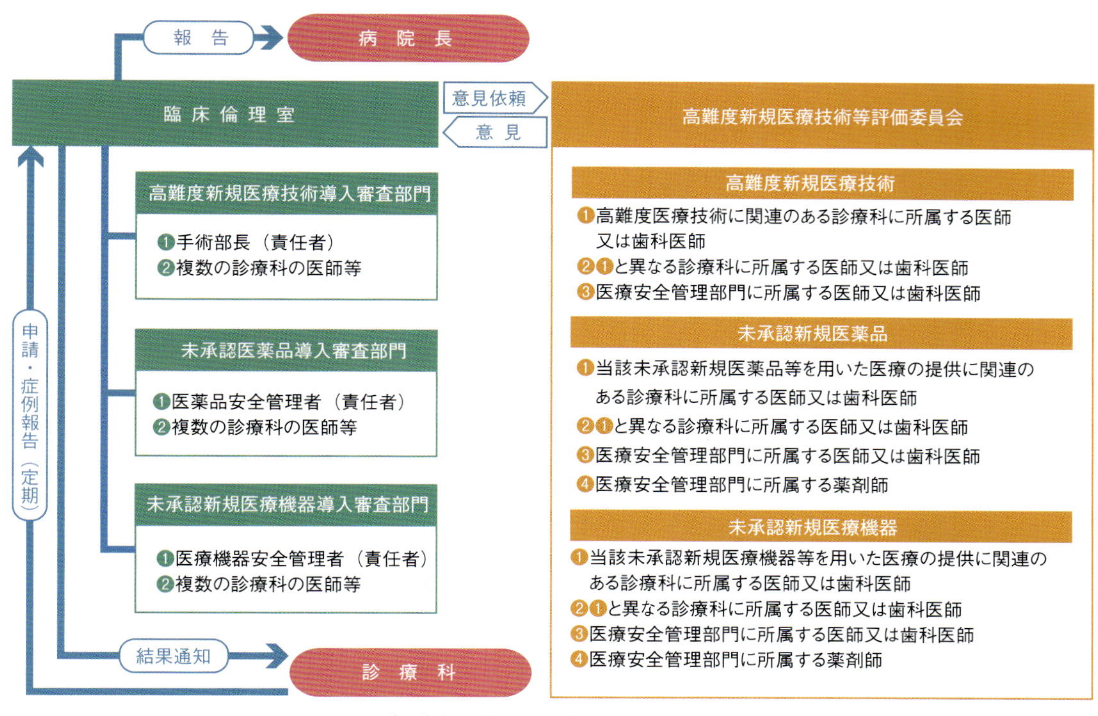

図1　高難度新規医療技術等の導入について

ばならない場合には、緊急に協議を行い判断しています（図2）。

Q 臨床倫理とは何ですか？

A「臨床倫理」という用語が国内で使用されるようになったきっかけとして、日本医療機能評価機構による病院機能評価の総合版評価項目（Ver.6.0）（2009年）の影響が大きいとされ、今では全国の病院に普及してきています。たとえば、当院のような大学病院対象の評価項目には「臨床における倫理的課題について継続的に取り組んでいる」とあります。患者さんやそのご家族は、さまざまな背景を抱えて通院や入院をしています。医療環境は日常の生活とまったく異なった環境であり、そこでは社会的・倫理的な課題が生ずることがあります。その際、担当する医療従事者が解決に当たることも多いわけです。しかし、多様化された現代社会においては、担当する医療従事者のみでは解決しにくい内容や病院として判断をするほうが望ましい内容も多くなってきています。担当者や診療科のみで抱え込まず、多職種によって協議を行い（図2）、当院として最善の医療へ導けるように活動をしています。

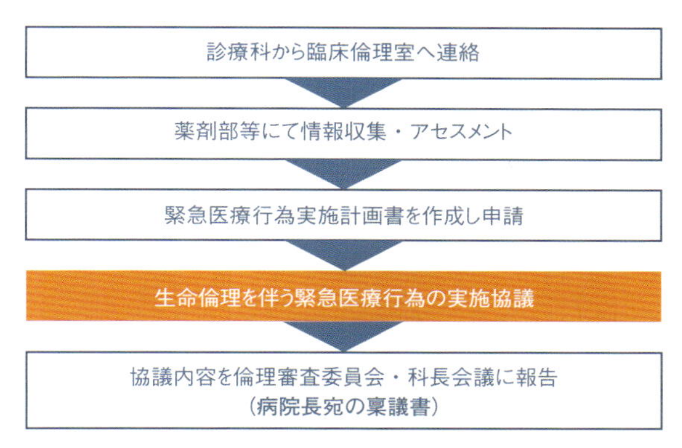

図2　患者ごとの緊急協議の流れ

岐阜大学には、2002年より生命倫理（医学研究倫理・臨床倫理）を専門とする研究室が設置され、現在、非医学部卒業の2名の研究者がいます。全国の医学部に生命倫理の研究室をもつ大学は少なく、さらに正式な病院の組織として活動している大学病院は全国的にも極めて少なく、岐阜大学の特色といえます。多職種との連携をとりながら今後も医療の質の向上、当院のガバナンスに寄与すべく活動していきます。

さわやかサービス推進室について教えてください

すごい!! 患者さんの声を大切にし、できることから迅速に改善するように努めています。組織横断的にフットワークよく活動しています

わたしたちがお答えします。

さわやかサービス推進室
室長
廣瀬 泰子（ひろせ やすこ）

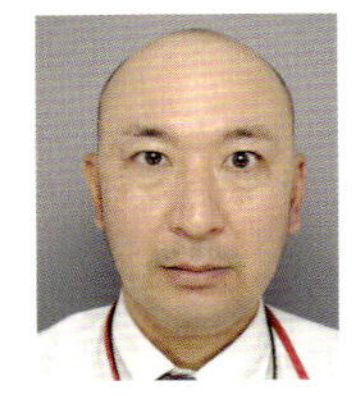

さわやかサービス推進室
副室長
福田 正哉（ふくた まさや）

さわやかサービス推進室
医療メディエーター
松野 泰子（まつの やすこ）

Q さわやかサービス推進室とは?

A さわやかサービス推進室は、最高の患者サービスを提供する最高の病院をめざし、患者サービスの向上をはかることを目的として活動しています。

室員の構成は、医師、看護師、管理栄養士、事務職員となっており、次に掲げる業務を行っています。

①患者サービスに係る意見の聴収および分析に関すること
②患者サービスに係る意見に対する改善案の提言および改善状況の確認に関すること
③職員の意識改革に係る活動支援に関すること
④患者さんが安全な外来受診および療養生活ができるよう支援すること
⑤患者さんの「癒し」となる催しを開催すること

Q “患者サービスに係る意見を聴収”とありますが、どんなことをしているのですか?

A 患者さんの苦情や要望などのご意見を収集するため、病院内13カ所に意見箱を設置し、毎週水曜日にご意見を回収しています。寄せられたご意見は、さわやかサービス推進室において、検討するとともに関係部署に提示し、苦情や要望などへの対応および改善を依頼し、対応および改善についての計画書の作成とその報告を求めています。

Q “意見に対する改善案の提言および改善状況の確認に関すること”とは?

A 関係部署での改善が困難な場合は、さわやかサービス推進室メンバーが支援しています。さわやかサービス推進室での対応がむずかしいご意見・要望については、病院運営会議にはかり、改善策を策定し対応しています。月

写真　掲示板およびご意見箱

資料　接遇マニュアル

岐阜大学医学部附属病院
職員接遇マニュアル
～「いつでもあなたが病院代表者」～

岐阜大学医学部附属病院
さわやかサービス推進室

1回開催されている「さわやかサービス推進室室員会議」において回答を要すると判断されたご意見・要望のうち、個人的なものを除いた回答を1階総合案内前の掲示板、およびご意見箱とともに設置しているファイルに掲載しています（**写真**）。

また、現在の医療サービスが患者さんにどのように評価されているかを把握するために、年1回「患者アンケート」（入院・外来別）を実施し、評価の低い項目などについては改善策の検討を行い、患者満足度の向上をめざしています。

Q “職員の意識改革に係る活動支援に関すること”とは？

A 患者さんからのご意見に、職員の接遇・マナーに対する苦情や要望などが多いことから、全職員対象の接遇研修を年1回行っています。また、接遇マニュアル（**資料**）周知の取り組みとして、内容を抜粋したポスターの掲示や各部門のリスクマネジャーを集めたカンファレンスでの周知をはかっています。

Q “患者さんが安全な外来受診・療養生活ができるよう支援すること”とは？

A たとえば、車いす、歩行器などの介助用具の整備や介助用具を利用する患者さんの移動介助、案内看板は見やすい位置にあるかの確認・整備、診療呼び出しシステムの点検・整備などを行っています。

Q “患者さんの「癒し」となる催し”とは？　どんなことを企画しているの？

A 病院1階イベントホールにて、ボランティアさんに協力していただき写真の展示会やコンサートなどを開催したり、クリスマスの時期にはイルミネーションを実施したり、小児科病棟と岐阜大学保育園へクリスマスプレゼントを贈るなど「癒し」をお届けしています。

改訂第２版 岐阜大学医学部附属病院 ここがすごい。

製作にかかわった職員一覧

病院長	吉田和弘
副病院長	森重健一郎
副病院長	秋山治彦
副病院長	土井　潔
副病院長	清水雅仁
副病院長	廣瀬泰子
病院長補佐	下畑享良
病院長補佐	古家琢也
病院長補佐	矢部大介
医学系研究科・医学部情報委員会附属病院部会	
	諏訪哲也（免疫・内分泌内科）
	長瀬　清（手術部）
	森　龍太郎（医療情報部）
	西田承平（薬剤部）
	石田真理子（検査部）
	梶田公博（放射線部）
	宮部美香子（看護部）
病院事務部長	早野美里
総務課長	畠山哲大
経営企画課長	坪井　豊
医事課長	岡田章宏
医療支援課長	齋藤　敦
病院施設主幹	白井隆司
広報室　編集	佐藤孝英

改訂第２版
岐阜大学医学部附属病院 ここがすごい。

定価（本体価格 1,900 円＋税）

2017年 1 月 15 日　第 1 版第 1 刷発行
2022年 3 月 31 日　第 2 版第 1 刷発行

編　著／岐阜大学医学部附属病院
発行者／佐藤　枢
発行所／株式会社 へるす出版
〒164-0001　東京都中野区中野２−２−３
Tel. 03（3384）8035［販売］　03（3384）8155［編集］
振替 00180-7-175971
https://www.herusu-shuppan.co.jp
印刷所／永和印刷株式会社

ISBN978-4-86719-037-1